fallen

Livros da autora publicados pela Galera Record

fallen

LAUREN KATE

Tradução
Alda Lima

2ª EDIÇÃO

2024

CIP-BRASIL. CATALOGAÇÃO NA FONTE
SINDICATO NACIONAL DOS EDITORES DE LIVROS, RJ.

Kate, Lauren
K31f   Fallen / Lauren Kate ; tradução Alda lima. - 2. ed. - Rio de Janeiro :
Galera Record, 2024.
(Fallen ; 1)

Tradução de: Fallen
ISBN 978-65-5981-307-0

1. Ficção americana. I. Lima, Alda. II. Título. III. Série.

CDD: 813
23-84291   CDU: 82-3(73)

Meri Gleice Rodrigues de Souza - Bibliotecária - CRB-7/6439

Composição de miolo: Adaptação de Abreu's System para projeto de Angela
Carlino

Texto revisado segundo Acordo Ortográfico da Língua Portuguesa de 1990.

Direitos exclusivos de publicação em língua portuguesa
somente para o Brasil adquiridos pela
EDITORA GALERA RECORD LTDA.
Rua Argentina, 120 – Rio de Janeiro, RJ – 20921-380 – Tel.: (21) 2585-2000,
que se reserva a propriedade literária desta tradução

Impresso no Brasil

ISBN 978-65-5981-307-0

Seja um leitor preferencial Record.
Cadastre-se e receba informações sobre nossos lançamentos e nossas promoções.

Atendimento e venda direta ao leitor:
sac@record.com.br

PARA MINHA FAMÍLIA,
COM AMOR E GRATIDÃO.

AGRADECIMENTOS

Um enorme obrigada a todos da Random House e da Delacorte Press por fazer tanto, tão bem e tão rapidamente. Agradeço a Wendy Loggia, cujo entusiasmo e generosidade me encorajaram desde o início. A Krista Vitola, por um emprego extremamente útil nos bastidores. A Brenda Schildgen, de UC Davis, pelo *background* e pela inspiração. A Nadia Cornier, por me ajudar a fazer isto tudo decolar. A Ted Malawer, por sua liderança editorial certeira, gentil e divertida. A Michael Stearns, antigo chefe, atualmente confiável colega e amigo. Você é simplesmente um gênio.

A meus pais e avós; Robby, Kim e Jordan; e a minha nova família em Arkansas. Não consigo pôr em palavras o que sua confiança inabalável significa para mim. Amo a todos.

E a Jason, que conversa comigo sobre os personagens como se fossem pessoas de verdade, até que eu consiga entendê-los. Você me inspira, me desafia, me faz sorrir todos os dias. Meu coração é seu.

Mas o Paraíso está trancado e enclausurado...
Precisamos fazer a jornada ao redor do mundo
Para ver se uma porta dos fundos talvez esteja aberta.

❋

— HEINRICH VON KLEIST, *"On the Puppet Theater"*

NO COMEÇO

HELSTON, INGLATERRA
SETEMBRO DE 1854

Por volta da meia-noite, seus olhos finalmente tomaram forma. A expressão neles era felina, parte determinada, parte hesitante — prontos para causar problemas. Sim, aqueles olhos estavam iguaizinhos. Alcançando as sobrancelhas finas e elegantes, a centímetros da cascata escura que era seu cabelo.

Ele estendeu o braço para avaliar seu progresso no papel que segurava. Era difícil trabalhar sem que ela estivesse na sua frente, mas, de qualquer modo, nunca conseguiria desenhar na presença dela. Desde que chegara de Londres — não, desde que a vira pela primeira vez —, ele precisara tomar cuidado para mantê-la sempre a distância.

Agora, ela o abordava diariamente, e cada dia era mais difícil do que o anterior. Era por isso que ele iria embora na manhã seguinte — para a Índia, para as Américas, não sabia e tampouco se importava. Em qualquer lugar que parasse seria mais fácil do que estar aqui.

Ele se inclinou sobre o desenho de novo, suspirando ao usar o polegar para retocar o carvão borrado que delineava o voluptuoso lábio inferior. Esse papel sem vida, um cruel impostor, era a única maneira de levá-la consigo.

Então, se endireitando na cadeira de couro da biblioteca, ele sentiu. Aquela brisa morna em sua nuca.

Ela.

Sua mera proximidade dava-lhe a mais peculiar das sensações, como o calor que emana de uma acha de lenha, queimando até virar um monte de cinzas numa fogueira. Ele sabia sem precisar virar o rosto: ela estava lá. Escondeu o retrato no meio dos papéis amontoados em seu colo, mas não podia escapar dela.

Os olhos dele recaíram sobre o sofá estofado cor de marfim do outro lado do salão, onde apenas algumas horas antes ela aparecera inesperadamente, depois dos outros de seu grupo, usando um vestido de seda cor-de-rosa, para aplaudir a filha mais velha do anfitrião, que tocara uma bela música no cravo. Seu olhar cruzou a sala até a janela que dava para a varanda, onde no dia anterior ela surgira para ele com um punhado de peônias brancas nas mãos. Ela ainda achava que a atração que sentia por ele era inocente, que seus frequentes encontros na varanda eram meramente... felizes coincidências. Tão ingênua! Ele nunca contaria a verdade — o segredo era um fardo que suportaria sozinho.

Ele se levantou e deu meia-volta, deixando os esboços para trás, sobre a cadeira de couro. E lá estava ela, encostada nas cortinas de veludo vermelho, em seu simples vestido branco. O cabelo preto se soltara das tranças, e a expressão em seu rosto era a mesma que ele havia desenhado tantas vezes. Havia um calor subindo em sua face. Estaria zangada? Envergonhada? Gostaria de saber, mas não podia se permitir a pergunta.

— O que está fazendo aqui? — Ele pôde ouvir o rosnado em sua própria voz, e se arrependeu da grosseria, sabendo que ela nunca entenderia.

— Eu... Eu não consegui dormir — gaguejou, indo em direção ao fogo e à cadeira dele. — Vi a luz em seu quarto e também — ela parou, baixando os olhos para as mãos — seu baú do lado de fora da porta. Vai a algum lugar?

— Eu pretendia contar a você — começou ele. Não devia mentir. Mas nunca teve a intenção de deixá-la a par de seus planos. Contar só pioraria as coisas. Já tinha deixado as coisas irem longe demais, com esperança que dessa vez fosse ser diferente.

Ela se aproximou mais um pouco e seus olhos pousaram sobre o caderno de desenho.

— Estava me desenhando?

Seu tom assustado o lembrou de como era grande o abismo entre os dois. Mesmo depois de todo o tempo que tinham passado juntos nas últimas semanas, ela não tinha nem começado a enxergar a verdade que estava por trás da atração entre eles.

Isso era bom — ou, pelo menos, era o melhor para ela. Durante os últimos dias, desde que ele resolvera ir embora, estivera lutando para se afastar dela. O esforço lhe exigiu tanto que, assim que se viu sozinho, teve que ceder ao desejo acumulado de desenhá-la. Enchera o caderno de páginas retratando seu pescoço arqueado, a pele clara da clavícula, os cabelos pretos.

Agora, ele olhava de volta para o esboço, sentindo não vergonha por ter sido surpreendido desenhando-a, mas coisa pior. Um arrepio gelado se espalhou pelo seu corpo quando percebeu que aquela descoberta — a revelação do que sentia — a destruiria. Ele deveria ter tomado mais cuidado. Era assim que sempre começava.

— Leite morno com uma colher de melado — murmurou ele, ainda de costas. Depois, acrescentou com tristeza. — Vai ajudá-la a dormir.

— Como você sabia? Minha nossa, era exatamente isso que minha mãe costumava...

— Eu sei — interrompeu, se virando para encará-la. O espanto na voz dela não o surpreendia, mas mesmo assim não podia explicar como sabia o que fazer, ou contar quantas vezes ele mesmo tinha preparado essa bebida no passado, quando as sombras chegavam, ou como a tinha segurado nos braços até que adormecesse.

Ele sentiu o toque dela como se o estivesse queimando através da camisa, a mão pousada gentilmente em seu ombro, fazendo-o arfar. Os dois ainda não haviam se tocado nessa vida, e o primeiro contato sempre o deixava sem ar.

— Me responda — sussurrou ela. — Está indo embora?

— Sim.

— Então me leve com você — disse ela abruptamente. No mesmo momento, ele viu que ela prendia a respiração, desejando ser possível retirar o que acabara de dizer. Podia ver a sucessão de emoções se formando no vinco entre seus olhos: ela se sentiria impetuosa, depois desnorteada, e em seguida envergonhada pela própria ousadia. Ela sempre fazia isso e, muitas vezes antes, ele tinha cometido o erro de confortá-la nesse exato momento.

— Não — sussurrou, lembrando... sempre lembrando... — Embarco amanhã. Caso se importe ao menos um pouco comigo, não dirá mais uma palavra.

— *Caso* eu me importe com você — repetiu ela, quase como se estivesse falando sozinha. — Eu... Eu *amo*...

— Não diga isso.

— Tenho que dizer. Eu... Eu amo você, tenho quase certeza, e se você for embora...

— Se for embora, salvarei sua vida. — As palavras foram enunciadas lentamente, tentando alcançar a parte dela que talvez se lembrasse. Será que tinha alguma coisa lá, enterrada em algum lugar? — Algumas coisas são mais importantes que o amor. Você não vai entender, mas precisa confiar em mim.

O olhar dela o atravessou. Ela deu um passo para trás e cruzou os braços. Isso era culpa dele também — sempre despertava o lado desdenhoso da moça quando a tratava assim.

— Quer dizer que existem coisas mais importantes do que isso? — ela o desafiou, pegando as mãos dele e levando-as até seu coração.

Ah, como ele queria ser ela e não saber o que aconteceria a seguir! Ou pelo menos gostaria de ser mais forte do que era e conseguir impedi-la. Se não a impedisse, ela nunca descobriria, e o passado apenas continuaria se repetindo, torturando-os num ciclo sem fim.

O calor familiar da pele dela sob suas mãos fez com que ele pendesse a cabeça para trás e gemesse. Estava tentando ignorar a proximidade entre os dois, como ele conhecia bem o toque dos lábios dela nos seus, como era amargo saber que tudo isso teria que acabar. Mas seus dedos se tocavam tão de leve. Ele podia sentir seu coração acelerado através do vestido de algodão fino.

Ela estava certa. Não havia nada mais importante do que isso. Nunca houve. Ele estava prestes a ceder e tomá-la nos braços quando viu a expressão em seus olhos. Como se tivesse visto um fantasma.

Foi ela quem se afastou, com uma das mãos sobre a testa.

— Estou tendo a sensação mais estranha — sussurrou.

Não... já seria tarde demais?

Os olhos dela se estreitaram até a expressão retratada no esboço e ela voltou a se aproximar novamente, as mãos sobre o peito, seus lábios abertos de expectativa.

— Diga-me que enlouqueci, mas juro que já estive exatamente aqui antes...

Então *era* tarde demais. Ele ergueu os olhos, trêmulo, e pôde sentir a escuridão caindo sobre os dois. Ele aproveitou aquela última chance de segurá-la, de abraçá-la o mais forte que podia, como havia ansiado durante semanas.

Assim que os lábios dele se fundiram com os dela, não havia mais poder algum em suas mãos. O gosto de madressilva de sua boca o deixava tonto. Quanto mais próxima ela ficava, mais seu estômago se retorcia com a excitação e a agonia de tudo aquilo. Sua língua tocava a dele, e o fogo entre os dois ardia mais forte, mais quente, mais poderoso a cada novo toque, cada nova descoberta. E, ainda assim, nada disso era novidade.

O lugar tremeu. Uma aura em volta do casal começou a brilhar.

Ela não notou nada, não estava ciente de nada, não entendia nada além daquele beijo.

Só ele sabia o que estava prestes a acontecer, quão sombria era a companhia que se preparava para se juntar àquele reencontro. Mesmo incapaz de, mais uma vez, alterar o curso de suas vidas, ele sabia.

As sombras rodopiavam diretamente acima dos dois. Tão perto que ele poderia tê-las tocado. Tão perto que o fez considerar se ela podia ouvir o que estavam sussurrando. Ele observou enquanto seu rosto se obscurecia. Por um momento, viu um brilho de reconhecimento crescendo nos olhos dela.

E então não havia mais nada, absolutamente nada.

UM

PERFEITOS ESTRANHOS

Luce entrou no saguão iluminado pelas lâmpadas fluorescentes da Escola Sword & Cross dez minutos atrasada. Uma atendente robusta de bochechas coradas e com uma prancheta presa sob o bíceps torneado, estava dando ordens — o que significava que Luce já havia ficado para trás.

— Então, lembrem-se: PPP, pílulas, pijamas e polícia, que carinhosamente chamamos de vermelhos — ladrou a atendente para três outros estudantes de pé à frente de Luce. — Lembrem-se do essencial e ninguém vai se machucar.

Luce apressou-se para se juntar ao grupo. Ela ainda estava tentando entender se tinha preenchido corretamente a gigantesca pilha de formulários, se esse guia de cabeça raspada parado na frente deles era homem ou mulher, se alguém ali a ajudaria com a enorme mochila, se seus pais se livrariam de seu amado Plymouth Fury assim que chegassem em casa, depois de deixá-la ali. Eles ameaçaram vender o carro durante o verão inteiro, e agora tinham um motivo com o qual nem mesmo Luce poderia argumentar: ninguém tinha permissão para ter carros no novo colégio de Luce. Seu novo *reformatório*, para ser mais exata.

Ela ainda estava se acostumando com a palavra.

— Você podia, hum, repetir? — ela perguntou à atendente. — O que você disse sobre pílulas...

— Ora, vejam só quem resolveu aparecer — disse a atendente, em alto e bom som, e então continuou, enunciando lentamente: — pílulas ou *remédios*. Se for uma das alunas medicadas, é aonde deve ir para se manter dopada, sã, respirando, seja lá o que for.

Mulher, Luce concluiu, analisando a atendente. Nenhum homem seria ardiloso o bastante pra usar aquele tom de voz sarcástico.

— Entendi. — Luce sentiu o estômago se revirar. — Remédios.

Luce parara de tomar remédios há anos. Depois do acidente no último verão, o Dr. Sanford, seu médico em Hopkinton — e o motivo pelo qual seus pais a tinham mandado para um colégio interno em New Hampshire —, estava pensando em medicá-la de novo. Apesar de ela finalmente tê-lo convencido que estava quase estável, fora necessário um mês extra de análise simplesmente para poder ficar longe daqueles horríveis antipsicóticos.

E essa era a razão pela qual estava começando a cursar o último ano na Sword & Cross, um mês inteiro depois do início do ano letivo. Ser uma aluna nova já era ruim o bastante, e Luce tinha ficado muito nervosa por ter que se esforçar para alcançar o ritmo das matérias quando todo mundo já estava acostumado a elas. Mas, pelo visto, ela não era a única aluna chegando hoje.

Ela deu uma olhada nos três outros alunos parados em semicírculo em volta dela. Na sua última escola, a Dover Prep, foi durante o tour pelo campus no primeiro dia de aula que Luce conhecera a melhor amiga, Callie. Num campus onde todos os outros alunos tinham praticamente sido desmamados juntos, o fato de Luce e Callie serem as únicas que não vinham de famílias tradicionais da escola já era afinidade o suficiente. Mas não foi preciso muito tempo para que as duas garotas percebessem que partilhavam também a mesma obsessão por filmes antigos — especialmente os de Albert Finney. Depois de descobrirem, no primeiro ano, enquanto assistiam a *Um caminho para dois*, que nenhuma das duas conseguia fazer pipoca sem disparar o alarme de incêndio, Callie e Luce não desgrudaram mais uma da outra. Até... até serem obrigadas.

Parados de cada lado de Luce hoje estavam dois garotos e uma garota. A garota parecia bem fácil de decifrar: loira e bonita, como se saída de um comercial da Neutrogena, com unhas pintadas de cor-de-rosa claro combinando com a pasta de plástico.

— Sou Gabbe — disse arrastado, abrindo para Luce um grande sorriso que desapareceu tão rápido quanto tinha surgido, antes mesmo de Luce poder dizer seu próprio nome. O interesse passageiro da garota fez Luce pensar mais em uma versão sulista das garotas da Dover do que em alguém que se esperaria encontrar na Sword & Cross. Luce não conseguia decidir se isso era reconfortante ou não, assim como não conseguia nem imaginar o que uma garota com essa aparência estaria fazendo num reformatório.

À direita de Luce estava um garoto de cabelo castanho curto, olhos castanhos e um monte de sardas no nariz. Mas, pela maneira como ele evitava encará-la, e só ficava mordendo a cutícula do dedão, Luce teve a impressão de que o garoto, assim como ela, provavelmente ainda estava atordoado e envergonhado por ter ido parar ali.

O garoto à esquerda, por outro lado, se encaixava no estereótipo desse lugar até um pouco demais. Ele era alto e magro, carregava um case de DJ pendurado num dos ombros, tinha cabelo preto repicado e grandes e profundos olhos verdes. Seus lábios eram cheios e de um cor-de-rosa natural que a maioria das garotas mataria para ter. Na nuca, uma tatuagem preta no formato de sol quase parecia brilhar na pele clara, subindo pela gola de sua camiseta preta.

Diferente dos outros dois, quando esse garoto se virou para olhá-la, encarou fixamente seus olhos e não se moveu. Os lábios numa linha séria, mas os olhos eram quentes e vivos. Ele a contemplou, parado como uma escultura, fazendo Luce congelar também. Ela prendeu a respiração. Aqueles olhos eram intensos, sedutores e, bem, um pouco desconcertantes.

Com alguns pigarros, a atendente interrompeu o olhar hipnotizador do garoto. Luce corou e fingiu estar muito ocupada coçando a cabeça.

— Aqueles que já aprenderam as regras estão livres para ir, assim que jogarem fora seus objetos perigosos. — A atendente indicou uma grande caixa de papelão sob um cartaz que dizia em grandes letras pretas MATERIAIS PROIBIDOS. — E, quando digo *ir*, Todd — ela pousou a mão com força no ombro do menino sardento, fazendo-o saltar —, quero dizer para os limites do ginásio, encontrar seus guias previamente escolhidos. Você — continuou, apontando para Luce —, descarte seus materiais perigosos e fique comigo.

Os quatro se acotovelaram até a caixa e Luce assistiu, estupefata, os outros alunos começarem a esvaziar os bolsos. A garota jogou na caixa um canivete suíço de sete centímetros. O garoto de olhos verdes relutantemente se livrou de uma lata de spray de tinta e um estilete. Até o infeliz Todd descartou várias caixas de fósforos e uma pequena embalagem de fluido para isqueiro. Luce se sentiu quase envergonhada por não estar escondendo nada perigoso também, mas, quando viu os outros alunos enfiarem as mãos no bolso e jogarem também seus celulares dentro da caixa, engoliu em seco.

Inclinando-se para a frente para ver um pouco mais de perto o cartaz de MATERIAIS PROIBIDOS, ela notou que celulares, pagers e walk-talkies eram estritamente contra as regras. Já era ruim o suficiente não poder ficar com o carro! Luce tocou, com a mão suada e grudenta, o celular em seu bolso, a única conexão com o mundo lá fora. Quando a atendente viu a expressão em seu rosto, Luce recebeu uns tapinhas de leve no rosto.

— Não vá morrer aqui na minha frente, garota. Não me pagam bem o suficiente para ressuscitar alguém. Além disso, você tem direito a um telefonema por semana no saguão principal.

Uma ligação... Uma vez por semana? Mas...

Ela baixou os olhos para o celular uma última vez e viu que tinha recebido duas novas mensagens de texto. Não parecia possível que essas fossem ser suas *últimas* mensagens de texto. A primeira era de Callie.

Liga logo! Vou esperar ao lado do telefone a noite toda, então pode ir se preparando pra contar. E lembre-se do mantra que te falei: você vai sobreviver! Aliás, se é que faz alguma diferença, acho que todo mundo já esqueceu completamente sobre...

Bem no estilo de Callie, havia tantos caracteres na mensagem que a porcaria do celular de Luce cortou a frase depois de algumas linhas. Por um lado, Luce quase se sentiu aliviada. Ela não queria saber como todo mundo de sua antiga escola já tinha esquecido o que acontecera, o que ela fizera pra vir parar num lugar *desses*.

Luce suspirou e passou para a segunda mensagem. Era da sua mãe, que tinha aprendido como se mandava mensagens há algumas poucas semanas, e certamente não sabia dessa história de uma ligação por semana, ou nunca teria abandonado a filha ali. Não é?

Querida, estamos sempre pensando em você. Seja boazinha e tente comer bastante proteína. Conversaremos quando der. Com amor, M & P.

Com outro suspiro, Luce percebeu que os pais provavelmente sabiam. De que outra maneira poderia explicar as expressões sofridas quando ela se despedira nos portões da escola naquela manhã, com a mochila na mão? No café da manhã, ela tentara fazer piada, dizendo que finalmente perderia aquele horrível sotaque da Nova Inglaterra que tinha adquirido na Dover, mas seus pais não tinham nem mesmo sorrido. Luce achou que ainda estavam com raiva dela; eles nunca faziam escândalo, o que significava que, quando Luce fazia algo muito errado, simplesmente davam um gelo nela. Agora entendia o comportamento estranho dessa manhã: seus pais já estavam lamentando a perda de contato com sua única filha.

— Ainda estamos esperando *alguém* — cantarolou a atendente. — Quem será que é? — A atenção de Luce voltou para a caixa dos materiais perigosos, que agora estava transbordando de coisas contrabandeadas que ela nem reconhecia. Podia sentir os olhos verdes do garoto de cabelo escuro sobre si. Ao levantar os olhos, porém, percebeu que *todos* a estavam encarando. Era sua vez. Luce fechou os olhos e lentamente abriu os dedos, deixando o telefone escorregar e cair no alto da pilha, fazendo um som triste. O som de estar completamente sozinha.

Todd e a robô Gabbe foram para a porta sem nem olhar na direção de Luce, mas o terceiro garoto se virou para a atendente.

— Posso explicar as coisas pra ela — disse, indicando Luce com a cabeça.

— Não faz parte do nosso acordo — respondeu a mulher automaticamente, como se já estivesse esperando esse diálogo. — Você é novo aqui mais uma vez, e isso significa ter as mesmas restrições que os outros alunos novos. De volta ao começo. Se não ficou feliz, devia ter pensado duas vezes antes de violar a condicional.

O garoto ficou imóvel e sem demonstrar nada, enquanto a atendente puxava Luce — que tinha congelado com a palavra "condicional" — para o final do corredor amarelado.

— Continuando — prosseguiu ela, como se nada tivesse acontecido. — Cama. — Apontou pela janela oeste para um distante prédio de alvenaria. Luce podia ver Gabbe e Todd se aproximando do prédio devagar, com o terceiro garoto andando lentamente, como se alcançá-los fosse a última coisa em sua lista de prioridades.

O dormitório era grande e quadrado, um bloco cinza e sólido cujas grossas portas duplas não revelavam nada sobre a possibilidade de haver vida atrás delas. Uma grande placa de pedra estava plantada no meio da grama morta, e Luce lembrou-se de ter visto, no site, as palavras DORMITÓRIO PAULINE gravadas nela. Parecia ainda mais feia no sol nebuloso da manhã do que na sem graça foto em preto e branco.

Mesmo a distância, Luce podia ver o limo preto cobrindo a fachada do dormitório. Todas as janelas eram obstruídas por fileiras de barras grossas de aço. Ela apertou os olhos. Aquilo era arame farpado em cima da cerca que dava a volta no prédio?

A atendente baixou os olhos para uma lista, folheando a ficha de Luce.

— Quarto sessenta e três. Deixe a bolsa na minha sala com o resto das malas por enquanto. Poderá se acomodar durante a tarde.

Luce arrastou a mochila vermelha até os outros três baús pretos indistintos. Então, instintivamente, tentou pegar seu celular, onde geralmente anotava coisas que precisava lembrar. Mas, quando sua mão tocou no bolso vazio, Luce suspirou e tentou memorizar o número do quarto em vez disso.

Ela ainda não entendia por que não podia ficar na casa dos pais; a casa em Thunderbolt ficava a menos de meia hora da Sword & Cross. Era tão bom estar de volta a Savannah, onde, como sua mãe sempre dissera, até o vento soprava de forma preguiçosa. O ritmo mais tranquilo e lento da Geórgia tinha muito mais a ver com Luce do que a Nova Inglaterra jamais tivera.

Mas a Sword & Cross não parecia ficar em Savannah. Não se parecia com lugar nenhum, na verdade; era somente um lugar sem vida e sem cor para onde o juiz a tinha mandado. Ela ouviu o pai no telefone com o diretor no outro dia, assentindo com seu jeito de professor de biologia confuso e dizendo: "Sim, sim, talvez fosse melhor que fosse supervisionada o tempo todo. Não, não, não gostaríamos de interferir nos seus métodos."

Claramente seu pai não sabia das condições de tal supervisão sobre sua única filha. Esse lugar parecia uma penitenciária de segurança máxima.

— E a outra coisa, como foi que você disse, os vermelhos? — Luce perguntou à atendente, pronta para ser liberada do tour.

— Vermelhos — apontou a atendente para um pequeno aparelho pendurado no teto e ligado por fios: uma lente com uma luz vermelha piscando. Luce não tinha visto antes, mas, assim que a atendente apontou para a primeira, percebeu que estavam por toda parte.

— Câmeras?

— Muito bem — congratulou a atendente, com a voz escorrendo sarcasmo. — Deixamos todas bem óbvias para vocês não esquecerem. O tempo todo, em qualquer lugar, estamos de olho em vocês. Então não faça besteira, isto é, se conseguir evitar.

Toda vez que alguém falava com Luce como se ela fosse uma total psicopata, a garota acreditava mais um pouco que isso era verdade.

Durante todo o verão as lembranças a assombraram, em seus sonhos e nos raros momentos em que seus pais a deixavam sozinha. *Alguma coisa* tinha acontecido naquela cabana, e todo mundo, inclusive Luce, queria saber o quê. A polícia, o juiz, a assistente social, todos tinham tentado arrancar a verdade dela, mas Luce sabia tanto quanto eles. Ela e Trevor estavam brincando a noite toda, perseguindo um ao outro até a fileira de cabanas do lago, para longe da festa. Ela tinha tentado explicar que tinha sido uma das melhores noites da sua vida, até virar a pior.

Tinha passado tanto tempo relembrando aquela noite, escutando a risada de Trevor, sentindo as mãos dele apertando sua cintura, e tentando acreditar no que seu coração lhe dizia: que realmente era inocente.

Mas agora, cada regra e norma da Sword & Cross parecia desmentir essa certeza, e sugerir que realmente era perigosa e precisava ser controlada.

Luce sentiu um aperto firme em seu ombro.

— Olhe — disse a atendente. — Se vai fazer você se sentir melhor, não está nem perto de ser o pior caso daqui.

Era o primeiro gesto simpático da atendente em relação a Luce, e ela acreditou na intenção dela para que se sentisse melhor. Mas... ela viera pra cá por ser suspeita da morte do cara por quem era apaixonada, e ainda assim "não estava nem perto de ser o pior caso daqui"? Luce se perguntou exatamente com o que estavam lidando na Sword & Cross.

— OK, a orientação acabou — continuou a atendente. — Está por conta própria agora. Aqui está um mapa se precisar encontrar qualquer outra coisa. — Ela deu a Luce um mapa feio e feito à mão, e então olhou o relógio. — Você tem uma hora livre antes da primeira aula, mas minha novela começa em cinco minutos, então... — ela acenou as mãos para Luce — desapareça. E não esqueça — completou, apontando uma última vez para as câmeras —, os vermelhos estão te vendo.

Antes que Luce pudesse responder, uma garota magra de cabelo escuro apareceu na sua frente, acenando com os dedos compridos na frente do rosto de Luce.

— Uuuuuuh — provocou a garota num tom de história de terror, dançando em círculos em volta de Luce. — Os vermelhos estão te vendoooooo.

— Saia daqui, Ariane, antes que eu mande você para a lobotomia — disse a atendente rispidamente, apesar de ter ficado evidente, pelo seu primeiro breve porém genuíno sorriso, que tinha algum tipo de afeição pela garota.

Estava óbvio também que Ariane não retribuía aquele amor. Ela fez o gesto de uma punheta para a atendente, então olhou para Luce, desafiando-a a sentir-se ofendida.

— E, só por isso — disse a atendente, escrevendo furiosamente no seu caderno —, você acaba de receber a tarefa de mostrar a escola para a Little Miss Sunshine aqui.

Ela apontou para Luce, que parecia a antítese da animação com seu jeans preto, botas pretas e blusa preta. Sob o item "Uniforme", o site da Sword & Cross explicava num tom alegre que, desde que os alunos se comportassem bem, tinham a liberdade de se vestir como quisessem, seguindo apenas duas pequenas regras: as roupas deveriam ser discretas, e sempre pretas. Quanta liberdade.

A blusa grande demais, de gola alta e mangas curtas, que a mãe de Luce a tinha forçado a colocar naquela manhã não favorecia em nada as curvas de seu corpo, e até mesmo sua melhor característica não estava mais lá: o cabelo preto e cheio, que costumava descer até a cintura, tinha sido quase completamente tosado. O fogo da cabana chamuscara seu couro cabeludo e deixara a linha da testa desigual, então, depois do longo e silencioso caminho da Dover até a casa, sua mãe tinha colocado Luce na banheira, pegado o barbeador elétrico do pai e, sem dizer uma palavra, raspado a cabeça da filha. Durante o verão, o cabelo tinha crescido um pouco, o bastante para que as ondas um dia invejáveis agora girassem em cachos estranhos pouco abaixo das orelhas.

Ariane a analisou, batendo com um dedo nos lábios pálidos.

— Perfeito! — exclamou ela, dando um passo à frente e passando o braço pelo de Luce. — Estava mesmo precisando de uma nova criada.

A porta para o saguão se abriu e por ali entrou o garoto de olhos verdes. Ele balançou a cabeça e avisou Luce:

— Este lugar não hesita em revistar você completamente. Então, se estiver escondendo algum outro tipo de *material perigoso* — ele ergueu uma sobrancelha e jogou um monte de objetos não identificáveis na caixa —, não se dê ao trabalho.

Atrás de Luce, Ariane riu baixinho. A cabeça do garoto se ergueu e, quando seus olhos registraram quem era, ele abriu a boca e depois a fechou, como se não tivesse certeza de como proceder.

— Ariane — disse sem demonstrar emoção.

— Cam — devolveu ela.

— Você o conhece? — Luce sussurrou, imaginando se nos reformatórios existiam os mesmos tipos de grupinhos de escolas como a Dover.

— Não me lembre disso — respondeu Ariane, arrastando Luce pela porta até saírem para a manhã cinzenta e úmida.

Os fundos do prédio principal davam numa calçada lascada que contornava um campo desalinhado. A grama tinha crescido tanto que parecia mais um terreno abandonado do que parte da escola, mas um velho placar e uma pequena montanha de arquibancadas de madeira empilhadas confirmavam o passado do lugar.

Além da área comum havia quatro prédios austeros: o dormitório na extrema esquerda, uma igreja velha, imensa e feia à direita, e duas outras grandes estruturas entre essas, que Luce imaginou serem onde eram ministradas as aulas.

E era só isso. Seu mundo todo tinha sido reduzido ao triste cenário que contemplava.

Ariane imediatamente saiu da calçada e levou Luce para o gramado, fazendo-a se sentar sobre um dos bancos de madeira ensopados.

A paisagem correspondente na Dover deixava óbvio que ali estavam os atletas em treinamento e aspirantes a Ivy League, então Luce sempre evitara passar muito tempo lá. Mas esse campo vazio, com suas traves enferrujadas e empenadas, contava uma história bem diferente. Uma história que Luce não conseguia entender facilmente. Três abutres voaram por cima delas, e um vento sombrio chicoteou os galhos nus dos carvalhos. Luce abaixou o queixo até enfiá-lo dentro da gola alta da blusa.

— Entãoooo — começou Ariane. — Já conheceu Randy.

— Achei que o nome dele era Cam.

— Não estamos falando *dele* — interrompeu Ariane rapidamente. — Estou falando do ser não identificado lá dentro. —

Ariane indicou com a cabeça a sala onde deixaram a atendente assistindo TV. — O que você acha, homem ou mulher?

— Hum, mulher? — respondeu Luce hesitantemente. — Isso é um teste?

Ariane abriu um sorriso.

— O primeiro de muitos. E você passou, pelo menos eu acho. O sexo da maioria dos funcionários daqui é um debate infinito que atravessa a escola. Não se preocupe, vai acabar gostando da brincadeira.

Luce achou que Ariane estava brincando — se fosse mesmo o caso, legal. Mas isso tudo era tão diferente de Dover. Na antiga escola, os futuros senadores, engomadinhos com suas gravatas verdes, praticamente deslizavam pelos corredores numa calma de boas maneiras típica de gente rica, que parecia cobrir tudo e todos.

Muitas vezes, os outros alunos da Dover lançavam a Luce um olhar superior que dizia não-suje-as-paredes-brancas-com-*seus*-dedos. Ela tentou imaginar Ariane lá: descansando nas arquibancadas, contando uma piada suja com sua voz alta e sarcástica. Luce tentou imaginar o que Callie acharia de Ariane. Não havia ninguém como ela na Dover.

— OK, desembucha — exigiu Ariane. Sentando-se na parte mais alta da arquibancada e acenando para que Luce se juntasse a ela, continuou. — O que você fez pra vir parar aqui?

O tom de voz de Ariane era brincalhão, mas subitamente Luce precisou se sentar. Era ridículo, mas meio que esperava passar pelo primeiro dia de aulas sem que o passado se esgueirasse e interferisse em sua aparente tranquilidade. É óbvio que as pessoas ali iam querer saber.

Ela podia sentir o sangue pulsando em suas têmporas. Isso acontecia sempre que tentava se lembrar — realmente se lembrar — daquela noite. Nunca tinha parado de sentir culpa pelo que acontecera com Trevor, mas também tentava não se prender às sombras, que agora eram as únicas coisas que conseguia lembrar do acidente. Aquelas coisas escuras e disformes sobre as quais nunca poderia contar para ninguém.

Pensando bem — ela *começara* a contar para Trevor sobre a presença estranha que tinha sentido aquela noite, sobre as sombras retorcidas acima de suas cabeças, ameaçando destruir a noite perfeita dos dois. Obviamente, já era tarde demais. Trevor se fora, seu corpo queimado e irreconhecível, e Luce era... era ela... a culpada?

Ninguém sabia sobre as formas sombrias que às vezes via na escuridão. Elas sempre a visitaram. Iam e vinham há tanto tempo que Luce não conseguia nem se lembrar da primeira vez em que as viu. Mas lembrava da primeira vez que percebeu que as sombras não apareciam para todo mundo — ou melhor, para *ninguém* a não ser ela. Quando tinha 7 anos, sua família estava de férias e ela e os pais tinham ido passear de barco. Era quase pôr do sol quando as sombras começaram a rodopiar acima da linha da água, o que a fez se virar para o pai e perguntar, "O que você faz quando elas chegam, papai? Por que não tem medo dos monstros?"

Não existiam monstros, seus pais garantiram, mas a insistência de Luce sobre a presença de *alguma coisa* trêmula e sombria tinha custado a ela várias consultas com um oftalmologista, depois óculos de grau e, em seguida, consultas com um otorrino, quando Luce cometeu o erro de descrever o rouco som de sopro que as sombras às vezes emitiam — e então terapia, e mais terapia, e finalmente receitas para remédios antipsicóticos.

Mas nada nunca fez com que as sombras sumissem.

Quando tinha 14 anos, Luce se recusou a tomar os remédios. Foi quando ela conheceu o Dr. Sanford, e Dover perto dele. A família voou para New Hampshire, e seu pai dirigiu o carro alugado por uma longa estrada curva até uma mansão no alto de uma colina chamada Shady Hollows. Obrigaram Luce a ficar em frente a um homem de jaleco e perguntaram se ela ainda tinha "visões". De mãos dadas com os pais, ela podia sentir que suavam, as sobrancelhas franzidas com o medo de que houvesse alguma coisa terrivelmente errada com a filha.

Ninguém veio falar que, se não dissesse ao Dr. Sanford tudo o que queriam que dissesse, talvez tivesse que visitar Shady Hollows muitas vezes mais. Quando resolveu mentir e agir normalmente, conseguiu entrar na Dover, e só precisava se consultar com o Dr. Sanford duas vezes por mês.

Luce teve permissão de parar com aqueles remédios horríveis à medida que começou a fingir que não via mais as sombras, mas ainda não conseguia controlar quando elas apareciam. Tudo que sabia era que os lugares que se lembrava de ter visto as sombras no passado — florestas densas, águas escuras — tornaram-se lugares que Luce evitava a qualquer custo. Tudo que sabia é que, quando as sombras chegavam, eram geralmente acompanhadas por um arrepio frio por baixo da pele, uma sensação de enjoo diferente de tudo.

Ela se balançou para a frente e para trás num dos bancos e pressionou as têmporas com os polegares e dedos médios. Se quisesse sobreviver a esse primeiro dia, tinha que enterrar seu passado no canto mais profundo de sua mente. Ela não aguentava sondar as lembranças daquela noite quando estava sozinha; de jeito nenhum conseguiria contar todos os detalhes sórdidos para uma desconhecida toda esquisitona.

Em vez de responder, Luce observou Ariane, que estava deitada no banco, com uns enormes óculos escuros que cobriam grande parte de seu rosto. Era difícil dizer, mas ela devia estar observando Luce também, porque depois de um segundo ela levantou num pulo da arquibancada e sorriu.

— Corta meu cabelo igual ao seu — disse.

— O quê? — Luce arfou. — Seu cabelo é lindo.

Era verdade: Ariane tinha os cabelos longos e pesados como os que Luce sentia falta desesperadamente. Suas ondas, apesar de ainda não estar longo o suficiente, largas e pretas brilhavam sob o sol, com leves reflexos vermelhos. Luce colocou o cabelo atrás das orelhas, então ele simplesmente pulava de volta para o lugar.

— Lindo e chato — respondeu Ariane. — O seu é sexy, moderno. E eu quero.

— Ah, hum, tudo bem — disse Luce. Aquilo era um elogio? Ela não sabia se devia se sentir lisonjeada ou nervosa pelo jeito que Ariane achava que podia ter tudo que queria, mesmo se pertencesse à outra pessoa. — Onde vamos arranjar...

— Tchan-tchan! — Ariane procurou em sua bolsa e tirou o canivete suíço rosa que Gabbe jogara na caixa de Materiais Perigosos. — Qual o problema? — ela perguntou, vendo a reação de Luce. — Sempre deixo minhas mãos leves trabalharem no dia que os alunos novos chegam. Só pensar nisso me faz suportar os dias difíceis no internat... er... acampamento de verão Sword & Cross.

— Você passou o verão todo... aqui? — Luce estremeceu.

— Rá! Falando como uma verdadeira novata. Você provavelmente está esperando férias na primavera também. — Ela passou o canivete para Luce. — Não temos permissão pra sair desse inferno. Nunca. Agora corta.

— E os vermelhos? — Luce perguntou, olhando em volta com a lâmina na mão. Com certeza havia câmeras em algum lugar.

Ariane balançou a cabeça.

— Me recuso a conviver com medrosos. Vai encarar ou não?

Luce assentiu.

— E *não* diga que nunca cortou cabelo antes. — Ariane pegou o canivete suíço de volta, puxou a tesourinha, e devolveu. — Sem mais uma palavra até a hora de me dizer como fiquei incrível.

Dentro da banheira de seus pais, a mãe de Luce tinha prendido o restante de seu cabelo comprido num rabo de cavalo desgrenhado antes de cortar tudo de uma vez. Luce tinha certeza de que deveria existir alguma maneira mais estratégica de se cortar cabelo mas, como sempre evitou cabeleireiros e tesouras, decepar o rabo de cavalo era tudo que ela sabia fazer. Luce segurou o cabelo de Ariane nas mãos, prendeu-o com um elástico que estava em seu pulso, segurou a tesoura com firmeza e começou a cortar.

O rabo de cavalo caiu a seus pés, fazendo Ariane engasgar e olhar para trás. Ela o pegou e segurou os restos de seu cabelo contra o sol. O coração de Luce se apertou com aquela cena. Ainda sofria pela perda de seu próprio cabelo, e todas as outras perdas que aquela simbolizava. Mas Ariane apenas deu um pequeno sorriso. Ela passou os dedos pelo rabo de cavalo uma vez, e então o jogou dentro da bolsa.

— Legal — disse. — Pode continuar.

— Ariane — Luce sussurrou antes mesmo de conseguir se conter —, seu pescoço. Está todo...

— Marcado? — Ariane completou. — Pode dizer.

A pele do pescoço de Ariane, da parte de trás da orelha esquerda até a clavícula, estava retalhada por cicatrizes marmorizadas e brilhantes. A mente de Luce se voltou para Trevor, para aquelas fotos horríveis. Nem seus pais conseguiram olhar para ela depois de verem aquilo. Estava difícil de olhar para Ariane agora.

Ariane segurou a mão de Luce e a apertou contra a pele do pescoço. Era quente e fria ao mesmo tempo, macia e áspera.

— Não tenho medo delas — disse Ariane. — E você?

— Não — disse Luce, apesar de desejar que Ariane tirasse a mão, para que Luce pudesse tirar a dela também. Seu estômago se revirou quando imaginou se era assim que a pele de Trevor tinha ficado ao toque.

— Você tem medo de quem realmente é, Luce?

— Não — Luce repetiu rapidamente. Devia ser tão óbvio que estava mentindo. Ela fechou os olhos. Tudo que queria era que a Sword & Cross fosse um recomeço, um lugar onde as pessoas não olhassem para ela do jeito que Ariane estava olhando agora. Nos portões da escola aquela manhã, quando seu pai sussurrou o lema da família Price em seu ouvido — "Os Price nunca desistem" —, isso parecera ser possível, mas Luce já estava se sentindo tão cansada e exposta. Ela tirou a mão. — Então, como aconteceu? — perguntou, olhando para baixo.

— Lembra como não pressionei você quando ficou muda em vez de responder o que aprontou para vir pra cá? — perguntou Ariane, erguendo as sobrancelhas.

Luce assentiu.

Ariane indicou a tesoura.

— Deixa certinho aí atrás, tá bem? Quero ficar bem bonita. Quero ficar parecida com você.

Mesmo se tivesse exatamente o mesmo corte de cabelo, Ariane ainda pareceria apenas uma versão bastante mal nutrida da outra garota. Enquanto Luce tentava igualar o primeiro corte de cabelo que já fizera na vida, Ariane explicou as complexidades da vida na Sword & Cross.

— Aquele conjunto de celas ali é Augustine. É onde temos os chamados Eventos Sociais nas noites de quarta. E todas as aulas

— explicou, apontando para um prédio da cor de dentes amarelados, dois prédios à direita do dormitório. Parecia ter sido desenhado pelo mesmo sádico que projetou o Pauline. Era um quadrado triste, uma fortaleza triste, protegida pelos mesmos arames farpados e barras nas janelas. Uma bruma cinzenta e sobrenatural escondia as paredes como musgo, tornando impossível ver se tinha alguém por lá. — Um aviso útil — continuou Ariane. — Vai odiar as aulas aqui. Não seria humana se não odiasse.

— Por quê? O que tem de tão ruim nelas? — Luce perguntou. Talvez Ariane apenas não gostasse de escolas em geral. Com suas unhas pintadas de preto, lápis de olho preto, e a bolsa preta que parecia grande o bastante para guardar apenas seu novo canivete suíço, ela não parecia exatamente estudiosa.

— As aulas aqui não têm alma — respondeu Ariane. — Pior ainda, elas sugam a sua. Dos oitenta alunos desse lugar, eu diria que só sobraram umas três almas. — Ela levantou os olhos. — Ainda intactas, pelo menos...

Isso não parecia muito promissor, mas Luce estava pensando em outra parte da resposta de Ariane.

— Espera, só tem oitenta alunos nessa escola inteira? — No verão antes de ir pra Dover, Luce tinha estudado intensamente o extenso guia para Novos Alunos, memorizando todas as estatísticas. Mas tudo que ela descobrira até agora sobre a Sword & Cross a tinha surpreendido, fazendo-a perceber que viera para a escola completamente despreparada.

Ariane assentiu, fazendo Luce acidentalmente cortar um pedaço de cabelo que queria deixar. Ops. Talvez Ariane não notasse — ou talvez fosse apenas achar moderno.

— Oito turmas, com dez alunos em cada. Você acaba conhecendo todo mundo bem depressinha — disse Ariane. — E vice-versa.

— Entendi — concordou Luce, mordendo o lábio inferior. Ariane estava brincando, mas Luce se perguntou se estaria sentada ali, com aquele sorrisinho tranquilo em seus olhos azul-claros, se soubesse exatamente a história de Luce. Quanto mais tempo conseguisse manter seu passado encoberto, melhor para ela.

— E é melhor ficar longe dos casos perdidos.

— Casos perdidos?

— Os alunos que usam pulseiras com dispositivo de localização — explicou Ariane. — Cerca de um terço dos estudantes.

— E eles são quem...

— Eles são pessoas com quem não vai querer mexer. Acredite em mim.

— Bem, o que foi que eles fizeram?

Por mais que Luce quisesse manter sua própria história em segredo, não estava gostando de Ariane estar tratando-a como uma ingênua. O que quer que os outros tenham feito, não podia ser muito pior do que o que todo mundo dizia que Luce tinha feito. Ou podia? Afinal, ela não sabia quase nada sobre aquelas pessoas, nem sobre o lugar. O futuro despertava um frio no fundo de seu estômago, um medo.

— Ah, você sabe. — Ariane arrastou a voz. — Apoiaram e foram cúmplices de atos terroristas. Esquartejaram seus pais e os assaram num palito. — Ela se virou para piscar para Luce.

— Cale a boca — respondeu Luce.

— Estou falando sério. Esses psicopatas estão sob restrições muito piores que o resto dos ferrados daqui. Chamamos esse pessoal de *os algemados*.

Luce riu com o tom de voz dramático de Ariane.

— Seu corte de cabelo está pronto — anunciou, passando as mãos pelo cabelo de Ariane para afofá-lo um pouco. Na verdade, estava bem legal.

— Maneiro — exclamou Ariane. Ela se virou para olhar para Luce. Quando passou seus dedos pelo cabelo, as mangas de seu suéter preto se enrolaram e Luce viu de relance uma pulseira preta, cheia de tachas prateadas e, no outro pulso, uma pulseira que parecia mais... mecânica. Ariane viu a direção de seu olhar e ergueu as sobrancelhas maliciosamente.

— Eu disse... Totalmente psicopatas. — Ela sorriu. — Vamos lá, vamos terminar o tour.

Luce não tinha muita escolha. Desceu das arquibancadas atrás de Ariane, se curvando quando um dos abutres voou perigosamente baixo. Ariane, que pareceu não perceber, apontou uma igreja coberta por líquen à direita da área coletiva.

— Por aqui, vai encontrar nosso magnífico ginásio — apresentou, usando um tom de voz anasalado de guia turística. — Sim, sim, para um olho desacostumado parece uma igreja. Costumava ser. Estamos num inferno de arquitetura de segunda mão aqui na Sword & Cross. Alguns anos atrás, um psiquiatra obcecado por exercícios apareceu discursando sobre adolescentes hipermedicados estarem arruinando a sociedade. Ele doou uma tonelada de dinheiro para transformarem a igreja numa academia. Agora, os poderes que nos governam acham que podemos lidar com nossas "frustrações" de uma maneira "mais natural e produtiva".

Luce grunhiu. Sempre odiou as aulas de educação física.

— Você é das minhas — Ariane simpatizou. — O treinador Dante é do mal.

Enquanto Luce tentava alcançá-la, absorveu o resto do espaço. Os terrenos da Dover tinham sido tão bem arrumados, limpos e pontilhados de árvores cuidadosamente podadas e dispostas em intervalos regulares. A Sword & Cross parecia ter sido jogada ali e abandonada no meio de um pântano. Salgueiros gotejantes se inclinavam para o chão, plantas cresciam pelas paredes aos montes e, a cada três passos que elas davam, ouviam esguichos do chão.

E não era só a aparência do lugar. Cada vez que inspirava, o ar úmido ficava preso nos pulmões de Luce. Só de respirar na Sword & Cross, ela se sentia afundando em areia movediça.

— Aparentemente os arquitetos ficaram divididos sobre como recriar o estilo das velhas academias militares. O resultado é que acabamos com uma escola metade penitenciária, metade câmara de tortura medieval. E sem jardineiro — disse Ariane, chutando o lodo de seus coturnos. — Que nojo. Ah, e ali é o cemitério.

Luce seguiu o dedo de Ariane, que apontava para a esquerda, passando pelo dormitório. Uma camada ainda mais grossa de neblina cobria o espaço de terra cercado de muros. Estava cercado de três lados por uma floresta densa de carvalhos. Não era possível ver o que havia dentro do cemitério, que parecia quase estar afundando no chão, mas se podia sentir o cheiro podre e o coro de cigarras cantando nas árvores. Por um momento, ela pensou ter visto o açoite escuro das sombras, mas, quando piscou, elas sumiram.

— Aquilo é um *cemitério*?

— É. Aqui era uma academia militar, há muito tempo, na época da Guerra Civil. Então era ali que enterravam todos os mortos. É arrepiante. E por *Deus* — disse Ariane, fingindo um sotaque sulista —, fede até *os céus*. — Então piscou para Luce. — A gente passa o tempo por aqui.

Luce observou Ariane para ver se ela estava brincando. Ariane apenas deu de ombros.

— OK, isso foi só uma vez. E foi depois de uma gigantesca farmapalooza.

Agora, aí estava uma palavra que Luce reconhecia.

— Ahá! — Ariane riu. — Vi uma luzinha se acendendo aí. Então afinal alguém *está* em casa. Bem, Luce, minha cara, você pode ter ido a festas de colégios particulares, mas nunca viu uma festinha como as que os alunos de reformatórios fazem.

— Qual é a diferença? — perguntou Luce, tentando esconder o fato de que, na verdade, nunca tinha ido numa festa grande da Dover.

— Vai ver. — Ariane parou e se virou para Luce. — Venha hoje à noite e ficaremos juntas, tá bom? — Ela surpreendeu Luce ao pegar a sua mão. — Promete?

— Mas achei que você tinha dito para eu ficar longe dos casos perdidos — Luce brincou.

— Regra número dois: não acredite em nada do que eu falo! — Ariane riu, sacudindo a cabeça. — Não sou nada confiável.

Ela começou a correr de novo e Luce a seguiu.

— Espere, qual é a regra número um mesmo?

— Não fique para trás!

❋

Quando viraram a esquina dos blocos de concreto onde ficavam as salas de aula, Ariane parou subitamente.

— Finja indiferença — avisou.

— Indiferença — repetiu Luce.

Todos os outros alunos pareciam estar amontoados em volta das árvores estranguladas por trepadeiras do lado de fora de Augustine. Ninguém parecia exatamente feliz por estar do lado de fora, mas nenhum deles parecia disposto a entrar também.

Dover não tinha regras muito rígidas em relação a roupas, então Luce não estava acostumada à uniformidade que algo assim podia dar a um grupo de alunos. Ainda assim, apesar de todos estarem usando jeans preto, blusa preta de gola alta e moletom preto amarrado em volta dos ombros ou da cintura, ainda havia diferenças significativas na maneira com que cada um usava essas peças.

Algumas garotas tatuadas estavam paradas, de braços cruzados, pulseiras até os cotovelos, em círculo. As bandanas pretas em suas cabeças faziam Luce se lembrar de um filme que tinha visto sobre uma gangue de garotas motociclistas. Ela alugara porque pensou: *O que pode ser mais maneiro do que uma gangue de motociclistas só de garotas?* Agora o olhar de Luce encontrou o de uma dessas garotas através do gramado. O olhar de esguelha, naquelas pálpebras excessivamente delineadas de preto, fez Luce rapidamente desviar os olhos.

Um garoto e uma garota que estavam de mãos dadas tinham bordado paetês no formato de caveiras e ossos nas costas de seus moletons pretos. A cada poucos segundos, um dos dois puxava o outro para um beijo na testa, na orelha, no olho. Quando se abraçaram, Luce viu que ambos usavam a pulseira de rastreamento. Eles pareciam meio grosseiros, mas era óbvio que estavam muito apaixonados. Toda vez que via seus piercings da língua rebrilhando, Luce sentia um aperto solitário dentro do peito.

Atrás dos namorados, um grupo de meninos loiros estava encostado no muro. Todos usavam os suéteres, apesar do calor. E todos usavam camisas brancas de botão por baixo, com o colarinho levantado. Suas calças pretas alcançavam o topo de seus sapatos perfeitamente polidos. De todos os estudantes dali, esses garotos eram os que mais lembraram Luce dos garotos da Dover. Mas, olhando com mais atenção, rapidamente eles se diferenciavam dos garotos que ela conhecera. Garotos como Trevor.

Mesmo parados com seu grupo, esses garotos irradiavam um tipo específico de dureza. Estava bem ali, dentro de seus olhos.

Era difícil de explicar, mas subitamente Luce se deu conta de que, assim como ela, todo mundo na escola tinha um passado. Todos provavelmente escondiam coisas que não queriam dividir. Mas ela não conseguiu concluir se isso a fazia se sentir mais ou menos isolada.

Ariane notou Luce observando o restante dos alunos.

— Todos fazemos o possível para passar os dias por aqui — disse ela, dando de ombros. — Mas, caso não tenha notado os abutres voando baixo, esse lugar basicamente tem cheiro de morte. — Ela se sentou num banco sob um salgueiro-chorão e indicou com um tapinha o lugar ao seu lado para Luce se sentar.

A garota limpou uma pilha de folhas caídas e molhadas mas, logo antes de sentar, notou outra violação das regras de vestuário.

Uma violação de regras de vestuário muito atraente.

Ele usava um cachecol muito vermelho em volta do pescoço. O clima não estava nem um pouco frio, mas o garoto usava uma jaqueta de motoqueiro de couro preto por cima do suéter preto também. Talvez por ser o único ponto de cor no grupo, Luce não conseguia tirar os olhos dele. Na verdade, tudo o mais em volta empalideceu de tal forma que, por um longo momento, Luce se esqueceu de onde estava.

Ela analisou seu cabelo dourado e a pele queimada de sol. As maçãs do rosto altas, os óculos escuros que cobriam os olhos, o formato delicado de seus lábios. Em todos os filmes que Luce já vira, em todos os livros que lera, o interesse amoroso era sempre incrivelmente bonito — exceto por algum pequeno defeito. Um dente lascado, um redemoinho charmoso, um sinal de nascença em sua bochecha esquerda. Ela sabia por que isso acontecia — se o herói fosse perfeito *demais*, talvez se tornasse inacessível. Mas, acessível ou não, Luce sempre tivera uma queda pelos sublimemente estonteantes. Como esse cara.

Ele estava encostado no prédio com os braços cruzados de leve sobre o peito. E, por uma fração de segundo, Luce se viu aconchegada naqueles braços. Balançou a cabeça para afastar a imagem, mas a visão continuava tão vívida que quase fez com que ela disparasse em direção a ele.

Não. Isso não era possível. Certo? Mesmo numa escola cheia de gente estranha, Luce tinha certeza absoluta de que esse instinto era absurdo. Ela nem *conhecia* o cara.

Ele estava falando com um garoto mais baixo, que tinha dreadlocks e dentes saltados. Os dois riam muito e com vontade, de um jeito que deixou Luce estranhamente invejosa. Ela tentou se concentrar e lembrar há quanto tempo não ria, ria de verdade, como eles.

— Aquele é Daniel Grigori — explicou Ariane, se inclinando e lendo seus pensamentos. — Posso ver que chamou a atenção de *alguém*.

— Não me diga — concordou Luce, envergonhada ao perceber como devia estar parecendo para Ariane.

— É, bem, se você gosta desse tipo de cara.

— O que há ali para não se gostar? — perguntou Luce, incapaz de impedir aquelas palavras de saltarem de sua boca.

— O amigo dele se chama Roland — disse Ariane, indicando com a cabeça o menino de dreads. — Ele é legal. O tipo de cara que consegue as coisas, entende?

Na verdade não, pensou Luce, mordendo o lábio.

— Que tipo de coisas?

Ariane deu de ombros, usando o canivete roubado para cortar um fio solto de um rasgo em seu jeans preto.

— Coisas, só isso. Do tipo, peça-e-há-de-conseguir.

— E Daniel? — Luce perguntou. — Qual é a história dele?

— Ah, ela não desiste mesmo. — Ariane riu, e então limpou a garganta. — Ninguém sabe de verdade — disse. — Ele não abre mão dessa ideia de ser o homem misterioso. Pode ser apenas o típico babaca de reformatório.

— Babacas não são novidade para mim — disse Luce, embora, no segundo que falou essas palavras, tenha desejado poder voltar atrás. Depois do que acontecera com Trevor — o que quer que *tenha* acontecido —, ela era a última pessoa que devia julgar os outros. Mas, mais do que isso, nas raras vezes em que se referia, mesmo que minimamente, àquela noite, o estranho toldo preto de sombras descia sobre ela, quase como se estivesse de volta no lago.

Luce olhou mais uma vez para Daniel. Ele tirou os óculos e os guardou dentro da jaqueta, e então se virou para olhar na direção dela.

Seus olhares se encontraram, e Luce viu quando os olhos dele se arregalaram e depois rapidamente se estreitaram com o que parecia ser surpresa. Mas não, era mais do que isso. Quando os olhos de Daniel encontraram os seus, Luce prendeu a respiração. Ela o reconhecia de algum lugar.

Mas com certeza se lembraria de conhecer alguém como ele. Teria se lembrado de se sentir completamente abalada como se sentia agora.

Ela percebeu que ainda estavam se encarando quando Daniel sorriu. Uma onda de calor se espalhou pelo seu corpo, e ela precisou se segurar no banco para não cambalear. Ela sentiu seus lábios se curvando para sorrir de volta para ele, mas então Daniel ergueu uma das mãos.

E levantou o dedo médio para ela.

Luce levou um susto e abaixou os olhos.

— O quê? — Ariane perguntou, alheia ao que tinha acabado de acontecer. — Não importa. Não temos tempo. Sinto que o sinal vai tocar.

Como se esperando essa deixa, o sinal tocou imediatamente depois, e todos os estudantes caminharam devagar em direção à entrada do prédio, esbarrando uns nos outros. Ariane estava puxando a mão de Luce e tagarelando sobre quando e onde encontrá-la em seguida. Mas Luce ainda estava surpresa por um estranho completo ter mostrado o dedo a ela. Seu delírio momentâneo em relação a Daniel tinha desaparecido, e agora a única coisa que queria saber era: qual é o problema desse cara?

Segundos antes de entrar em sua primeira aula, ela ousou olhar para trás. O rosto de Daniel estava inexpressivo, mas não havia dúvidas: ele a estava observando partir.

DOIS

FEITA PRA FICAR PRESA

Luce recebera um pedaço de papel impresso com seus horários, e tinha um caderno pela metade com o que anotara das aulas de História Europeia Avançada na Dover no ano anterior, dois lápis, sua borracha favorita e uma súbita e péssima sensação de que Ariane talvez estivesse certa sobre as aulas na Sword & Cross.

O professor ainda precisava se materializar, as mesas bambas estavam arrumadas em fileiras desorganizadas, e o armário de materiais estava bloqueado por montes de caixas empoeiradas empilhadas.

Pior ainda, nenhum dos outros alunos parecia notar a desorganização. Na verdade, nenhum dos outros adolescentes parecia notar que estavam numa sala de aula. Estavam todos amontoados perto das janelas, dando uma última tragada num cigarro aqui, ajeitando os alfinetes de segurança extragrandes em suas camisetas ali. Apenas Todd estava de fato sentado numa carteira, gravando na superfície alguma coisa complexa à caneta. Mas os outros alunos novos já pareciam ter encontrado seus lugares entre a massa. Cam estava com os garotos que pareciam os arrumadinhos da Dover, agrupados a sua volta. O grupo devia ter feito amizade na primeira vez que ele esteve na Sword & Cross. Gabbe estava cumprimentando a garota de piercing na língua que estivera se agarrando lá fora com o garoto também de piercing na língua. Luce se sentiu estupidamente invejosa por não ter coragem suficiente para mais nada além de se sentar perto do inofensivo Todd.

Ariane pulava de grupo em grupo, sussurrando coisas que Luce não conseguia entender, como algum tipo de princesa gótica. Quando passou por Cam, ele despenteou seu cabelo recémcortado.

— Vassoura legal, Ariane. — Ele deu um sorrisinho, puxando uma mecha na parte de trás do pescoço dela. — Dê meus parabéns ao seu cabeleireiro.

Ariane o empurrou.

— Não encoste em mim, Cam. O que significa: vai sonhando. — Ela indicou Luce com um aceno de cabeça. — E você pode dar seus parabéns ao meu novo bichinho de estimação, bem ali.

Os olhos cor de esmeralda de Cam brilharam ao notar Luce, que imediatamente ficou tensa.

— Acho que vou mesmo — respondeu ele e começou a andar na sua direção.

Ele sorriu para Luce, que estava sentada com os tornozelos cruzados debaixo da cadeira e as mãos dobradas educadamente sobre a carteira grafitada.

— Nós, alunos novos, precisamos nos unir — disse ele. — Sabe do que estou falando?

— Mas achei que já tinha estado aqui antes.

— Não acredite em tudo que Ariane diz. — Ele olhou de volta para Ariane, que estava sentada na janela, olhando-os desconfiada.

— Ah, não, ela não falou nada sobre você. — Luce respondeu rapidamente, tentando lembrar se isso era verdade ou não. Era óbvio que Cam e Ariane não se gostavam, e mesmo que Luce estivesse agradecida a Ariane por mostrar-lhe a escola naquela manhã, ainda não estava pronta para escolher um lado.

— Eu lembro quando era aluno novo aqui... Da primeira vez. — Ele riu da própria piada. — Minha banda tinha acabado de se separar e eu estava perdido. Não conhecia ninguém. Seria bom ter tido alguém sem — ele olhou para Ariane — segundas intenções para me mostrar como tudo funcionava.

— O quê? Você não tem segundas intenções, então? — Luce disse, surpresa ao notar um tom de flerte em sua voz.

Um sorriso relaxado se abriu no rosto de Cam. Ele ergueu uma sobrancelha para ela e comentou:

— E pensar que eu não queria voltar pra cá.

Luce corou. Ela normalmente não se envolvia com roqueiros, mas, pensando bem, nenhum deles chegou a aproximar sua carteira da dela ou se sentara ao seu lado para depois encará-la com olhos tão verdes. Cam enfiou a mão no bolso e tirou uma palheta verde com o número 44 impresso.

— Esse é o número do meu quarto. Passa lá qualquer hora.

A cor da palheta não era muito diferente da cor dos olhos de Cam, e Luce se perguntou como e quando ele mandou fazer aquela coisa, mas, antes que ela pudesse responder — e sabe-se lá *o quê* ela teria respondido —, Ariane beliscou com força o ombro de Cam.

— Desculpe, mas não fui clara o bastante? Eu escolhi essa primeiro.

Cam bufou e olhou diretamente para Luce quando respondeu:

— Sabe, eu achei que ainda existia uma coisa chamada livre-arbítrio. Talvez seu *bichinho* saiba escolher seu próprio caminho.

Luce abriu a boca para alegar que obviamente escolheria seu caminho, que era só o primeiro dia e que ainda estava entendendo como as coisas funcionavam. Mas, até conseguir organizar as palavras em sua cabeça, o sinal tocou e a pequena reunião em volta da mesa de Luce se dispersou.

Os outros alunos sentaram-se nas carteiras em volta dela, e logo nem estava tão óbvio que Luce estivera sentada em seu lugar empertigada e atenta, de olho na porta. Esperando que Daniel aparecesse.

Pelo canto dos olhos, podia sentir Cam olhando-a furtivamente. Luce se sentiu lisonjeada, nervosa e frustrada consigo mesma. Daniel? Cam? Ela estava nessa escola há o quê, 45 minutos? E sua cabeça já estava fazendo malabarismos entre dois garotos diferentes. O motivo de ela estar nesse lugar era exatamente porque, da última vez que esteve interessada num cara, as coisas tinham acabado mal, terrivelmente erradas. Ela *não* devia se permitir ficar toda apaixonadinha (duas vezes!) já no primeiro dia de aula.

Luce olhou para Cam, que piscou mais uma vez para ela e então tirou uma mecha de cabelo escuro dos olhos. Tirando a beleza estonteante — como se não pensasse nisso —, ele realmente parecia alguém que valia a pena conhecer. Como Luce, ainda estava se ajustando ao lugar, embora estivesse evidente que ele estivera na Sword & Cross algumas vezes. E ele estava sendo legal com ela. Luce pensou na palheta verde com o número do quarto, esperando que Cam não saísse distribuindo aquilo à toa. Eles poderiam ser... amigos. Talvez fosse disso que precisasse. Talvez assim parasse de se sentir tão nitidamente deslocada na Sword & Cross.

Talvez assim pudesse perdoar o fato de que a única janela na sala de aula fosse do tamanho de um envelope, estivesse coberta por limo e tivesse vista para um imenso mausoléu num cemitério.

Talvez assim conseguisse esquecer o cheiro de peróxido que vinha da punk oxigenada sentada na sua frente, irritando seu nariz.

Talvez assim ela fosse capaz de prestar atenção de verdade no professor sério, de bigode, que entrou marchando na sala, mandou que a turma ficasse *quieta e sentada*, e bateu a porta com força.

Uma pequena pontada de decepção apertou seu coração, e demorou um momento para entender de onde aquilo tinha vindo. Até o professor fechar a porta, Luce estava se agarrando a uma ponta de esperança de que Daniel também estivesse na sua primeira aula.

Qual seria a aula do próximo tempo, francês? Ela olhou na sua grade de horários para ver em que sala ficava. Nesse momento, um avião de papel derrapou por cima da folha, caiu da mesa e parou no chão ao lado da mochila. Ela olhou para verificar se alguém tinha percebido, mas o professor estava ocupado gastando um pedaço de giz ao escrever alguma coisa no quadro.

Luce olhou nervosamente para a esquerda. Quando seu olhar cruzou com o dele, Cam deu outra piscadela e um aceno galante que fez com que todo o seu corpo ficasse tenso. Mas ele não parecia ter visto ou ter sido quem jogou o avião de papel.

— Pssssiu — sussurrou alguém atrás dele. Era Ariane, que acenou com o queixo para que Luce apanhasse o avião. Ela se abaixou para alcançá-lo e viu seu nome escrito em pequenas letras pretas na asa. Seu primeiro bilhetinho!

Já está ansiosa pra sair?
Mau sinal.
Ficamos nesse inferno até a hora do almoço.

Só *podia* ser piada. Luce checou mais uma vez a grade de horários e percebeu com horror que as três aulas daquela manhã eram nessa mesma sala 1 — e que todas as três eram com o mesmo Sr. Cole.

Ele tinha se desgrudado do quadro-negro e estava sonolentamente andando ao redor da sala. Não houve apresentação dos alunos novos, e Luce não conseguia decidir se ficava feliz por isso ou não. O Sr. Cole apenas atirou os programas sobre a mesa de cada um dos quatro novos alunos e, quando o maço grampeado caiu na frente de Luce, ela se debruçou ansiosamente para dar uma olhada. *História Mundial*, dizia. *Contornando as desgraças da humanidade*. Hummm, História sempre fora sua melhor matéria, mas contornando desgraças?

Uma olhada mais atenta no programa foi o que bastou para perceber que Ariane estava certa em relação a estar num inferno: uma carga impossível de leituras, TESTE escrito em letras grandes e em negrito em cada terceira aula, e um trabalho de trinta páginas sobre — estão falando sério? — um tirano fracassado à sua escolha. Parênteses grossos tinham sido rabiscados com marcador preto em volta dos trabalhos que Luce tinha perdido nas primeiras semanas. Na margem, o Sr. Cole tinha anotado *Falar comigo para pesquisa de segunda chamada*. Luce estava com medo de descobrir se existia alguma maneira mais eficiente de sugar a alma de alguém.

Pelo menos havia Ariane sentada lá atrás, na fileira ao lado. Luce ficou feliz que já tivessem começado a trocar bilhetes de SOS. Ela e Callie costumavam mandar mensagens de texto escondidas uma pra outra, mas para aguentar esse lugar Luce definitivamente teria que aprender a fazer um avião de papel. Ela arrancou uma folha do caderno e tentou usar o de Ariane como modelo.

Depois de alguns minutos de um desafiador origami, outro avião pousou em sua mesa. Ela olhou novamente para Ariane, que sacudiu a cabeça e lançou-lhe um revirar de olhos que dizia "você tem tanto para aprender".

Luce deu de ombros se desculpando e se virou de volta para abrir o segundo bilhete.

Ah, e até ter confiança na sua mira, é melhor não mandar mensagens sobre Daniel para mim. O cara atrás de você é famoso por interceptar bilhetinhos.

Bom saber. Ela nem tinha visto quando Roland, o amigo de Daniel, se sentou atrás dela. Agora, ela se virou discretamente em sua cadeira até ver de relance seus dreadlocks. Ela ousou dar uma olhada no caderno aberto em cima da mesa dele e leu seu nome completo: Roland Sparks.

— Nada de bilhetinhos — disse o Sr. Cole, muito sério, fazendo com que Luce girasse a cabeça para prestar atenção. — Nada de cópia e nada de olhar o dever dos outros. Não passei pela faculdade para não receber sua completa atenção.

Luce estava assentindo junto com os outros alunos quando um terceiro avião de papel caiu no meio da sua carteira.

Só faltam 172 minutos!

⚜

Cento e setenta e três torturantes minutos depois, Ariane estava levando Luce para a lanchonete.

— O que achou? — perguntou.

— Tinha razão — disse Luce, anestesiada, ainda se recuperando de como tinham sido dolorosamente chatas as primeiras três horas de aula. — Por que alguém gostaria de ensinar uma matéria tão deprimente?

— Ah, Cole vai relaxar logo. Ele se finge de sério toda vez que tem aluno novo. De qualquer maneira — disse Ariane, cutucando Luce —, podia ser pior. Podia ter ficado com a Srta. Tross.

Luce verificou mais uma vez seus horários.

— Tenho biologia com ela no período da tarde — comentou, sentindo seu estômago embrulhado.

Enquanto Ariane gargalhava, Luce sentiu uma trombada no ombro. Era Cam, passando por elas no corredor a caminho do almoço. Luce teria levado um tombo se ele não estendesse a mão para equilibrá-la.

— Cuidado aí. — Ele sorriu rapidamente em sua direção, e Luce se perguntou se o encontrão tinha sido proposital. Mas Cam não parecia ser tão imaturo. Luce olhou para Ariane para ver se ela percebera alguma coisa. Ariane ergueu as sobrancelhas, quase convidando Luce a falar ela mesma, mas nenhuma das duas disse nada.

Quando atravessaram a vidraça suja que separava o corredor frio da lanchonete mais fria ainda, Ariane segurou o cotovelo de Luce.

— Evite o filé de frango frito custe o que custar — avisou enquanto seguiam a multidão em meio ao ruído do refeitório. — A pizza é boa, o chilli é passável e, na verdade, o borscht não é nada mau. Gosta de bolo de carne?

— Sou vegetariana — respondeu Luce. Ela estava olhando de mesa para mesa, procurando duas pessoas em particular: Daniel e Cam. Ela se sentiria mais confortável se soubesse onde estavam, para poder almoçar fingindo que não via nenhum dos dois. Mas, até agora, nem sinal...

— Vegetariana, é? — Ariane franziu os lábios. — Seus pais são hippies ou é apenas uma insignificante tentativa de rebelião?

— Hum, nenhum dos dois, eu só não...

— Gosta de carne? — Ariane girou os ombros de Luce noventa graus, para que ela ficasse de frente para Daniel, sentado numa mesa do outro lado do salão. Luce suspirou demoradamente. Lá estava ele. — Agora, isso vale para todos os *tipos* de carne? — Ariane cantarolou alto. — Você não gostaria de dar uma bela mordida *nele*?

Luce segurou Ariane e a arrastou até a fila do almoço. Ariane estava rindo, mas Luce sabia que estava ruborizada, o que ficaria ainda mais evidente sob a luz das lâmpadas fluorescentes.

— Cala a boca, ele com certeza escutou — sussurrou ela.

Uma parte de Luce estava feliz por estar brincando sobre garotos com uma amiga. Presumindo que Ariane fosse sua amiga.

Ela ainda se sentia estranha pelo que tinha acontecido nessa manhã quando viu Daniel. Aquela atração por ele — ela ainda não tinha conseguido entender de onde vinha, e ainda assim ali estava mais uma vez. Ela se forçou a desgrudar os olhos do cabelo loiro dele, da linha suave de seu maxilar. Ela se recusava a ser flagrada encarando-o. E *não* queria dar a ele motivo para insultá-la mais uma vez.

— Que seja — zombou Ariane. — Ele está tão concentrado naquele hambúrguer que não escutaria o chamado do próprio Satanás. — Ela indicou Daniel, que realmente parecia intensamente concentrado em mastigar o hambúrguer. Pensando bem, parecia alguém *fingindo* estar intensamente concentrado em mastigar um hambúrguer.

Luce olhou para o outro lado da mesa, na direção do amigo de Daniel, Roland. Ele estava olhando diretamente para ela. Quando os dois se encararam, ele ergueu as sobrancelhas de uma maneira que Luce não conseguiu entender, mas que achou meio assustadora ainda assim.

Luce se voltou para Ariane.

— Por que todo mundo nessa escola é tão esquisito?

— Vou considerar que isso não foi uma ofensa pessoal — respondeu Ariane, pegando uma bandeja de plástico para si e entregando outra a Luce. — Vou fingir que não ouvi para explicar-lhe sobre a delicada arte de se escolher um lugar no refeitório. Sabe, você nunca vai querer estar por perto do... Luce, cuidado!

Tudo que Luce fez foi dar um passo para trás, mas imediatamente sentiu duas mãos empurrando seus ombros com força. Soube que ia cair na mesma hora. Ela estendeu as mãos para a frente em busca de equilíbrio, mas tudo que encontrou foi a bandeja cheia de outra pessoa. A coisa toda foi derrubada junto com ela. Luce caiu com estrondo no chão da lanchonete, uma tigela cheia de borscht na cabeça.

Quando havia conseguido limpar as beterrabas molengas dos olhos o suficiente para voltar a enxergár, Luce olhou para cima. Uma menina pequena, mas furiosa, estava em pé na frente dela.

A garota tinha cabelo oxigenado e espetado, pelo menos dez piercings no rosto e um olhar mortal. Ela mostrou os dentes para Luce e sibilou:

— Se olhar para você já não tivesse tirado meu apetite, eu obrigaria você a me pagar outro almoço.

Luce gaguejou um pedido de desculpas e tentou se levantar, mas a garota enfiou o salto agulha da bota bem no pé de Luce. A dor subiu pela perna inteira e ela precisou morder o lábio inferior para não reclamar.

— Por que não deixamos para outro dia? — disse a garota.

— Já chega, Molly — disse Ariane, friamente, enquanto se abaixava para ajudar Luce a ficar de pé.

Luce estremeceu. O salto agulha definitivamente ia deixar uma mancha roxa.

Molly se virou para encarar Ariane, e Luce teve a nítida sensação de que não era a primeira vez que aquelas duas se enfrentavam.

— Já fez amizade com a novata, pelo que estou vendo — grunhiu Molly. — Isso é um comportamento muito ruim, A. Você não estava em condicional?

Luce engoliu em seco. Ariane não tinha mencionado nada sobre uma condicional, e não fazia sentido que isso a impedisse de fazer novos amigos. Mas a palavra foi o bastante para fazer Ariane cerrar os punhos e dar um soco forte e certeiro no olho direito de Molly.

Molly cambaleou para trás, mas foi para Ariane que a atenção de Luce se voltou. Ela começou a ter convulsões, os braços se sacudindo para cima.

Era a pulseira, Luce percebeu horrorizada. Estava mandando algum tipo de choque pelo corpo de Ariane. Inacreditável. Isso era uma punição cruel e estranha, certamente. O estômago de

Luce se revirou ao ver o corpo inteiro de sua amiga tremer. Ela estendeu o braço para segurar Ariane bem na hora que a menina desabou no chão.

— Ariane — Luce sussurrou. — Você está bem?

— Sensacional. — Os olhos de Ariane piscaram, abriram, e então se fecharam de novo.

Luce prendeu a respiração. Então um dos olhos de Ariane abriu novamente.

— Assustei você, não foi? Ah, que bonitinho. Não se preocupe, os choques não matam — sussurrou ela. — Só me deixam mais forte. Enfim, valeu a pena para deixar aquela vaca de olho roxo, não é?

— Tudo bem, podem parar. Podem parar — uma voz rouca explodiu atrás delas.

Randy estava parada na porta, com o rosto vermelho e a respiração acelerada. Era meio tarde demais para parar alguma coisa, Luce pensou, mas então viu Molly dando uma guinada na direção delas, os saltos batendo no chão de linóleo. Essa garota não tinha vergonha. Ela ia mesmo bater em Ariane com Randy parada bem ali?

Felizmente, os braços fortes de Randy prenderam seu pulso. Molly começou a chutá-la para se soltar e começou a gritar.

— É melhor alguém começar a explicar — ladrou Randy, segurando Molly até que ela parasse. — Pensando melhor, vocês três vão se apresentar para a detenção amanhã de manhã. Cemitério. Raiar do dia! — Randy olhou para Molly. — Já *esfriou* a cabeça?

Molly assentiu duramente e Randy a soltou. A inspetora se agachou para Ariane, que ainda estava com a cabeça no colo de Luce, os braços cruzados sobre o peito. Primeiro, Luce achou que Ariane estivesse só irritada, como um cachorro nervoso com uma coleira apertada, mas então sentiu um pequeno tremor no corpo de Ariane e percebeu que a garota ainda estava à mercê da pulseira.

— Vamos lá — disse Randy, mais suavemente. — Vamos desligar você.

Ela esticou a mão para Ariane e ajudou a levantar seu corpo pequeno e trêmulo, se virando apenas uma vez, já na porta, para repetir as ordens para Luce e Molly.

— Raiar do dia!

— Mal posso esperar — respondeu Molly docemente, se abaixando para pegar o prato de bolo de carne que tinha caído de sua bandeja.

No segundo seguinte, ela segurava o prato acima da cabeça de Luce, virando-o para baixo e esfregando a comida no cabelo dela logo depois.

— Impagável — comentou Molly, tirando uma minúscula câmera fotográfica prateada do bolso traseiro de seu jeans. — Diga... bolo de carne! — cantarolou, tirando algumas fotos de close. — Essas vão ficar *ótimas* no meu blog.

— Belo chapéu — zombou alguém, do outro lado da lanchonete. Então, perturbada, Luce olhou para Daniel, rezando para que de alguma maneira ele tivesse perdido aquela cena toda. Mas não. Ele estava balançando a cabeça, parecendo irritado.

Até aquele momento, Luce achava que tinha uma chance de simplesmente se levantar e sacudir a poeira. Mas, vendo a reação de Daniel... Bem, tinha sido a gota d'água.

Luce *não ia chorar* na frente dessas pessoas horríveis. Engoliu as lágrimas, se levantou e saiu correndo. Correu em direção à porta mais próxima, ansiosa para sentir o ar frio contra o rosto.

Em vez disso, assim que saiu, a umidade do setembro sulista a envolveu, asfixiando-a. O céu estava daquela cor impossível de identificar, um marrom acinzentado tão opressivamente homogêneo que tornava difícil até enxergar o sol. Luce diminuiu a velocidade, mas continuou a correr até alcançar o estacionamento, antes de parar completamente.

Ela queria ter encontrado seu velho carro ali, para poder se afundar no tecido esfarrapado dos assentos, ligar o motor e o som no máximo e dar o fora daquele lugar. Mas, parada ali sobre o cimento preto e quente, se deu conta da realidade: estava presa, e um par de gigantescos portões de metal a separava do mundo do lado de fora da Sword & Cross. Além disso, mesmo que ela tivesse uma maneira de escapar... para onde iria?

A sensação de enjoo lhe dizia tudo que era necessário saber. Ela já alcançara o fundo do poço, e as coisas estavam bem ruins.

Era tão deprimente quanto verdadeiro: Sword & Cross era tudo que tinha agora.

Luce colocou o rosto entre as mãos, sabendo que tinha que voltar. Mas, ao levantar a cabeça, o resíduo em suas mãos fez com que se lembrasse de que ainda estava coberta com o bolo de carne de Molly. Argh. Primeira parada: banheiro mais próximo.

Dentro do prédio novamente, Luce entrou no banheiro feminino na mesma hora em que a porta estava se abrindo. Gabbe, que parecia ainda mais loira e perfeita agora que Luce parecia recém-chegada de um mergulho num lixão, se espremeu para passar.

— Opa, licença, querida — disse ela. Sua voz com sotaque sulista era doce, mas o rosto se enrugou quando olhou para Luce. — Ah, Deus, você está horrível. O que aconteceu?

O que aconteceu? Como se a escola toda já não soubesse. Essa garota provavelmente estava se fazendo de desentendida para Luce ter que reviver toda aquela cena humilhante.

— Espere mais cinco minutos — respondeu Luce, com a voz mais irritada do que pretendia. — Aposto que fofoca se espalha como a peste por aqui.

— Quer minha base emprestada? — Gabbe perguntou, segurando uma bolsa de maquiagem azul-clara. — Você ainda não se olhou, mas vai...

— Obrigada, mas não precisa. — Luce a interrompeu, entrando no banheiro. Sem se olhar no espelho, abriu a torneira, jogou água fria no rosto e, finalmente, desabou. Com as lágrimas correndo, pressionou o recipiente de sabão e tentou usar um pouco do sabonete barato cor-de-rosa para tirar os restos de bolo de carne. Mas ainda havia a questão do cabelo, e suas roupas definitivamente já estiveram mais bonitas e cheirosas. Não que ela precisasse se preocupar em causar uma boa primeira impressão agora.

A porta do banheiro se abriu e Luce se espremeu contra a parede como um animal encurralado. Quando uma estranha entrou, Luce se endureceu e esperou pelo pior.

A garota tinha o corpo meio retangular, o que era acentuado pela quantidade anormal de camadas de roupa. Seu rosto redondo era emoldurado por cachos castanhos, e os óculos roxos se mexeram quando ela fungou. Parecia razoavelmente despretensiosa mas, ainda assim, as aparências enganam. As mãos estavam juntas atrás das costas de um jeito no qual, depois do dia que Luce tivera, simplesmente não podia confiar.

— Sabe, você não deveria estar aqui sem permissão — disse a garota. Seu tom equilibrado parecia sério.

— Eu sei. — O olhar da garota confirmou as suspeitas de Luce de que era simplesmente impossível ter um tempo para relaxar naquele lugar. Ela começou a suspirar, se rendendo. — Eu só...

— Estou brincando. — A garota riu, revirando os olhos e relaxando a postura. — Consegui um pouco de xampu do armário de materiais pra você — continuou, estendendo as mãos para mostrar dois inocentes recipientes de plástico com xampu e condicionador. — Vamos lá — chamou, pegando uma velha cadeira dobrável. — Vamos deixar você limpinha. Senta aqui.

Um riso choroso que Luce nunca fizera antes escapou dos seus lábios. Parecia, concluiu ela, um som aliviado. A garota estava realmente sendo legal com ela — não legal para os padrões de reformatório, mas legal como uma pessoa normal! Sem nenhum motivo aparente! O choque era quase grande demais para Luce suportar.

— Hum, obrigada? — Luce conseguiu dizer, ainda se sentindo um pouco na defensiva.

— Ah, e você provavelmente vai precisar trocar de roupa — disse a garota, olhando para seu suéter preto e tirando-o pela cabeça, revelando outro suéter preto idêntico por baixo do primeiro.

Quando a menina viu a cara de surpresa de Luce, disse:

— O quê? Tenho imunidade baixa. Preciso me proteger bastante.

— Ah, bem, e não tem problema ficar sem esse? — Luce se forçou a perguntar, mesmo que fosse capaz de fazer qualquer coisa naquele momento para se livrar do casaco sujo de carne que estava usando.

— Não esquenta — disse a garota, agitando as mãos. — Tenho mais três por baixo desse. E mais alguns no meu armário. Fique à vontade. Fico triste ao ver uma vegetariana coberta de carne, tenho simpatia pela causa.

Luce se perguntou como essa estranha sabia sobre seus hábitos alimentares mas, mais do que isso, teve que perguntar:

— Hum, por que está sendo tão legal comigo?

A garota riu, suspirou, e então sacudiu a cabeça:

— Nem todo mundo na Sword & Cross é piranha ou playboy.

— Hein? — Luce perguntou, confusa.

— É a imagem deprimente que a cidade tem da escola. Obviamente, não existe nenhum playboy por aqui, mas não vou agredir seus ouvidos com alguns dos apelidos mais explícitos que inventaram.

Luce riu.

— O que quis dizer foi que nem todo mundo aqui é um babaca completo.

— Só a maioria? — Luce perguntou, odiando já soar tão negativa. Mas tinha sido uma manhã muito longa, e ela já havia passado por tanta coisa, e talvez essa garota não fosse julgá-la por ser um pouquinho mal-humorada.

Para sua surpresa, a garota sorriu.

— Exatamente. E eles com certeza estragam a reputação do restante de nós. — Ela estendeu a mão. — Sou Pennyweather Van Syckle-Lockwood. Pode me chamar de Penn.

— Entendi — disse Luce, ainda muito abalada para perceber que anteriormente talvez tivesse vontade de rir do nome da garota. Parecia saído direto das páginas de um romance de Dickens. No entanto, era de se admirar que uma garota com um nome daqueles conseguisse se apresentar sem cair na risada. — Sou Lucinda Price.

— E todo mundo te chama de Luce — disse Penn. — E foi transferida da Dover Prep, em New Hampshire.

— Como sabe disso tudo? — Luce perguntou calmamente.

— Golpe de sorte? — Penn deu de ombros. — Estou brincando, eu li sua ficha, óbvio. É um hobby.

Luce a encarou sem acreditar. Talvez ela tivesse se precipitado com a impressão de que a menina era confiável. Como Penn poderia ter acesso à sua ficha?

Penn regulou a água da torneira. Quando ficou morna, fez com que Luce abaixasse a cabeça até a pia.

— Sabe, o negócio é que — explicou ela — não sou realmente insana. — Ela levantou a cabeça molhada de Luce. — Sem ofensas. — Então a baixou novamente. — Sou a única aluna dessa escola que não foi mandada para cá por um tribunal. E pode parecer que não, mas ser legalmente sã tem as suas vantagens. Por exemplo, também sou a única aluna em que confiam para ser ajudante de escritório. O que é uma burrice da parte deles; afinal, tenho acesso a muitas porcarias confidenciais.

— Mas se você não *precisa* estar aqui...

— Quando seu pai é o zelador da escola, eles meio que precisam deixar você estudar de graça. Então... — Penn deixou a frase morrer.

O pai de Penny era o zelador? Pelo estado do lugar, a ideia de que houvesse um zelador nem tinha passado pela cabeça de Luce.

— Sei o que está pensando — disse Penn, ajudando Luce a tirar o resto de molho do cabelo com xampu. — O lugar não é exatamente bem cuidado, não é?

— Imagine — mentiu Luce. Ela estava ansiosa para se dar bem com a garota e queria passar uma vibração de seja-minha-amiga muito mais do que queria que parecesse que ligava realmente para a frequência com que a grama da Sword & Cross era aparada. — É, hum, bem legal.

— Papai morreu há dois anos — disse Penn em voz baixa. — Eles até arranjaram para que o velho e decadente diretor

Udell fosse meu guardião legal, mas, hum, nunca arranjaram um substituto para meu pai.

— Sinto muito — respondeu Luce, também baixando a voz. Então mais alguém ali sabia como era passar por uma grande perda.

— Está tudo bem. — Penn continuou, colocando o condicionador na palma da mão aberta. — Na verdade é uma escola muito boa. Gosto muito daqui.

Agora Luce foi quem levantou a cabeça, espalhando água pelo banheiro.

— Tem certeza de que você é realmente sã? — provocou.

— Estou brincando. Odeio isto aqui. É uma droga.

— Mas não consegue ir embora — completou Luce, inclinando a cabeça com curiosidade.

Penn mordeu os lábios.

— Eu sei que é mórbido mas, mesmo que não estivesse presa a Udell, não poderia. Meu pai está aqui. — Apesar de invisível de onde estavam, ela indicou a direção do cemitério com um gesto. — Ele é tudo que tenho.

— Acho que você tem mais do que isso nessa escola — comentou Luce, pensando em Ariane. Ela se lembrou do jeito que Ariane segurara sua mão mais cedo, o olhar ansioso em seus olhos azuis ao fazer Luce prometer que passaria em seu quarto naquela noite.

— Ela vai ficar bem. — Penn consolou-a. — Não seria segunda-feira se Ariane não fosse levada para a enfermaria depois de uma crise.

— Mas não foi uma crise — disse Luce. — Foi a pulseira. Eu vi. Estava dando choques nela.

— Nossa definição de "crise" é bem extensa aqui na Sword & Cross. Sua nova inimiga, Molly, já teve crises lendárias. Ficam dizendo que vão mudar os remédios dela. Com sorte, vai ter o prazer de testemunhar pelo menos mais um ataque histérico de primeira antes de isso acontecer.

Era admirável o quanto Penn era bem informada. Passou pela cabeça de Luce perguntar sobre a história de Daniel, mas talvez fosse melhor manter em segredo a estranha intensidade de seu interesse por ele. Pelo menos, até ela mesma conseguir entendê-la.

Ela sentiu as mãos de Penn espremendo a água de seu cabelo.

— Acho que saiu tudo — disse Penn. — Parece que finalmente está livre da carne.

Luce se olhou no espelho e passou as mãos pelo cabelo. Penn tinha razão. Exceto pelas cicatrizes emocionais e pela dor em seu pé direito, não havia mais evidências de sua briga com Molly na lanchonete.

— Ainda bem que seu cabelo é curto — disse Penn. — Se ainda estivesse comprido como na foto do arquivo, essa teria sido uma operação bem mais demorada.

Luce olhou-a, impressionada.

— Vou ter que ficar de olho em você, não vou?

Penn passou seu braço pelo de Luce e a levou para fora do banheiro.

— Apenas não me irrite e ninguém vai se machucar.

Luce olhou para Penn, preocupada, mas o rosto da outra não revelava nada.

— Está brincando, não está? — Luce perguntou.

Penn sorriu, ficando alegre de repente:

— Vamos lá, temos que ir pra aula. Não está feliz por termos as mesmas matérias à tarde?

Luce riu.

— Quando vai parar de saber tudo sobre mim?

— Não num futuro próximo — respondeu Penn, puxando-a pelo corredor em direção às salas de aula. — Vai aprender a gostar disso em breve, prometo. Sou uma amiga muito poderosa para se ter.

TRÊS

FICANDO ESCURO

Luce vagou pelo corredor frio e úmido do dormitório em direção ao quarto, arrastando atrás de si a mochila vermelha da
Camp Gurid com a alça partida. As paredes eram da mesma cor
de um quadro-negro empoeirado, e o lugar inteiro estava estranhamente quieto, com exceção do zumbido tedioso das lâmpadas fluorescentes penduradas no teto manchado por infiltrações.

Acima de tudo, Luce se surpreendeu por ver tantas portas
fechadas. Na Dover sempre desejara mais privacidade, uma folga das festas que ocupavam todo o corredor do dormitório e
que surgiam a qualquer hora do dia ou da noite. Não se podia
andar até o quarto sem tropeçar numa reunião de garotas sentadas de pernas cruzadas vestindo jeans idênticos, ou um casal se
beijando espremido contra alguma parede.

Mas na Sword & Cross... Bem, ou todo mundo já estava trabalhando nos seus trabalhos de trinta páginas para o final do semestre... Ou a socialização era de um tipo bem mais discreto.

Falando nisso, as próprias portas eram uma visão interessante. Se os alunos da Sword & Cross eram criativos com suas violações de regras de vestuário, a personalização de seus espaços era simplesmente genial. Luce já passara por uma porta encoberta por uma cortina de miçangas e outra cujo tapete tinha um detector de movimentos, que a encorajou a "cair fora dali" quando ela se aproximou.

Ela parou em frente à única porta lisa no prédio. Quarto 63. Lar, amargo lar. Luce procurou a chave no bolso da frente da mochila, respirou fundo e abriu a porta da sua cela.

Mas até que não era tão horrível assim. Ou talvez não tanto quanto estava esperando. Havia uma janela de correr de bom tamanho, que deixava entrar uma brisa noturna bem menos sufocante. E, se você ignorasse as barras de aço, a vista dos campos iluminados pela lua era na verdade meio interessante, era preciso esquecer-se também do cemitério que ficava logo depois. Havia armário e uma pequena pia, uma escrivaninha para estudar... Pensando bem, a coisa de aparência mais triste no quarto era o reflexo de Luce no espelho de corpo inteiro atrás da porta.

Ela rapidamente desviou o olhar, sabendo muito bem o que encontraria naquele reflexo. Sua aparência denunciava vergonha e cansaço. Os olhos castanhos carregados de estresse. O cabelo igual ao pelo do histérico poodle da família depois de sair numa tempestade. O suéter de Penn caía nela como um saco de batatas. Ela estava tremendo. As aulas da tarde não tinham sido muito melhores que as da manhã, principalmente porque seu maior medo virara realidade: a escola inteira já tinha começado a chamá-la de Bolo de Carne. E infelizmente, assim como seu homônimo, o apelido parecia um daqueles que ia grudar.

Luce queria desfazer as malas, transformar o inóspito quarto 63 em seu próprio canto, um lugar para onde ir quando precisasse escapar e se sentir melhor. Mas ela mal conseguiu abrir a bolsa antes de desabar, derrotada, na cama vazia. Sentia-se tão longe de casa... Foram necessários somente 22 minutos de carro para ir da porta branca dos fundos de sua casa até os portões enferrujados da entrada da Sword & Cross, mas poderia muito bem terem sido 22 anos.

Durante a primeira metade da silenciosa viagem no carro com seus pais naquela manhã, a vizinhança tinha parecido basicamente igual: bairros sonolentos de classe média sulista. Mas então tinham passado pela ponte em direção à costa, e o terreno tinha ficado cada vez mais pantanoso. Um grupo de manguezais marcava a entrada das zonas úmidas, mas logo até eles ficaram esparsos. Os últimos 16 quilômetros do caminho até a Sword & Cross eram sombrios. De um cinza amarronzado, inexpressivo, esquecido. Lá em Thunderbolt, o pessoal da cidade sempre brincava sobre o estranhamente memorável e pútrido fedor dali: dava para saber que se estava nos pântanos quando seu carro começava a cheirar a lama.

Apesar de Luce ter crescido em Thunderbolt, não conhecia muito bem a região ao leste. Quando criança, sempre achara que era porque não tinha muitos motivos para estar ali — todas as lojas, escolas, e todo mundo que sua família conhecia estavam do lado oeste. O lado leste era simplesmente menos desenvolvido. Só isso.

Ela sentia falta dos pais, que tinham colado um post-it na primeira camiseta da mala — *Nós te amamos! Os Price nunca desistem!* Sentia falta de seu quarto, que tinha vista para as plantações de tomate do pai. Sentia falta de Callie, que certamente já mandara pelo menos dez mensagens que nunca seriam lidas. Sentia falta de Trevor...

Ou, bem, não exatamente. Ela sentia falta, na verdade, era de como se sentira quando começara a falar com Trevor. Quando tinha alguém em quem pensar quando não conseguia pegar no sono, quando rabiscava o nome de alguém igual boba em seus cadernos. Para ser sincera, Luce e Trevor nunca realmente tiveram a chance de se conhecer muito bem. A única recordação que Luce tinha dele era a foto que Callie tirara dissimuladamente, do outro lado do campo de futebol, entre duas séries de agachamento dele, quando os dois conversaram durante uns quinze segundos sobre... as séries de agachamento dele. E o único encontro que tivera com Trevor não tinha nem sido um encontro de verdade — só alguns momentos roubados quando ele a tirou do meio da festa. Momentos dos quais ela se arrependeria para o resto da vida.

Tinha começado bem inocentemente, só dois adolescentes indo dar uma volta perto do lago, mas não demorou até que Luce começasse a sentir as sombras espreitando sobre os dois. Então os lábios de Trevor tocaram os dela, o calor invadiu seu corpo, e os olhos dele ficaram brancos de medo... segundos depois, a vida que ela conhecia tinha virado cinzas.

Luce rolou e escondeu o rosto na curvatura do braço. Tinha passado meses em luto pela morte de Trevor e, agora, deitada nesse quarto estranho, com o estrado de metal incomodando-a através do colchão fino, Luce viu como aquilo tudo era fútil e egoísta. Ela não conhecia Trevor melhor do que conhecia... Bem, Cam.

Uma batida na porta fez Luce saltar da cama. Como alguém poderia saber que estava ali? Foi até a porta na ponta dos pés e a abriu, colocando a cabeça para fora e vendo o corredor completamente vazio. Ela sequer ouvira passos lá fora, e não havia sinal de ninguém ter acabado de bater.

A única diferença era o aviãozinho de papel espetado com uma tacha no meio do mural de cortiça ao lado de sua porta. Luce sorriu ao ver seu nome escrito com marcador preto na asa, mas, quando desdobrou o bilhete, tudo que estava rabiscado dentro era uma seta preta apontando para o fim do corredor.

Ariane a *tinha* convidado essa noite, mas isso fora antes do incidente com Molly na lanchonete. Olhando o corredor vazio, Luce se perguntou se devia seguir a misteriosa seta. Então olhou de volta para a mochila gigante, sua deprimente festinha particular esperando para ser desarrumada. Ela deu de ombros, fechou a porta, colocou a chave no bolso e começou a andar.

Parou na frente de uma porta do outro lado do corredor para olhar um pôster gigante de Sonny Terry, um músico com deficiência visual que ela sabia, pela coleção de discos arranhados do pai, que era um incrível gaitista de blues. Ela se inclinou para a frente para ler o nome escrito no quadro de cortiça e percebeu com espanto que aquele era o quarto de Roland Sparks. Imediatamente, para sua irritação, uma pequena parte do seu cérebro começou a calcular as possibilidades de Daniel estar com Roland, apenas uma porta fina separando-os de Luce.

Um zumbido mecânico fez Luce dar um salto. Ela olhou direto para uma das câmeras de segurança presa na parede acima da porta de Roland. Os vermelhos. O zoom da lente a cada um de seus passos. Luce se encolheu, envergonhada por motivos que nenhuma câmera conseguiria identificar. Em todo caso, fora ali para ver Ariane — cujo quarto, percebeu, por acaso ficava bem em frente ao de Roland.

Ao ver a porta do quarto de Ariane, Luce sentiu uma pontada de ternura. A superfície inteira estava coberta de adesivos — alguns impressos, outros obviamente feitos à mão. Havia tantos que eles se sobrepunham, cada slogan encobrindo e frequentemente contradizendo o de baixo. Luce riu silenciosamente enquanto imaginava Ariane colecionando adesivos indiscriminadamente ("AS MALVADAS SÃO AS MELHORES", "FILHA DA... SWORD & CROSS", "VOTE 666"), para depois colá-los a esmo — mas com empenho — no seu espaço.

Luce podia ter ficado entretida durante horas lendo a porta de Ariane, mas logo começou a se sentir constrangida por estar parada na frente de um quarto para o qual não tinha 100% de certeza de ter sido convidada. Então viu o segundo aviãozinho de papel. Ela o tirou do quadro de cortiça e desdobrou a mensagem:

Minha querida Luce,

Se você realmente tiver aparecido hoje à noite, parabéns! Vamos nos dar muuuito bem.

Se tiver me dado um bolo, então... tira as patas do meu bilhete particular, ROLAND! Quantas vezes tenho que avisar? Putz.

De qualquer forma, eu sei que disse pra você aparecer aqui hoje, mas precisei ir direto da festinha na enfermaria (o lado bom do meu tratamento de choque hoje) para uma revisão de biologia com a Albatroz para compensar minha ausência. Ou seja... fica para outra vez?

Psicoticamente sua,

A

Luce ficou com o bilhete nas mãos, sem ter certeza do que fazer em seguida. Estava aliviada de saber que Ariane estava recebendo tratamento, mas ainda queria poder vê-la pessoalmente. Queria ouvir a indiferença na voz de Ariane para saber como se sentia em relação ao que acontecera na lanchonete hoje. Mas, parada ali no meio do corredor, Luce estava mais incerta do que nunca sobre como deveria processar os acontecimentos do dia. Um pânico quieto tomou conta dela quando finalmente entendeu que estava sozinha, depois de escurecer, na Sword & Cross.

Às suas costas, uma porta se abriu. Uma fresta de luz branca cresceu no chão sob seus pés. Luce escutou música vinda de um dos quartos.

— Que tá rolando? — perguntou Roland, parado à porta usando uma camiseta branca velha e jeans. Os dreads estavam presos por um elástico amarelo no alto da cabeça e ele segurava uma gaita perto da boca.

— Vim ver Ariane — explicou Luce, tentando se controlar para não espiar se havia mais alguém no quarto. — A gente ia...

— Não tem ninguém — interrompeu ele misteriosamente. Luce não sabia se estava falando de Ariane, do resto dos alunos do dormitório, ou sabe-se lá o quê. Roland tocou algumas notas na gaita, olhando para ela o tempo todo. Então abriu mais um pouco a porta e ergueu as sobrancelhas. Luce não entendeu se ele estava ou não convidando-a para entrar.

— Bem, eu estava só passando a caminho da biblioteca — mentiu ela rapidamente, voltando-se para a direção de onde tinha vindo. — Tenho que dar uma olhada num livro.

— Luce — chamou Roland.

Ela se virou. Ainda não haviam sido apresentados oficialmente, e Luce não esperava que Roland soubesse seu nome. Deu um sorriso breve e usou a gaita para apontar a direção oposta:

— A biblioteca é por ali — avisou. Ele cruzou os braços sobre o peito. — Não deixe de dar uma olhada na coleção especial na ala leste. É uma coisa impressionante.

— Obrigada — despediu-se Luce, se sentindo genuinamente agradecida ao mudar de direção. Roland parecia tão real ali, acenando e tocando algumas notas de despedida na gaita enquanto ela andava. Talvez ele só a tivesse deixado nervosa antes porque Luce pensava nele só como amigo de Daniel. Pelo que sabia, Roland podia ser uma pessoa legal. Seu humor só melhorou enquanto descia o corredor. Primeiro, o bilhete de Ariane tinha sido irônico e sarcástico, e depois Luce tivera um encontro tranquilo com Roland Sparks; além disso, ela realmente *queria* conhecer a biblioteca. As coisas estavam melhorando.

Perto do final do corredor, onde o dormitório fazia uma curva em direção à ala da biblioteca, Luce passou pela única porta aberta do andar. Não havia decoração nessa porta, mas fora pintada totalmente de preto. Quando se aproximou, Luce pôde ouvir heavy metal tocando lá dentro. Não precisou nem parar para ler o nome na porta. Era o quarto de Molly.

Luce acelerou o passo, de repente ouvindo com muita clareza cada batida de suas botas de montaria pretas no chão de linóleo. Ela não percebeu que estava prendendo a respiração até empurrar as portas de madeira da biblioteca e soltar o ar.

Uma sensação de felicidade tomou conta de Luce quando olhou em volta pela biblioteca. Ela sempre gostara do cheiro de levemente doce e mofado que apenas um salão cheio de livros tinha. Ela se reconfortava com o barulho de páginas sendo folheadas. A biblioteca da Dover sempre fora seu esconderijo, e Luce se sentiu quase dominada pelo alívio quando percebeu que aquela ali podia oferecer a mesma sensação de santuário. Mal conseguia acreditar que o lugar pertencia à Sword & Cross. Era quase... na verdade era... acolhedora.

As paredes eram de um mogno escuro e o pé-direito era alto. Uma lareira com espelho de tijolos ficava numa das paredes. Havia longas mesas de madeira iluminadas por abajures antigos esverdeados, e corredores de livros que se estendiam além do alcance dos seus olhos. O barulho das botas foi abafado por um tapete persa enquanto Luce atravessava a entrada distraidamente.

Alguns alunos estavam estudando, nenhum que Luce conhecesse por nome, mas até mesmo os garotos mais selvagens pareciam menos ameaçadores com as cabeças enfiadas nos livros. Ela se aproximou da mesa principal, uma grande estação circular no meio da sala. Estava tomada por pilhas de papéis e livros, e tinha um quê de bagunça acadêmica que lembrou Luce da casa dos pais. Havia tantos livros empilhados que Luce quase não viu a bibliotecária sentada atrás deles. Ela estava preenchendo formulários como se estivesse procurando ouro. Ergueu a cabeça quando Luce se aproximou.

— Olá! — A mulher sorriu, realmente *sorriu*, para Luce. Seu cabelo não era grisalho, e sim prateado, com um tipo de brilho que cintilava até mesmo na luz suave da biblioteca. Seu rosto parecia velho e jovem ao mesmo tempo, com uma pele pálida, quase translúcida, brilhantes olhos pretos e um nariz pequeno e arrebitado. Enquanto falava com Luce, levantou as mangas de seu suéter de cashmere branco, expondo fileiras e mais fileiras de pulseiras de pérola decorando ambos os pulsos. — Posso ajudá-la a encontrar alguma coisa? — perguntou num cochicho animado.

Luce se sentiu instantaneamente confortável com aquela mulher, e olhou para baixo para ler a placa com seu nome sobre a mesa: Sophia Bliss. Ela desejou ter algum pedido de livro. Era a primeira figura de autoridade cuja ajuda Luce verdadeiramente poderia pedir. Mas, na verdade, estava só perambulando... e então se lembrou do que Roland Sparks havia dito.

— Sou nova aqui — explicou. — Lucinda Price. Pode me dizer onde fica a ala leste?

A mulher deu um sorriso de você-parece-o-tipo-que-gosta-de-ler para Luce, algo que ela recebera de bibliotecárias a vida toda.

— Bem ali — apontou ela na direção de uma fileira de janelas altas do outro lado da sala. — Sou a Srta. Sophia e, se minha lista de chamadas está correta, você está nos meus seminários de religião às terças e quintas. Ah, vamos nos divertir um bocado! — Ela deu uma piscadela. — Enquanto isso, se precisar de mais alguma coisa, estou aqui. Prazer em conhecê-la, Luce.

Luce sorriu, agradecendo, disse com alegria à Srta. Sophia que a veria amanhã na aula e se encaminhou às janelas. Só depois de se afastar da bibliotecária que Luce se perguntou sobre o jeito estranho e íntimo que a mulher usou quando a chamou pelo apelido.

Acabara de passar pela área de estudos principal e estava observando as elegantes fileiras altas de livros quando algo escuro e amedrontador passou por cima de sua cabeça. Ela olhou para cima.

Não. Aqui não. Por favor. Deixe-me ter somente este lugar.

Quando as sombras iam e vinham, Luce nunca tinha muita certeza onde elas acabariam — ou por quanto tempo ficariam longe.

Ela não entendia o que estava acontecendo agora. Alguma coisa estava diferente. Estava com medo, sim, mas não sentia frio. Na verdade, sentia-se até um pouco corada. A biblioteca estava quente, mas não *tão* quente assim. E então seus olhos encontraram Daniel.

Ele estava de frente para a janela, de costas para ela, inclinado sobre um pódio com a inscrição COLEÇÃO ESPECIAL em letras brancas. As mangas da jaqueta de couro desgastada estavam enroladas até os cotovelos, e o cabelo loiro brilhava sob as luzes. Seus ombros estavam curvados para a frente e, mais uma vez, Luce teve o instinto de se enrolar nos braços dele. Tirou aquela ideia da cabeça e ficou na ponta dos pés para enxergar melhor. Ela não podia ter certeza, mas Daniel parecia estar desenhando alguma coisa.

Enquanto observava os sutis movimentos de seu corpo enquanto ele esboçava algo, o estômago de Luce parecia estar queimando por dentro, como se tivesse engolido alguma coisa quente. Não entendia por que, contra todo bom-senso, tinha uma intensa premonição de que Daniel a estava desenhando.

Ela *não* devia ir até ele. Afinal, nem sequer o conhecia, nunca tinha falado com ele. A única comunicação entre os dois até agora tinha incluído somente um dedo médio e alguns olhares feios. Ainda assim, por alguma razão, parecia muito importante descobrir o que estava naquele caderno.

Foi quando se deu conta... o sonho que tivera na noite anterior. Uma breve lembrança lhe ocorreu de repente. No sonho, era tarde da noite — estava úmido e frio, e ela usava algo longo e esvoaçante. Ela se encostava numa janela cortinada num salão desconhecido. A única pessoa que também estava lá era um homem... ou um garoto — não conseguia ver seu rosto. Ele a estava desenhando num bloco grosso de papel. O cabelo. O pescoço. A linha do perfil, idêntica. Ela ficou parada às suas costas, com medo de ele descobrir que ela estava olhando, mas intrigada demais para ir embora.

Luce cambaleou para a frente ao sentir algo beliscar seu ombro por trás, e depois flutuar acima de sua cabeça. A sombra tinha voltado. Era preta e tão espessa quanto uma cortina.

As batidas de seu coração ficaram tão altas que encheram seus ouvidos, bloqueando o sussurro sombrio das sombras, bloqueando o barulho de seus passos. Ele levantou o olhar do trabalho e pareceu fixar os olhos exatamente no lugar em que a sombra pairava, mas Daniel não se sobressaltou como ela.

É lógico que não: ele não podia vê-las. Sereno, fixou sua atenção na paisagem do lado de fora da janela.

O calor dentro de Luce ficou mais forte. Agora, ela estava perto o suficiente para ter a impressão de que Daniel podia sentir as ondas de calor irradiando de sua pele.

O mais silenciosamente que pôde, Luce tentou bisbilhotar o caderno por cima do ombro dele. Por apenas um segundo, sua mente visualizou a curva de seu próprio pescoço no esboçado a lápis na página. Mas então ela piscou e, quando seus olhos voltaram para a folha, teve que engolir em seco.

Era uma paisagem. Daniel estava desenhando a vista do cemitério através da janela com detalhismo quase perfeito. Luce nunca tinha visto uma coisa que a deixasse tão triste.

Ela não sabia a razão. Era um absurdo — até mesmo para seus padrões — esperar que sua estranha intuição se concretizasse. Não havia motivo para Daniel desenhá-la. Luce sabia disso, assim como sabia não haver motivo para a grosseria daquela manhã. Mas ele havia feito o gesto grosseiro mesmo assim.

— O que está fazendo aqui? — ele perguntou. Tinha fechado seu caderno de desenho e estava olhando para ela solenemente. Seus lábios cheios estavam fechados com força, e os olhos acinzentados pareciam entorpecidos. Ele não parecia zangado; para variar, parecia exausto.

— Vim ver um livro da Coleção Especial — respondeu ela numa voz vacilante. Mas, ao olhar em volta, rapidamente percebeu seu erro. A Coleção Especial não era uma seção de livros — era uma área aberta dentro da biblioteca onde havia uma exposição de arte sobre a Guerra Civil. Ela e Daniel estavam no meio de uma pequena galeria, com bustos de bronze de heróis de guerra, caixas de vidro protegendo velhas notas promissórias e mapas da Confederação. Era a única seção da biblioteca em que não havia um único livro.

— Boa sorte, então — disse Daniel, abrindo seu caderno de novo, como se para dizer, sem espaço para dúvidas, *adeus*.

Luce estava muda e envergonhada, e o que gostaria de fazer era fugir. Mas, por outro lado, havia as sombras, ainda espreitando, e por algum motivo Luce se sentia melhor quando estava perto de Daniel. Não fazia sentido — como se ele pudesse fazer alguma coisa para protegê-la delas.

Ela ficou parada, grudada no lugar. Daniel olhou para ela e suspirou:

— Deixe eu fazer uma pergunta: gosta de ser vigiada?

Luce pensou nas sombras e no que estavam fazendo com ela naquele exato momento. Sem pensar, negou bruscamente balançando a cabeça.

— Então somos dois. — Ele limpou a garganta e encarou-a fixamente, tentando salientar que ela era a intrusa ali.

Talvez Luce pudesse explicar que estava se sentindo um pouco tonta e só precisava se sentar por um minuto. Ela começou a dizer:

— Olhe, posso...

Mas Daniel pegou o caderno e ficou de pé.

— Vim aqui para ficar sozinho — interrompeu ele. — Se você não vai embora, eu vou.

Ele jogou o caderno dentro da mochila e, quando passou por Luce, seu ombro esbarrou no dela. Mesmo o toque tão breve, mesmo através das muitas camadas de roupas, Luce sentiu um choque elétrico.

Por um segundo, Daniel também congelou. Os dois viraram-se para se olhar e Luce abriu a boca. Mas, antes que pudesse falar, Daniel já olhava para a frente e andava rapidamente em direção à porta. Luce observou as sombras flutuando acima de sua cabeça, rodopiando em círculos, e então saindo pela janela noite afora.

Ela tremeu com o rastro frio que deixaram e, por um longo tempo depois daquilo, ficou parada na área da exposição, tocando o ombro no local em que Daniel tinha encostado, sentindo o calor deixar sua pele aos poucos.

QUATRO

TURNO DO CEMITÉRIO

Ahhh, terça-feira. Dia do waffle. Desde que conseguia se lembrar, terças estivais significavam café fresco, tigelas transbordando de framboesas com chantilly e uma interminável pilha de waffles crocantes e dourados. Até mesmo nesse verão, quando seus pais começaram a sentir um pouco de medo dela, o dia do waffle era uma coisa com a qual podia contar. Ela podia rolar na cama numa terça de manhã e, antes de se dar conta de qualquer outra coisa, sabia instintivamente que dia era.

Luce farejou, lentamente recuperando os sentidos, e então farejou mais uma vez, com mais vontade. Não, nada de cheiro da massa amanteigada, nada além do cheiro avinagrado da tinta descascando. Ela esfregou os olhos para espantar o sono e observou o quarto entulhado. Parecia a foto de "antes" em um daqueles programas de decoração. O interminável pesadelo que tinha sido a segunda-feira voltou à sua mente: se despedindo de seu celular, o incidente com o bolo de carne e os olhos cheios de ódio de Molly no refeitório, o esbarrão com Daniel na biblioteca. O que o deixava tão rancoroso, Luce não fazia ideia.

Ela se sentou e olhou pela janela. Ainda estava escuro; o sol não tinha nem começado a aparecer no horizonte. Nunca havia levantado tão cedo. Pensando bem, na verdade não se lembrava de ter visto ao sol nascer nunca. Para falar a verdade, alguma coisa sobre assistir o sol nascer a deixava nervosa; os momentos de espera, os momentos logo-antes-do-sol-aparecer-na-linha-do-horizonte, sentada na escuridão olhando para a fileira de árvores. Era o horário perfeito para as sombras.

Luce soltou um alto, saudoso e solitário suspiro, o que a deixou ainda mais solitária e com mais saudades de casa. O que ia fazer com as três horas que tinha entre o raiar do dia e a primeira aula? *Raiar do dia* — por que essas palavras estavam soando familiares em seus ouvidos? Ah. Droga. Ela deveria estar no castigo.

Luce se apressou para sair da cama, tropeçando na mochila ainda cheia, e puxou mais um suéter preto sem graça do alto da pilha de suéteres pretos sem graça. Pegou o mesmo jeans do dia anterior e estremeceu ao ver o reflexo desastroso do cabelo amassado, tentando pentcá-lo com os dedos enquanto corria porta afora.

Ela estava sem fôlego quando chegou aos portões de ferro do cemitério, de pouco mais de um metro de altura e com desenhos intrincados. Estava engasgando com o sufocante cheiro de lixo podre e se sentindo sozinha demais com seus pensamentos. Onde estava todo mundo? A ideia deles de "raiar do dia" era diferente da dela? Luce olhou o relógio: já eram 6h15.

Toda a instrução que recebera era para se encontrarem no cemitério, e Luce tinha quase certeza de que essa era a única entrada. Ficou parada na entrada, onde o asfalto rústico do estacionamento dava lugar a um terreno pedregoso cheio de ervas daninhas. Ela viu um dente-de-leão solitário e passou pela sua cabeça que uma Luce mais jovem o teria arrancado, feito um pedido e então o soprado. Mas os pedidos da Luce atual eram pesados demais para algo tão leve.

Os portões delicados eram tudo que separava o cemitério do estacionamento, o que era digno de nota em uma escola que tinha tanto arame farpado em todos os outros lugares. Luce passou a mão pelos portões, delineando com os dedos os delicados padrões florais. Os portões deviam datar da época da Guerra Civil a que Ariane estava se referindo, quando o cemitério costumava ser o repouso final de soldados mortos em combate. Quando a escola ao lado não era lar de psicopatas instáveis. Quando o lugar todo era bem menos encoberto e sombrio.

Era estranho: o resto do campus era liso como uma folha de papel, mas, de alguma maneira, o cemitério tinha uma forma côncava. De onde estava ela podia ver o declive da vasta região à frente. Fileira após fileira de lápides simples se alinhavam na ladeira como espectadores numa arena.

Mas, em direção ao centro, no ponto mais baixo do cemitério, o caminho pelas lápides se retorcia num labirinto de túmulos maiores e esculpidos, estátuas de mármore e mausoléus. Provavelmente eram dos generais da Confederação ou apenas para os soldados de famílias ricas. Pareciam ser lindas quando vistas de perto. Mas dali, o próprio peso delas parecia puxar o cemitério para baixo, quase como se o lugar inteiro estivesse sendo sugado por um ralo.

Passos às suas costas. Luce se virou e viu uma figura atarracada vestida de preto saindo de trás de uma árvore. Penn! Luce se segurou para não jogar seus braços em volta da garota. Nunca havia ficado tão feliz em ver alguém — apesar de ser difícil acreditar que Penn também tivesse sido mandada para o castigo.

— Não está atrasada? — Penn perguntou, parando alguns centímetros na frente de Luce e balançando a cabeça para ela como se sentisse pena da garota nova.

— Estou aqui há dez minutos — respondeu Luce. — Não é *você* que está atrasada?

Penn deu um sorrisinho.

— Lógico que não, eu só levanto cedo. Nunca vou para o castigo. — Ela deu de ombros e ajeitou os óculos roxos no nariz. — Mas você deveria estar lá, junto com outras cinco almas infelizes que provavelmente estão ficando com mais raiva a cada minuto esperando no monólito. — Ela ficou na ponta dos pés e apontou para a direção atrás de Luce, para a maior estrutura de pedra que se erguia na parte mais funda do cemitério. Se Luce apertasse os olhos, podia distinguir um grupo de figuras escuras agrupadas na base.

— Eles só disseram que deveria encontrá-los no cemitério — reclamou Luce, já se sentindo derrotada. — Ninguém me disse aonde ir.

— Bem, eu estou dizendo agora: monólito. Agora desça até lá — disse Penn. — Não vai fazer amigos atrapalhando a manhã deles ainda mais.

Luce engoliu em seco. Parte dela queria pedir a Penn para lhe mostrar o caminho. Dali de cima, parecia um labirinto, e Luce não queria se perder num cemitério. De repente, teve aquela sensação nervosa de estar longe de casa, e sabia que isso só ia piorar lá. Ela estalou os dedos, tentando passar o tempo.

— Luce? — Penn chamou, dando um leve empurrão em seus ombros. — Você ainda está parada aí.

Luce tentou dar a Penn um bravo sorriso de agradecimento, mas teve que se contentar com uma careta esquisita. Em seguida, desceu apressadamente o declive até o centro do cemitério.

O sol ainda não tinha nascido, mas estava quase, e esses últimos momentos da madrugada eram sempre os que mais a assustavam. Luce passou correndo pelas fileiras de lápides simples. Algum dia elas provavelmente estiveram eretas, mas agora estavam tão velhas que a maioria se inclinava para um lado ou para o outro, fazendo o lugar todo parecer algum tipo de jogo de dominós mórbido.

Ela ensopou os All Star pretos em poças de lama encobertas por folhas mortas. Quando tinha passado pelos túmulos simples e chegado aos mais ornamentados, o chão tinha mais ou menos se nivelado, e ela estava totalmente perdida. Parou de correr para recuperar o fôlego. Vozes. Se conseguisse se acalmar, podia ouvir as vozes.

— Mais cinco minutos, e tô fora — disse um garoto.

— Pena que sua opinião não interessa, Sr. Sparks. — Uma voz geniosa, que Luce reconheceu de alguma de suas aulas ontem. Srta. Tross... a Albatroz.

Depois do incidente com o bolo de carne, Luce tinha chegado atrasada na aula e não causou a melhor impressão na rígida professora de ciências.

— A não ser que alguém queira perder seus privilégios sociais dessa semana — ouviram-se grunhidos entre os túmulos —, vamos todos esperar pacientemente, como se não tivéssemos nada melhor para fazer, até a Srta. Price decidir nos agraciar com sua presença.

— Estou aqui — arfou Luce, finalmente dando a volta em uma gigantesca estátua de querubim.

A Srta. Tross parou com as mãos nos quadris, usando um vestido preto solto parecido com o do dia anterior. O cabelo castanho fino estava grudado na cabeça e os tediosos olhos castanhos só revelaram irritação com a chegada de Luce. Biologia sempre fora difícil para Luce e, até agora, ela não estava fazendo nenhum favor a suas notas na aula da Srta. Tross.

Atrás da Albatroz estavam Ariane, Molly e Roland, de pé em volta de um círculo de pedestais que circulavam uma grande estátua central de um anjo. Comparada às outras estátuas, essa parecia mais nova, mais limpa, maior. E encostado numa das pernas esculpidas do anjo — ela quase não tinha percebido — estava Daniel.

Ele estava usando a mesma jaqueta de couro velha e a echarpe vermelha do dia anterior. Luce analisou o cabelo loiro desarrumado, que parecia não ter sido penteado depois de acordar... O que a fez começar a pensar em como Daniel era dormindo... O que a fez corar tanto, que quando seus olhos desceram do cabelo dele até seus olhos, ela se sentiu completamente humilhada.

A essa altura ele já estava olhando feio para ela.

— Sinto muito — soltou. — Não sabia onde era para a gente se encontrar. Eu juro...

— Poupe-me — disse a Srta. Tross, arrastando um dedo através da garganta. — Já desperdiçou tempo demais, de todo mundo. Agora, aposto que se lembra de qualquer que seja a indiscrição desprezível que cometeu para estar aqui. Pode refletir sobre isso durante as próximas duas horas enquanto trabalha. Formem duplas. Já conhecem o esquema. — Ela olhou para Luce e soltou a respiração. — OK, quem quer uma protegida?

Para o horror de Luce, todos os outros alunos baixaram os olhos. Mas então, depois de um torturante minuto, um quinto aluno apareceu virando na beirada do mausoléu.

— Eu quero.

Cam. Sua camisa preta de gola V ficava justa em seus ombros largos. Ele era quase trinta centímetros mais alto que Roland, que deu um passo para o lado quando Cam passou por ele e foi na direção de Luce. Seus olhos estavam colados nos dela enquanto andava para a frente, se movimentando com suavidade e confiança, tão confortável nesse reformatório quanto Luce estava desconfortável. Parte dela queria desviar os olhos, porque o jeito que Cam a encarava na frente de todo mundo era embaraçoso. Mas, por alguma razão, estava hipnotizada. Ela não conseguia afastar o olhar — até Ariane se colocar entre eles.

— Pedi primeiro — falou. — Pedi ela primeiro.

— Não pediu, não — retrucou Cam

— Pedi sim, você é que não me ouviu, do seu poleiro esquisito ali atrás. — Ariane falava sem parar. — ... Eu quero ficar com ela.

— Eu... — Cam começou a responder.

Ariane inclinou a cabeça em expectativa. Luce engoliu em seco. Será que ele ia virar e dizer que *ele* também queria ficar com ela? Não podiam simplesmente deixar para lá? Ficar de castigo num grupo de três?

Cam afagou o braço de Luce.

— Falo com você depois, OK? — disse, como se fosse uma promessa que ela tivesse pedido para ele fazer.

Os outros alunos levantaram-se dos túmulos onde estavam sentados e foram até um barracão. Luce os seguiu, grudada em Ariane, que sem dizer nada entregou a ela um ancinho.

— Então. Quer o anjo vingador, ou os carnudos amantes abraçados?

Ninguém comentou os acontecimentos de ontem ou o bilhete de Ariane, e Luce de alguma maneira sentiu que não devia tocar no assunto agora. Em vez disso, ela olhou para cima e se deparou com duas estátuas gigantescas cercando-a. A mais perto dela parecia um Rodin. Um homem e uma mulher nus entrelaçados num abraço. Ela estudara escultura francesa na Dover, e sempre achara as obras de Rodin as mais românticas. Mas agora era difícil olhar os amantes abraçados sem pensar em Daniel. *Daniel*. Que a odiava. Se precisava de mais provas disso depois de ele basicamente fugir da biblioteca ontem à noite, era só se lembrar do olhar feio que disparara para ela naquela manhã.

— Cadê o anjo vingador? — perguntou a Ariane com um suspiro.

— Boa escolha. Por aqui. — Ariane levou Luce até uma maciça escultura de mármore de um anjo salvando a terra do choque de um raio. Pode ter sido uma obra interessante, na época em que fora esculpida. Mas agora parecia apenas velha e suja, coberta de lama e musgo.

— Não entendo — assumiu Luce. — O que a gente deve fazer?

— Esfrega-esfrega-esfrega — disse Ariane, quase cantando. — Gosto de fingir que estou dando um banhinho neles. — Com isso, ela escalou o anjo gigante, passando as pernas por cima do braço da estátua que segurava o relâmpago, como se aquilo fosse um resistente carvalho.

Morrendo de medo de a Srta. Tross achar que ela estava querendo mais problemas, Luce começou a trabalhar com seu ancinho em volta do pedestal da estátua. Ela tentou tirar o que parecia uma pilha interminável de folhas molhadas.

Três minutos depois, seus braços a estavam *matando*. Definitivamente não estava vestida adequadamente para aquele tipo de trabalho sujo braçal. Luce nunca fora mandada para o castigo na Dover mas, pelo que já tinha escutado, lá ele resumia-se a preencher uma folha de papel com "Nunca mais vou copiar trabalhos da Internet" algumas centenas de vezes.

Aquilo era um abuso. Especialmente quando tudo que fizera fora esbarrar acidentalmente em Molly na lanchonete. Ela estava tentando não julgar ninguém ali rápido demais, mas tirar lama dos túmulos de gente que estava morta há mais de um século? Luce totalmente odiava sua vida naquele momento.

Então uma fresta de luz do sol finalmente atravessou a copa das árvores e de repente havia cor no cemitério. Luce se sentiu instantaneamente melhor. Ela podia enxergar a mais de três metros adiante. Podia enxergar Daniel... trabalhando ao lado de Molly.

O coração de Luce parou. A sensação de leveza desapareceu.

Ela olhou para Ariane, que lhe lançou um olhar de simpatia, mas continuou trabalhando.

— Ei — Luce sussurrou alto.

Ariane pôs um dedo nos lábios, mas chamou Luce para subir ao lado dela.

Com muito menos graça e agilidade do que Ariane, Luce agarrou o braço da estátua e balançou-se para cima do pedestal. Quando percebeu que não ia se esborrachar, sussurrou:

— Então... Daniel é amigo de Molly?

Ariane bufou.

— Não, de jeito nenhum, eles se odeiam — respondeu rapidamente, e então parou. — Por que está perguntando?

Luce apontou para os dois, não se esforçando nem um pouco para tirar folhas de cima de sua sepultura. Estavam perto um do outro, apoiados em seus ancinhos, entretidos numa conversa que Luce desesperadamente queria poder ouvir.

— Eles parecem amigos para mim.

— É o castigo — explicou Ariane secamente. — Somos obrigados a fazer duplas. Por acaso acha que Roland e o tarado do banheiro são amigos? — Ela apontou para Roland e Cam. Eles pareciam estar discutindo sobre a melhor maneira de dividir o trabalho na estátua dos amantes. — Amigos do castigo *não* significa amigos da vida real.

Ariane olhou de volta para Luce, que podia sentir seu rosto denunciar a frustração, apesar de se esforçar muito para parecer neutra.

— Olha, Luce, eu não quis dizer... — A voz sumiu. — Tirando o fato de que você me fez perder uns bons vinte minutos da minha manhã, não tenho nada contra você. Na verdade, acho que é meio interessante. Meio natural. Quero dizer, não sei o que você estava esperando em termos de amiguinhos para sempre aqui na Sword & Cross. Mas deixe-me ser a primeira a explicar: simplesmente não é tão fácil assim. As pessoas estão aqui porque têm bagagem. Estou falando de gente que precisa pagar pelo excesso de bagagem no check-in. Sacou?

Luce deu de ombros, se sentindo envergonhada.

— Foi só uma pergunta.

Ariane deu um risinho silencioso.

— Está sempre tão na defensiva? Que diabos aprontou pra vir pra cá, afinal?

Luce não estava com vontade de falar no assunto. Talvez Ariane tivesse razão; era melhor não ficar tentando fazer amigos. Luce desceu e voltou a atacar o musgo na base da estátua.

Infelizmente, Ariane ficou intrigada. Ela pulou e colocou o ancinho em cima do de Luce, prendendo-o no lugar.

— Aaah, me conta me conta me conta — provocou.

O rosto de Ariane estava tão perto do de Luce. Fez Luce se lembrar do dia anterior, agachando-se sobre Ariane depois da convulsão. Elas dividiram algo ali, não? E parte de Luce queria muito poder conversar com alguém. Tinha sido um verão tão longo e sufocante só com seus pais... Ela suspirou, descansando a testa no cabo de seu ancinho.

Uma sensação salgada e nervosa encheu sua boca, mas ela não conseguia engolir. A última vez que havia revelado esses detalhes tinha sido por causa de um mandado judicial. Luce poderia esquecer aquilo rapidamente mas, quanto mais Ariane a encarava, mais claramente as palavras voltavam, e mais perto ela ficava de contar a verdade.

— Eu estava com um amigo uma noite — começou a explicar, respirando longa e profundamente. — E uma coisa horrível aconteceu. — Ela fechou os olhos, rezando para que a cena não se repetisse por baixo de suas pálpebras. — Houve um incêndio. Eu consegui fugir... mas ele não.

Ariane bocejou, muito menos horrorizada pela história do que Luce.

— De qualquer maneira — Luce continuou —, depois eu não conseguia lembrar os detalhes, como aquilo tinha acontecido. O que eu conseguia lembrar, o que contei para o juiz, de qualquer forma, acho que pensaram que eu era desequilibrada. — Luce tentou sorrir, mas pareceu forçado.

Para a surpresa de Luce, Ariane apertou seu ombro. E, por um segundo, seu rosto pareceu realmente sincero. Então voltou a exibir o velho sorrisinho irônico.

— Somos todas *tão* incompreendidas, não somos? — Ela cutucou a barriga de Luce. — Sabe, Roland e eu estávamos comentando outro dia mesmo que não temos nenhum amigo piromaníaco. E todo mundo sabe que é preciso um bom piro para aprontar uma brincadeira de reformatório boa o suficiente para valer o esforço. — Ela já estava tramando. — Roland pensou que talvez aquele outro garoto novo, Todd, fosse servir, mas eu prefiro apostar em você. Temos que pensar em algo juntos, um dia desses.

Luce engoliu em seco. Não era piromaníaca. Mas já estava cansada de falar de seu passado; não tinha nem vontade de tentar se defender.

— Ah, espere só até Roland ficar sabendo — disse Ariane, largando o ancinho no chão. — Você é, tipo, um sonho virando realidade.

Luce abriu a boca para protestar, mas Ariane já tinha saído de perto. *Perfeito*, pensou Luce, ouvindo o barulho dos sapatos de Ariane esguichando na lama. Agora era uma questão de minutos até a história se espalhar pelo cemitério e chegar aos ouvidos de Daniel.

Sozinha mais uma vez, ela levantou os olhos para a estátua. Apesar de já ter tirado uma enorme pilha de musgo e folhas, o anjo parecia mais sujo do que nunca. Essa tarefa parecia tão sem sentido... Ela duvidava que alguém fosse visitar aquele lugar, de qualquer maneira. Também duvidava que qualquer um dos outros alunos de castigo ainda estivesse trabalhando.

Seu olhar por acaso encontrou Daniel, que *estava* trabalhando. Eficientemente usava uma escova para esfregar o mofo de uma inscrição de bronze num dos túmulos. Ele tinha até enrolado as mangas do suéter, e Luce podia ver os músculos se tensionando enquanto Daniel trabalhava. Ela suspirou e — não pôde evitar — apoiou seu cotovelo no anjo de pedra para observá-lo.

Ele sempre trabalhou tão duro.

Luce rapidamente balançou a cabeça. De onde aquilo tinha vindo? Ela não fazia ideia do que significava. E, ainda assim, aquele pensamento acontecera. Era o tipo de frase que às vezes se formava em sua cabeça um pouco antes de cair no sono. Besteiras sem sentido que ela nunca conseguia relacionar com nada fora de seus sonhos. Mas ali estava ela, completamente acordada.

Precisava se controlar com essa história de Daniel. Conhecia ele há um dia e já sentia que se encaminhara para um lugar muito estranho e pouco familiar.

— Provavelmente é melhor ficar longe dele — uma voz fria disse às suas costas.

Luce se virou e deu de cara com Molly, na mesma pose em que a vira ontem: mãos nos quadris, as narinas com piercing se abrindo. Penn tinha lhe explicado que a surpreendente regra da Sword & Cross que permitia piercings faciais vinha da relutância do próprio diretor em tirar o brinco de diamante da orelha.

— De quem? — perguntou a Molly, sabendo que parecia uma idiota.

Molly revirou os olhos.

— Apenas confie em mim quando digo que se apaixonar por Daniel seria uma ideia muito, muito ruim.

Antes que Luce pudesse responder, Molly já não estava mais ali. Mas Daniel — quase como se tivesse escutado seu nome — estava olhando diretamente na sua direção. E em seguida estava *andando* para lá.

Ela sabia que o sol se escondera atrás de uma nuvem. Se conseguisse desviar os olhos dele, poderia olhar para o alto e ver por si mesma. Mas não podia levantar os olhos, não podia desviar o olhar, e, por algum motivo, tinha que apertar os olhos para vê-lo. Era quase como se Daniel estivesse emanando sua própria luz, como se a estivesse ofuscando. Um zumbido oco encheu seus ouvidos e os joelhos começaram a tremer.

Luce queria pegar seu ancinho e fingir que não tinha visto que Daniel estava vindo. Mas já era tarde demais para dar uma de despreocupada.

— O que ela disse pra você? — perguntou ele.

— Hum — ela enrolou, procurando em seu cérebro uma mentira viável. Não achou nada, então estalou os dedos.

Daniel segurou suas mãos.

— Odeio quando faz isso.

Luce se afastou instintivamente. O toque de suas mãos tinha sido tão fugaz e ainda assim sentiu o rosto corar. Ele quis dizer que aquilo o irritava, que *qualquer pessoa* estalando os dedos o irritava, certo? Porque dizer que odiava quando *ela* fazia aquilo implicava que já a vira fazendo aquilo antes. E isso era impossível. Ele mal a conhecia.

Então por que isso parecia uma discussão que já havia acontecido antes?

— Molly me disse para ficar longe de você — respondeu ela finalmente.

Daniel inclinou a cabeça de um lado para o outro, parecendo estar pensando no assunto.

— Ela provavelmente está certa.

Luce estremeceu. Uma sombra deslizou por cima deles, escurecendo o rosto do anjo por tempo suficiente para preocupar Luce. Ela fechou os olhos e tentou respirar, rezando para que Daniel não notasse que havia algo de estranho.

Mas o pânico estava crescendo dentro dela. Sua vontade era sair correndo, mas não podia. E se se perdesse no cemitério?

Daniel seguiu a direção de seu olhar até o céu.

— O que foi?

— Nada.

— E então, você vai fazer isso? — perguntou ele, cruzando os braços sobre o peito, desafiando-a.

— O quê? — confundiu-se ela. *Correr?*

Daniel deu um passo à frente. Agora estava a menos de trinta centímetros de distância. Luce prendeu a respiração e manteve seu corpo completamente imóvel. E esperou.

— Vai ficar longe de mim?

Quase parecia um flerte.

Mas Luce estava completamente sem fala. Sua testa estava molhada de suor e ela apertou as têmporas, tentando retomar o controle sobre seu corpo, tentando retomá-lo do controle dele. Luce estava totalmente despreparada para flertar de volta. Isto é, se o que ele estava fazendo era realmente isso.

Ela deu um passo para trás.

— Acho que sim.

— Não ouvi — sussurrou ele, erguendo uma sobrancelha e dando mais um passo para a frente.

Luce recuou de novo, para mais longe dessa vez. Ela praticamente colidiu com a base da estátua e pôde sentir o pé de pedra áspera do anjo arranhando suas costas. Uma segunda sombra, mais escura e mais fria, voou por sobre suas cabeças. Podia jurar que Daniel estremeceu junto com ela.

E então o rosnar alto de algo pesado assustou a ambos. Luce se sobressaltou quando o topo da estátua de mármore oscilou acima deles, como um galho de árvore balançando ao vento. Por um segundo, parecia estar suspensa no ar.

Luce e Daniel ficaram parados, olhando o anjo. Ambos sabiam que estava caindo. A cabeça do anjo baixou lentamente em direção a eles, como se estivesse rezando — e então toda a estátua ganhou velocidade enquanto tombava para o chão. Luce sentiu a mão de Daniel envolvendo sua cintura no mesmo instante, com força, como se soubesse exatamente onde ela começava e onde terminava. A outra mão cobriu sua cabeça e forçou-a a se abaixar bem na hora que a estátua tombou por cima deles, caindo onde estavam parados. Ela caiu com um som alto e oco — a cabeça na lama e os pés ainda em cima do pedestal, deixando um pequeno triângulo vazio, onde Daniel e Luce estavam agachados.

Os dois arfavam, nariz com nariz, Daniel com os olhos assustados. Entre seus corpos e a estátua havia talvez apenas alguns centímetros de espaço.

— Luce? — ele sussurrou.

Tudo que ela conseguiu fazer foi assentir.

Os olhos dele se estreitaram.

— O que você viu?

Então a mão de alguém apareceu e puxou Luce do espaço sob a estátua. Ela sentiu um arranhão nas costas e então uma lufada de ar alcançou seu rosto. Viu a vacilante luz do sol novamente. Os alunos do castigo estavam todos boquiabertos em volta, exceto pela Srta. Tross, que os olhava com raiva, e Cam, que ajudou Luce a se levantar.

— Você está bem? — perguntou, analisando-a em busca de arranhões e machucados e tirando um pouco de terra de seus ombros. — Vi a estátua desabando e corri para tentar impedi-la, mas já era... Você deve estar tão assustada.

Luce não respondeu. Assustada era apenas um décimo de como se sentia.

Daniel, já de pé, nem olhou para trás para ver se ela estava bem ou não. Apenas saiu andando.

Luce ficou de boca aberta ao vê-lo ir embora, ao perceber que ninguém mais parecia se importar que ele tivesse simplesmente dado o fora.

— O que você fez? — perguntou a Srta. Tross.

— Não sei. Num minuto, estávamos paradas ali — Luce olhou de relance para a Srta. Tross —, hum, trabalhando. E logo depois a estátua... caiu.

Albatroz se abaixou para examinar o anjo despedaçado. A cabeça tinha se partido bem no meio. Ela começou a resmungar alguma coisa sobre as forças da natureza e pedras antigas.

Mas foi uma voz no ouvido de Luce que permaneceu com ela, mesmo depois de todo mundo ter voltado ao trabalho. Foi Molly, apenas centímetros atrás de seu ombro, que sussurrou:

— Pelo visto alguém devia começar a ouvir os meus conselhos.

CINCO

A PANELINHA

— Nunca mais me assuste assim! — Callie repreendia Luce, no final da tarde de quarta-feira.

Era pouco antes do pôr do sol e Luce estava aninhada dentro da cabine telefônica da Sword & Cross, um pequeno cubículo bege no meio da área da recepção. Estava longe de oferecer alguma privacidade, mas pelo menos não havia ninguém rondando por ali. Seus braços ainda doíam do trabalho no cemitério no castigo do dia anterior, e seu orgulho ainda estava ferido pela fuga de Daniel, um segundo depois de terem sido puxados de baixo da estátua. Mas, durante quinze minutos, Luce estava tentando com todas as forças tirar tudo aquilo da cabeça, e absorver cada palavra maravilhosamente frenética que sua melhor amiga disparava no curto tempo permitido. Era tão bom ouvir a voz aguda de Callie que Luce quase não ligou por estar recebendo uma bronca.

— A gente prometeu que não passaria nem *uma hora* sem se falar — continuou Callie, acusando-a. — Achei que alguém tinha comido você viva! Ou talvez que tivesse sido jogada na solitária, numa daquelas camisas de força em que você precisa rasgar a manga com os dentes para conseguir coçar o rosto. Pra mim, você podia de repente ter descido até os quintos do...

— Tá bom, *mãe* — disse Luce, rindo e se acomodando no velho papel de acalmar Callie. — Relaxa. — Por uma fração de segundo, ela se sentiu culpada por não usar seu direito a um telefonema ligando para sua mãe. Mas Luce sabia que Callie ia arrancar os cabelos se descobrisse que ela não tinha aproveitado a primeira oportunidade para entrar em contato com ela. E, de uma maneira estranha, era sempre reconfortante escutar a voz empolgada de Callie. Era um dos motivos pelos quais elas se davam tão bem: a obsessão da melhor amiga na verdade tinha um efeito tranquilizador sobre Luce. Ela podia até imaginar Callie em seu dormitório na Dover, andando de um lado para o outro sobre o tapete cor de laranja berrante, com gel adstringente espalhado pela zona T do rosto e algodões separando os dedos do pé com as unhas ainda molhadas de esmalte fúcsia.

— Não me venha com essa de *mãe*! — resmungou Callie. — Pode começar a falar. Como são os outros alunos? São todos assustadores e ficam tomando diurético como nos filmes? E as aulas? Como é a comida?

Pelo telefone, Luce podia ouvir *A princesa e o plebeu* passando na pequena TV de Callie. A cena favorita de Luce sempre fora aquela em que Audrey Hepburn acorda no quarto de Gregory Peck, ainda convencida de que a noite anterior fora só um sonho. Luce fechou os olhos e tentou imaginar a cena em sua mente. Imitando o sussurro sonolento de Audrey, citou a fala que sabia que Callie reconheceria:

— Havia um homem, ele foi tão mau comigo. Foi *maravilhoso*.

— Tá legal, princesa, é da *sua* vida que quero saber — provocou Callie.

Infelizmente, não havia nada sobre a Sword & Cross que Luce poderia imaginar sendo descrito como *maravilhoso*. Pensando em Daniel pela... hum... octogésima vez naquele dia, ela percebeu que o único paralelo entre sua vida e *A princesa e o plebeu* era que ela e Audrey gostavam de caras agressivos, rudes e sem interesse algum por elas. Luce descansou a cabeça nas paredes bege do cubículo. Alguém tinha arranhado as palavras AGUARDANDO A MINHA HORA. Sob circunstâncias normais, essa seria a hora em que Luce contaria para Callie tudo sobre Daniel.

Só que, por algum motivo, ela não contou.

Qualquer coisa que tivesse vontade de contar sobre Daniel não seria baseada em nada que tivesse realmente acontecido entre os dois. E Callie era muito a favor de caras que faziam esforço para mostrar que valiam a pena. Ela ia querer ouvir coisas sobre como ele abriu a porta para Luce tantas vezes, ou se ele tinha reparado em como o francês dela era bom, quase sem sotaque. Callie não achava que havia algo de errado com caras escrevendo poemas de amor melosos que Luce *nunca* levaria a sério. Luce não teria muita coisa para contar sobre Daniel. Na verdade, Callie ficaria muito mais interessada em ouvir histórias sobre alguém como Cam.

— Bom, *tem* um garoto aqui — Luce sussurrou no telefone.

— Sabia! — Callie gritou. — Nome?

Daniel. *Daniel*. Luce pigarreou:

— Cam.

— Direto, sem complicações. Posso gostar. Conta desde o começo.

— Bom, nada aconteceu ainda.

— Ele acha você deslumbrante, blá-blá-blá. Eu disse que esse cabelo curto deixa você parecida com a Audrey. Conte logo a parte boa.

— Bem... — começou Luce. O barulho de passos no saguão a fez parar. Ela se inclinou para fora da cabine e esticou o pescoço para ver quem estava interrompendo os melhores quinze minutos que tivera em três dias inteiros.

Cam estava andando em direção a ela.

Falando no diabo. Ela engoliu as palavras horrivelmente ridículas que estavam na ponta de sua língua: *ele me deu uma palheta de guitarra*. Ela ainda estava com aquilo no bolso.

A atitude de Cam era casual, como se, por um lance de sorte, ele não tivesse escutado o que ela estivera falando. Ele parecia ser o único aluno da Sword & Cross que não tirava o uniforme da escola imediatamente depois de sair da aula. Mas o *look* preto total ficava bem nele, enquanto fazia Luce parecer uma caixa de supermercado.

Cam rodopiava o relógio de bolso de ouro que estava pendurado numa corrente comprida em volta do dedo indicador. Luce acompanhou o relógio balançando por um momento, quase hipnotizada, até Cam abrir a tampa do relógio com um estalo. Primeiro ele baixou os olhos para o relógio, depois a encarou.

— Desculpe. — Seus lábios se franziram de confusão. — Achei que eu tinha sido encaixado no telefonema das sete horas. — Cam deu de ombros. — Mas devo ter anotado errado.

O coração de Luce se encolheu quando olhou seu próprio relógio. Ela e Callie mal tinham trocado quinze palavras — como seus quinze minutos já tinham acabado?

— Luce? Alô? — Callie parecia impaciente do outro lado da linha. — Você está esquisita. Tem alguma coisa que não está me contando? Já me trocou por alguma amiga de reformatório que gosta de se cortar? E o garoto?

— Shhh — mandou Luce para o telefone. — Cam, espere — chamou, afastando o fone do rosto. Ele já estava atravessando a porta. — Só um segundo, eu já estava — ela engoliu em seco —, eu estava desligando.

Cam deixou escorregar o relógio na frente de sua jaqueta preta e na direção de Luce. Ergueu as sobrancelhas e riu quando ouviu a voz de Callie saindo cada vez mais alta do receptor do telefone.

— Não ouse desligar na minha cara — protestava. — Você não contou nada. *Nada!*

— Não quero deixar ninguém irritado — brincou Cam, apontando para o telefone que gritava. — Pode pegar o meu lugar, fica me devendo para uma outra vez.

— Não — respondeu Luce rapidamente. Por mais que quisesse continuar conversando com Callie, ela imaginava que Cam provavelmente se sentia da mesma maneira sobre quem quer que o tivesse feito ir até ali. E, diferentemente de muita gente na escola, Cam tinha sido muito gentil até agora. Ela não queria fazê-lo desistir de seus minutos de telefonema, especialmente agora, já que ela ficaria nervosa demais para contar a Callie sobre ele.

— Callie — disse, suspirando, para o telefone. — Tenho que desligar. Ligo de novo assim que... — Mas a essa altura só havia um vago zumbido no seu ouvido. O telefone tinha sido programado para desligar a cada quinze minutos. Agora ela notou o pequeno cronômetro piscando 0:00 embaixo dele. Elas não tinham nem se despedido, e agora teria que esperar uma semana inteira para ligar de novo. Na mente de Luce, o tempo se esticava como um abismo.

— Sua melhor amiga? — Cam perguntou, apoiando-se no cubículo ao lado de Luce. Suas sobrancelhas escuras ainda estavam erguidas. — Tenho três irmãs mais novas, praticamente consigo farejar uma melhor amiga pelo telefone. — Ele se curvou para a frente como se fosse cheirar Luce, o que a fez rir... e depois congelar. Sua inesperada aproximação tinha feito seu coração acelerar.

— Deixe-me adivinhar. — Cam se endireitou e levantou o queixo. — Ela queria saber *tudo* sobre os bad boys do reformatório?

— Não! — Luce balançou a cabeça, negando veementemente que estivesse sequer pensando em garotos... até perceber que Cam estava apenas brincando. Ela corou e tentou brincar de volta. — Quer dizer, eu expliquei que não tinha nenhum que prestasse aqui.

Cam piscou.

— Exatamente o que torna tudo mais excitante. Não acha? — Ele tinha a mania de ficar muito imóvel, o que fazia Luce parar da mesma maneira e tornava o som do relógio batendo no bolso dele parecer mais alto do que poderia ser na realidade.

Congelada ao lado de Cam, Luce subitamente estremeceu quando algo escuro entrou varrendo o corredor. As sombras pareciam brincar de amarelinha sobre os painéis do teto quase de propósito, escurecendo uma de cada vez. Droga. Nunca era bom estar sozinha com alguém — especialmente quando esse alguém estava tão focado nela quanto Cam estava naquele momento —

quando as sombras chegavam. Ela podia sentir seus músculos se contorcendo, tentando parecer calma enquanto a escuridão dançava em volta do ventilador de teto. Se fosse só aquilo, ela teria aguentado. Mas a sombra também estava fazendo uns barulhos terríveis, um som como o que Luce ouvira quando testemunhara um filhote de coruja cair da árvore e se engasgar até a morte. Ela queria que Cam parasse de olhar para ela. Ela queria que algo acontecesse para desviar sua atenção. Queria... que Daniel Grigori aparecesse.

E foi o que aconteceu. Salva pelo garoto estonteante, usando jeans velhos e uma camiseta branca mais velha ainda. Ele não se parecia muito com um salvador — largado, carregando uma pilha pesada de livros da biblioteca, olheiras acinzentadas sob os olhos cinzentos. Daniel, na verdade, parecia meio cansado. Seu cabelo loiro caía sobre os olhos e, quando seu olhar se fixou em Luce e Cam, a garota percebeu uma pontada de irritação. Ela estava tão ocupada pensando no que poderia ter feito para irritar Daniel dessa vez que quase não notou algo que ocorreu rapidamente: no segundo antes de a porta do saguão se fechar atrás de Daniel, a sombra se esgueirou e sumiu noite afora. Era como se alguém tivesse ligado um aspirador e sugado a sujeira do corredor.

Daniel apenas assentiu na direção deles e não diminuiu a velocidade quando passou.

Quando Luce olhou para Cam, ele estava observando Daniel. Virando-se para Luce, disse, mais alto do que precisava:

— Quase me esqueci de contar. Festinha hoje à noite no meu quarto, depois da Social. Eu adoraria se você viesse.

Daniel estava parado a uma curta distância. Luce não fazia ideia do que era essa coisa de Social, mas tinha que encontrar Penn primeiro — as duas iriam juntas.

Seus olhos estavam fixos nas costas de Daniel, e Luce sabia que precisava responder a Cam sobre a festa — na verdade não era uma coisa tão difícil de decidir —, mas quando Daniel virou para trás e a olhou de volta com uma expressão que ela juraria ser de tristeza, o telefone lá atrás começou a tocar. Cam estendeu a mão para atender e disse:

— Tenho que atender, Luce. Você vai?

Quase imperceptivelmente, Daniel assentiu.

— Sim — disse Luce para Cam. — Sim.

⚜

— Continuo não entendendo por que temos que correr — Luce arfava, vinte minutos depois. Ela estava tentando acompanhar Penn enquanto se apressavam através do campo em direção ao auditório, para a misteriosa Noite Social de Quarta-feira, que Penn ainda não tinha explicado do que se tratava. Luce mal tinha tido tempo de subir até o quarto, colocar um pouco de gloss e seu melhor jeans, só para o caso de ser *aquele* tipo de social. Ela ainda estava tentando recuperar o fôlego depois do encontro com Cam *e* Daniel quando Penn invadiu seu quarto para arrastá-la de volta para fora.

— Os cronicamente atrasados nunca entendem as várias maneiras com que conseguem atrapalhar os planos das pessoas pontuais e *normais*. — Penn explicou enquanto atravessavam uma porção de grama particularmente ensopada.

— Rá! — Uma risada irrompeu atrás delas.

Luce olhou para trás e sentiu o rosto se iluminar ao ver o corpo pálido e magricelo de Ariane correndo para alcançá-las.

— Quem disse que você é normal, Penn? — Ariane cutucou Luce e apontou para o chão. — Cuidado com a areia movediça!

Luce deu um pulo, mas conseguiu parar bem antes de pisar num trecho de lama assustador no gramado.

— Alguém, por favor, pode me dizer para onde estamos indo?

— Noites de quarta — disse Penn, sem emoção. — Noite Social.

—Tipo... uma festa ou coisa assim? — Luce perguntou, já visualizando Daniel e Cam se movimentando pela pista de dança em sua imaginação.

Ariane assobiou.

— Uma festa chata de morrer. O termo "social" é típico do duplo sentido da Sword & Cross. Sabe, eles têm obrigação de marcar eventos sociais para a gente, mas também morrem de medo de marcar eventos sociais para a gente. Complicado...

— Então, em vez disso — acrescentou Penn —, eles fazem esses eventos horríveis como noites de filmes seguidas por debates, ou... meu Deus, você lembra do último semestre?

— Todo aquele simpósio sobre taxidermia?

— Muito, muito bizarro. — Penn balançou a cabeça.

— Hoje à noite, minha cara — Ariane falou pausadamente —, a gente vai ter colher de chá. Tudo que precisamos fazer é dormir durante um dos três filmes que se revezam na videoteca da Sword & Cross. Qual deles acha que vai ser hoje, Pennyloafer? *O homem das estrelas*? *Joe contra o vulcão*? Ou *Um morto muito louco*?

— Vai ser *O homem das estrelas* — resmungou Penn.

Ariane lançou um olhar perplexo para Luce:

— Ela sabe de *tudo*.

—. Espera aí — disse Luce, andando na ponta dos pés em volta da areia movediça e abaixando a voz para um sussurro ao se aproximarem da recepção principal da escola. — Se já viram esses filmes tantas vezes, por que a pressa para chegar lá?

Penn abriu as pesadas portas de metal para o "auditório", que, Luce percebeu, era um eufemismo para uma sala velha e tradicional com teto baixo de painéis e cadeiras arrumadas de frente para uma parede branca.

— Ninguém quer se sentar na berlinda perto do Sr. Cole — explicou Ariane, apontando para o professor. Seu nariz estava enfiado em um livro grosso, e ele estava cercado pelas poucas cadeiras vazias que restavam na sala.

Quando as três meninas passaram pelo detector de metais da porta, Penn disse:

— Quem senta ali perto tem que ajudá-lo a passar as pesquisas semanais de "saúde mental".

— O que não seria tão ruim... — Ariane interrompeu.

— ... Se não tivesse que ficar até mais tarde para analisar os resultados — completou Penn.

— E, consequentemente, perdendo — Ariane disse com um sorriso, direcionando Luce para a segunda fileira enquanto sussurrava — a *pós-festa*.

Finalmente tinham chegado ao ponto. Luce riu abafado.

— Ouvi falar nisso — comentou, se sentindo leve para variar. — É no quarto do Cam, não é?

Ariane olhou para Luce por um segundo e passou a língua pelos dentes. Então olhou para trás, quase através de Luce.

— Oi, Todd — chamou, acenando com as pontas dos dedos. Ela puxou Luce para uma cadeira, ocupou o lugar seguro ao seu lado (ainda a duas cadeiras do Sr. Cole), e bateu no lugar próximo ao professor. — Venha sentar com a gente, T!

Todd, que estava indeciso sob o portal, pareceu imensamente aliviado por receber uma orientação, qualquer que fosse. Ele começou a andar em direção a elas, engolindo em seco. Assim que se ajeitou em sua cadeira, o Sr. Cole levantou os olhos do livro, limpou os óculos num lenço e disse:

— Todd, que bom que se sentou aqui. Queria saber se pode me ajudar com um pequeno favor após o filme. Sabe, o Diagrama de Venn é uma ferramenta muito útil para...

— Que maldade! — Penn colocou o rosto entre Ariane e Luce.

Ariane deu de ombros e tirou um saco de pipoca gigante de sua bolsa.

— Só posso tomar conta de um número limitado de alunos novos — argumentou, jogando uma pipoca amanteigada em Luce. — Sorte sua.

Quando as luzes na sala diminuíam, Luce olhou em volta até seus olhos pousarem em Cam. Ela pensou em sua sessão de fofoca interrompida com Callie, e lembrou-se de como a amiga sempre dizia que assistir a um filme com um cara era a melhor maneira de descobrir coisas sobre ele, coisas que não surgiriam durante uma conversa. Olhando para Cam, Luce pensou ter entendido o que Callie queria dizer: teria, sim, alguma coisa emocionante em observar pelo canto dos olhos para ver quais piadas Cam achava engraçadas, para juntar sua própria risada à dele.

Quando o olhar dos dois se encontrou, Luce sentiu um instinto envergonhado de desviar os olhos. Mas, antes de poder fazer isso, o rosto de Cam se iluminou num largo sorriso. Isso a deixou incrivelmente perturbada por ter sido pega observando-o. Quando ele levantou a mão para acenar, Luce não conseguiu

deixar de pensar como era exatamente o oposto do que acontecera quando Daniel a flagrara olhando para ele.

Daniel entrou com Roland, tão atrasados que Randy já tinha contado os presentes, tão atrasados que os únicos lugares
restantes ficavam no chão na frente da sala. Ele passou pelo
raio de luz do projetor e Luce notou pela primeira vez uma
corrente de prata em volta de seu pescoço, e algum tipo de
medalhão escondido sob a camiseta. Então Daniel abaixou
para fora do campo de visão dela. Ela não conseguia ver nem
o seu perfil.

No fim das contas, *O homem das estrelas* não era muito engraçado, mas as constantes imitações dos alunos de Jeff Bridges
eram. Foi difícil para Luce se concentrar no roteiro. Além disso,
estava tendo aquela desconfortável sensação gelada na nuca. Alguma coisa estava prestes a acontecer.

Quando as sombras vieram, dessa vez, Luce já as estava esperando. Então ela começou a pensar e a contar nos dedos as aparições. Elas surgiam numa frequência cada vez mais alarmante e
em maior número, e Luce não conseguia entender se era só porque...

As sombras se infiltravam pelo teto do auditório, escorrega-
vam pelas laterais do telão e finalmente traçavam os contornos
das tábuas do piso como tinta derramada. Luce agarrou o assento da cadeira e sentiu o medo penetrando por suas pernas e
braços. Todos os músculos de seu corpo estavam tensos, mas
Luce não conseguia parar de tremer. Um apertão em seu joelho
esquerdo a fez olhar para Ariane.

— Você está bem? — Ariane gesticulou com a boca.

Luce assentiu e abraçou seus ombros, fingindo estar apenas
com frio. Quem dera fosse esse o caso, mas esse arrepio em par-

ticular não tinha nada a ver com o ar-condicionado forte demais da Sword & Cross.

Ela podia sentir as sombras puxando seus pés sob a cadeira. Continuaram assim, pesando, durante todo o filme, e cada minuto se arrastou como se fosse uma eternidade.

❄❄

Uma hora depois, Ariane tentou observar, através do olho mágico da porta pintada de bronze, o dormitório de Cam:

— Iu-hu — cantarolou, rindo. — A festa chegou.

Ela tirou um boá de penas rosa-shocking da mesma bolsa mágica de onde tinha vindo o saco de pipoca.

— Me dá um empurrãozinho — disse ela para Luce, balançando o pé no ar.

Luce enganchou os dedos e os posicionou embaixo da bota preta de Ariane. Ela observou Ariane se levantar do chão e usar o boá para cobrir a frente da câmera de segurança do corredor enquanto alcançava a parte de trás do aparelho e o desligava.

— Isso não é nem um pouco suspeito, sabe — comentou Penn.

— Você está do lado da pós-festa? — Ariane disparou de volta. — Ou está fazendo alianças com o partido vermelho?

— Só estou dizendo que existem maneiras mais inteligentes — Penn zombou enquanto Ariane voltava para o chão. Ariane colocou o boá nos ombros de Luce, e Luce riu e começou a se balançar ao ritmo da música da Motown que elas ouviam tocando através da porta. Mas, quando Luce emprestou o boá a Penn por um tempo, ficou surpresa ao constatar que ela realmente parecia nervosa. Penn estava roendo as unhas e sua testa suava.

Penn usava seis suéteres no calor úmido do sul em pleno setembro — ela nunca sentia calor.

— O que foi? — Luce cochichou, se inclinando para perto dela.

Penn brincou com a barra da manga da própria camisa e deu de ombros. Ela parecia estar prestes a responder quando a porta atrás delas se abriu. Uma rajada de fumaça de cigarro e música alta as atingiu, e de repente os braços abertos de Cam receberam as meninas.

— Vocês vieram! — exclamou, sorrindo para Luce. Até mesmo nessa luz fraca seus lábios tinham um brilho vinho-escuro. Quando ele a puxou para um abraço, a fez se sentir pequena e segura. Aquilo durou apenas um segundo; depois ele se virou para receber as outras duas garotas, e Luce se sentiu um pouco orgulhosa por ter sido a escolhida para ganhar o abraço.

Atrás de Cam, o quarto pequeno e escuro estava cheio de gente. Roland estava num canto, no som, segurando discos contra a luz negra. O casal que Luce tinha visto alguns dias antes estava aninhado perto da janela. Os garotos arrumadinhos com as camisas brancas estavam todos agrupados, lançando de vez em quando olhares para as garotas. Ariane não perdeu tempo e disparou através do quarto até a escrivaninha de Cam, que parecia estar servindo de bar. Praticamente um segundo depois, ela já estava com uma garrafa de champanhe entre as pernas e gargalhava ao tentar tirar a rolha.

Luce estava estupefata. Ela nem sabia como arranjar bebida na Dover, onde o mundo exterior era bem mais acessível. Cam voltara à Sword & Cross há apenas alguns dias, mas parecia que já conseguira contrabandear tudo que precisava para dar uma festa dionisíaca para a escola inteira. E, de alguma maneira, todo mundo lá dentro parecia achar isso normal.

Ainda parada na soleira da porta, ela escutou o estouro, e então os aplausos do resto do pessoal, seguidos pela voz de Ariane gritando:

— Lucindaaa, entra aqui. Vou fazer um brinde.

Luce sentia o clima da festa, mas Penn parecia bem menos relaxada.

— Vai você — disse, acenando com uma das mãos para Luce.

— O que foi? Não quer entrar? — A verdade era que Luce também estava um pouco nervosa. Ela não tinha ideia do que podia acontecer numa festa daquelas e, considerando que ainda não tinha certeza do quão confiável Ariane era, definitivamente se sentiria melhor com Penn a seu lado.

Mas Penn fez uma careta:

— Eu... eu não tenho nada a ver com isso. Gosto de bibliotecas... e de workshops para aprender a usar PowerPoint. Quer invadir um arquivo, sou a garota certa. Mas isso... — Ela ficou na ponta dos pés e olhou para dentro do quarto. — Não sei. Essas pessoas só acham que sou uma sabichona.

Luce se esforçou para fazer uma cara de deixa-disso.

— E elas acham que *eu* sou uma bandeja de bolo de carne, e *nós* achamos que *eles* todos são uns otários. — Ela riu. — Será que não podemos viver todos em paz?

Lentamente um sorriso brincou nos lábios de Penn, que então pegou o boá de penas e pendurou-o em volta dos ombros.

— Ah, tá legal — concordou, entrando no quarto na frente de Luce.

Luce piscou, atônita, enquanto seus olhos se acostumavam à confusão. Uma cacofonia enchia o quarto, mas ela conseguia distinguir as risadas de Ariane. Cam fechou a porta atrás dela e segurou a mão de Luce para mantê-la ali atrás, longe do meio da festa.

— Estou muito feliz que tenha vindo — disse ele, pousando a mão na lombar de Luce e se inclinando para que ela conseguisse escutá-lo no quarto barulhento. Aqueles lábios pareciam muito saborosos, especialmente quando diziam coisas como "Meu coração parava cada vez que alguém batia, esperando que fosse você".

O que quer que tivesse atraído Cam para ela tão rapidamente, Luce não queria que parasse. Ele era popular e inesperadamente profundo, e a atenção que lhe dedicava a fazia se sentir mais do que lisonjeada; fazia-a se sentir mais confortável naquele lugar estranho e novo. Ela sabia que, se tentasse responder a seu elogio, se atropelaria nas palavras. Então apenas riu, o que o fez rir também, e então ele a puxou para mais um abraço.

Subitamente não havia lugar para suas próprias mãos a não ser em volta do pescoço dele. Luce se sentiu meio tonta enquanto Cam a apertava, levantando seus pés do chão levemente.

Quando ele a colocou de volta, Luce se virou para o resto da festa, e a primeira pessoa que viu foi Daniel. Mas ele não gostava de Cam, gostava? Ainda assim, estava lá, sentado de pernas cruzadas na cama, sua camiseta branca com um brilho violeta sob a luz negra. Assim que seus olhos encontraram os dele, era difícil ver qualquer outra coisa. O que não fazia sentido, afinal um cara lindo e simpático estava bem atrás dela, perguntando o que ela queria beber. O outro cara lindo, sentado do outro lado, embora infinitamente menos simpático, não devia ser para quem ela não conseguia parar de olhar. E ele estava encarando Luce também. Observava-a com muita atenção, com uma expressão enigmática nos olhos estreitos que Luce achava que nunca decifraria, mesmo se a visse mil vezes.

A única coisa da qual tinha certeza era do efeito que aquilo tinha nela. Todas as outras pessoas no quarto pareciam ter saído de foco, e ela estava derretendo. Podia ficar olhando de volta para ele a noite toda, se não fosse por Ariane, que tinha subido em cima da escrivaninha e chamava Luce, com a taça erguida.

— À Luce — brindou, dando a Luce um sorriso inocente. — Que obviamente estava viajando e não prestou a menor atenção no meu discurso de boas-vindas e que *nunca* vai saber como foi fabuloso... não foi fabuloso, Ro? — Ela se abaixou na direção de Roland, que afagou seu tornozelo concordando.

Cam colocou um copo de plástico cheio de champanhe na mão de Luce. Ela corou e tentou disfarçar, rindo, enquanto o resto da festa ecoava:

— À Luce! Ao Bolo de Carne!

Ao seu lado, Molly se ergueu e sussurrou uma versão mais curta em seu ouvido:

— À Luce, que *nunca* vai saber.

Alguns dias antes, Luce teria se encolhido e se afastado. Essa noite, ela simplesmente revirou os olhos, e então deu as costas para Molly. A garota nunca tinha dito uma só palavra que não fizesse Luce se sentir mal, mas mostrar isso só parecia incentivá-la ainda mais. Então Luce ignorou-a e se abaixou para dividir a cadeira da escrivaninha com Penn, que lhe deu uma bala de gelatina de minhoca preta.

— Dá para acreditar? Estou até me divertindo — Penn comentou enquanto mastigava alegremente.

Luce mordeu a bala e tomou um golinho do champanhe borbulhante. Não era uma combinação muito boa. Meio como ela e Molly.

— Então, Molly é má assim com todo mundo ou eu sou especial?

Por um segundo, parecia que Penn daria uma resposta diferente, mas então afagou as costas de Luce:

— É só o encantador comportamento de sempre dela, minha cara.

Luce olhou em volta do quarto, para o champanhe liberado, para a sofisticada mesa de DJ de Cam, para o globo espelhado girando acima de suas cabeças, projetando estrelas nos rostos de todos.

— Onde eles arranjam essas coisas todas? — ela se perguntou em voz alta.

— O pessoal diz que Roland consegue contrabandear qualquer coisa para dentro da Sword & Cross — disse Penn sem se abalar. — Não que eu já tenha perguntado a ele.

Talvez tenha sido isso que Ariane quis dizer quando comentou que Roland sabia como conseguir coisas. O único item proibido que passava pela cabeça de Luce o bastante para pedir seria um celular. Mas, por outro lado... Cam tinha dito para não dar ouvidos ao que Ariane dizia sobre o funcionamento da escola. O que seria compreensível, exceto que tanta coisa da festa dele parecia ter sido cortesia de Roland. Quanto mais ela tentava explicar as coisas, menos elas faziam sentido. Luce provavelmente devia se conformar em simplesmente ser "legal" o bastante para ser convidada para as festas.

— Vamos lá, seu bando de perdedores — Roland disse alto o bastante para atrair a atenção de todos. O som tinha se resumido à estática entre duas músicas. — Vamos dar início ao karaokê, e estou aceitando pedidos.

— Daniel Grigori! — Ariane gritou, fazendo um megafone com as mãos.

— Não! — Daniel gritou de volta imediatamente.

— Ahh, o silencioso Grigori fica de fora de mais uma — disse Roland ao microfone. — Tem certeza de que não quer fazer sua versão de "Hellhound on My Trail"?

— Acho que essa música é *sua*, Roland — disse Daniel. Um sorriso frágil surgiu em seus lábios, mas Luce teve a impressão de que era um sorriso de vergonha, um sorriso de por-favor-parem-de-prestar-atenção-em-mim.

— Ele tem razão, pessoal — riu Roland. — Apesar de quê, cantar Robert Johnson no karaokê normalmente acaba esvaziando uma festa. — Ele tirou um disco de R. L. Burnside da pilha e indicou o som no canto. — Vamos mais pro sul.

Quando as notas de um baixo começaram, Roland pisou no palco, que na verdade era apenas uns poucos palmos de espaço vazio iluminados pela lua no meio do quarto. Todo mundo estava batendo palmas ou os pés no ritmo da música, mas Daniel não parava de olhar para o seu relógio. Luce ficou pensando em como ele assentira para ela no saguão mais cedo naquela noite, quando Cam a convidara para a festa. Como se Daniel quisesse que ela fosse, por algum motivo. E, é óbvio, agora que ela estava lá, ele nem ao menos reconheceu sua existência.

Se ela conseguisse ficar sozinha com ele...

Roland monopolizou tanto a atenção dos convidados que Luce foi a única a perceber quando, na metade da música, Daniel se levantou, se esgueirou por trás de Molly e Cam e saiu silenciosamente pela porta.

Essa era sua chance. Enquanto todos em volta estavam aplaudindo, Luce lentamente se levantou.

— Bis! — gritou Ariane. Então, percebendo que Luce tinha se levantado da cadeira, exclamou: — Ih, caramba, é a minha garota ali se oferecendo pra cantar?!

— Não! — Luce não queria cantar para um quarto cheio de gente, assim como não queria admitir o real motivo por estar levantando. Mas lá estava ela, parada bem no meio de sua primeira festa na Sword & Cross, com Roland enfiando o microfone embaixo de seu queixo. E agora?

— Eu... Eu só estava pensando em, er, Todd. Ele está perdendo a diversão. — A voz de Luce ecoou de volta para ela através das caixas de som. Ela já estava se arrependendo da mentira fajuta, e do fato de que não tinha como voltar atrás. — Pensei em ir até lá e ver se ele terminou de ajudar o Sr. Cole.

Nenhum dos outros alunos parecia saber muito bem o que pensar disso. Apenas Penn disse timidamente:

— Volta logo!

Molly estava dando uma risadinha de lado para Luce:

— O amor nerd — disse ela, fingindo afetação. — Que meigo.

Espere, eles estavam achando que ela gostava de Todd? Ah, dane-se; a única pessoa que Luce não queria que pensasse isso era quem ela estava procurando lá fora.

Ignorando Molly, Luce se apressou até a porta, onde Cam a recebeu de braços cruzados.

— Quer companhia? — perguntou ele, cheio de esperança.

Ela negou com a cabeça. Em qualquer outra ocasião, provavelmente teria aceitado a companhia de Cam, mas não agora.

— Eu volto logo — respondeu ela alegremente. Antes de poder ver a decepção estampada no rosto de Cam, ela deslizou até o corredor. Depois da barulheira da festa, o silêncio ecoava em seus ouvidos. Levou um segundo para distinguir as vozes abafadas que vinham de depois da curva.

Daniel. Ela reconheceria a voz dele em qualquer lugar. Mas não estava tão certa de com quem ele estava falando. Uma garota.

— Ahh, sinto muitoooo — disse a garota... com um característico sotaque sulista.

Gabbe? Daniel tinha saído para encontrar a loira retocada *Gabbe*?

— Não vai acontecer de novo — continuou Gabbe —, juro que vou...

— Não pode se repetir — sussurrou Daniel, mas seu tom de voz praticamente gritava *briga de casal*. — Você prometeu que estaria lá e não estava.

Onde? Quando? O coração de Luce pesava em seu peito. Ela avançou um pouco mais pelo corredor, tentando não fazer barulho.

Mas os dois tinham se calado. Luce conseguia imaginar Daniel pegando as mãos de Gabbe. Podia imaginá-lo se inclinando na direção dela para um longo e intenso beijo. Uma faca de inveja dilacerou o coração de Luce. Depois da curva do corredor, um deles suspirou.

— Vai ter que confiar em mim, querido — ela escutou Gabbe dizer, numa voz melosa que fez Luce resolver, de uma vez por todas, que a odiava. — Sou tudo que você tem.

SEIS

SEM SALVAÇÃO

Bem cedo na manhã de quinta-feira, um alto-falante ganhou vida no corredor do lado de fora do quarto de Luce:

— Atenção, alunos da Sword & Cross!

Luce virou para o outro lado com um grunhido, mas, por mais que apertasse o travesseiro sobre os ouvidos, não dava para bloquear os latidos de Randy que ecoavam pelos corredores.

— Vocês têm exatamente nove minutos para a apresentação no ginásio, é o exame de aptidão anual. Como sabem, não temos muita paciência com quem se atrasa, então estejam prontos e a postos para suas avaliações físicas.

Exame de aptidão? Avaliação física? Às seis e meia da manhã? Luce já estava se arrependendo de ter ficado fora até tão tarde na noite anterior... e de ter se revirado na cama até mais tarde ainda, nervosa.

Logo que começara a imaginar Daniel e Gabbe se beijando, Luce tinha se sentido enjoada — aquele tipo específico de enjoo que aparecia por saber que tinha feito papel de boba. Não havia nem possibilidade de voltar para a festa. Conseguiu apenas se desgrudar daquela parede e deslizar até seu quarto, para entender por que se sentia tão estranha quando estava perto de Daniel, o que pateticamente achara ser algum tipo de conexão. Tinha acordado com o gosto amargo da ressaca da festa na boca. A última coisa em que queria pensar agora era em exercícios.

Ela jogou as pernas para fora da cama e pisou no frio piso de vinil. Enquanto escovava os dentes, tentava imaginar o que a Sword & Cross queria dizer com "avaliação física". Imagens intimidadoras de outros alunos — Molly, de cara feia, fazendo dúzias de exercícios na barra, Gabbe escalando sem esforço uma corda de 9 metros até o céu — inundaram sua mente. Sua única chance de não parecer uma idiota — de novo — era tentar tirar Daniel e Gabbe da cabeça.

Ela atravessou o lado sul do campus até o ginásio. Era uma grande estrutura gótica com contrafortes altos e torres de pedra que a faziam parecer mais uma igreja do que um lugar para onde alguém iria para se exercitar. Enquanto Luce se aproximava do prédio, a camada de trepadeiras cobrindo sua fachada sussurrava na brisa da manhã.

— Penn — chamou Luce, vendo a amiga usando um moletom e amarrando os cadarços do tênis num banco. Luce baixou os olhos para seu uniforme e botas pretas e subitamente entrou em pânico por medo de ter pulado alguma observação sobre uniformes diferenciados para esse tipo de avaliação. Mas, por outro lado, outros alunos estavam parados do lado de fora do prédio e nenhum deles parecia estar vestido muito diferente dela.

Os olhos de Penn estavam cansados:

— Tão acabada — gemeu. — Cantei um pouquinho *demais* no karaokê ontem à noite. Achei que poderia compensar tentando pelo menos *parecer* atlética.

Luce riu enquanto Penn se atrapalhava com o laço do tênis.

— O que houve com você na noite passada, afinal? — Penn perguntou. — Não voltou mais para a festa.

— Ah! — Luce exclamou, enrolando —, eu resolvi...

— Aaai. — Penn tampou os ouvidos. — Qualquer barulho parece um martelo batendo no meu cérebro. Pode me contar depois?

— Tudo bem — disse Luce. — Sem problemas. — As portas duplas para o ginásio se abriram com violência. Randy saiu, usando pesados tamancos de borracha, segurando sua onipresente prancheta. Ela indicou com as mãos para os alunos entrarem, e um a um eles pararam ao lado dela para serem orientados em direção à sua estação de ginástica.

— Todd Hammond — Randy gritou enquanto o garoto de joelhos bambos se aproximava. Os ombros de Todd se curvavam para a frente como parênteses, e Luce podia ver rastros de um forte bronzeado de trabalho na fazenda em sua nuca. — Pesos — mandou Randy, empurrando Todd para dentro.

— Pennyweather Van Syckle-Lockwood — berrou em seguida, fazendo Penn se encolher e apertar as palmas contra os ouvidos mais uma vez. — Piscina — instruiu Randy, pegando um maiô Speedo vermelho em uma caixa de papelão às suas costas e atirando para Penn.

— Lucinda Price — continuou Randy, depois de consultar sua lista. Luce deu um passo à frente e ficou aliviada quando

Randy continuou. — Piscina também. — Luce deu um pulo para agarrar o maiô atirado no ar. Estava esgarçado e fino como um pedaço de pergaminho entre seus dedos. Pelo menos tinha cheiro de limpo. Mais ou menos.

— Gabrielle Givens — disse Randy logo depois, e Luce se virou para ver a nova pessoa que menos gostava no mundo se pavonear em shortinhos pretos e uma fina regata preta. Ela estava naquela escola há três dias... como já tinha conseguido fisgar Daniel?

— Oiii, Randy — disse Gabbe, arrastando as palavras com um tom nasalado que fez Luce ter vontade de imitar Penn e cobrir os ouvidos.

Tudo menos a piscina, Luce desejou. *Tudo menos a piscina.*

— Piscina — Randy sentenciou.

Andando ao lado de Penn em direção ao vestiário feminino, Luce tentou evitar olhar para trás e encontrar Gabbe, que rodopiava o que parecia ser o único maiô bonito da pilha em seu dedo indicador com manicure francesinha. Em vez disso, Luce se concentrou nas paredes de pedra cinzentas e nas velhas parafernálias religiosas que as cobriam. Ela passou por cruzes de madeira cuidadosamente esculpidas com relevos retratando a Paixão de Cristo. Uma série de trípticos desbotados estava pendurada na altura dos olhos, com apenas os contornos das auréolas das figuras ainda visíveis. Luce se inclinou para ver melhor um grande documento escrito em latim, numa moldura de vidro.

— Decoração animadora, não? — perguntou Penn, engolindo algumas aspirinas com um gole da garrafa d'água em sua mochila.

— O que são todas essas coisas? — Luce quis saber.

— Parte da história. As únicas relíquias restantes de quando esse lugar ainda era o local da missa de domingo, na época da Guerra Civil.

— Isso explica por que parece tanto uma igreja — disse Luce, parando em frente a uma reprodução em mármore da *Pietà* de Michelangelo.

— Como tudo mais nesse buraco infernal, eles fizeram um trabalho medíocre tentando dar uma atualizada. Quero dizer, quem constrói uma piscina no meio de uma igreja velha?

— Está brincando — disse Luce.

— Quem me dera. — Penn revirou os olhos. — Todo verão, o diretor cisma em tentar me obrigar a redecorar esse lugar. Ele não admite, mas toda essa coisa católica dá nos nervos dele — explicou. — O problema é que, mesmo se eu tivesse vontade de ajudar, não teria ideia do que fazer com todo esse lixo, nem mesmo como fazer uma limpeza sem ofender, tipo, Deus e todo mundo.

Luce relembrou as imaculadas paredes brancas dentro do ginásio da Dover, fileiras de fotografias profissionais dos campeonatos do colégio, cada uma acompanhada da mesma legenda azul-marinho, todas com molduras douradas combinando. O único corredor "santificado" na Dover era o da entrada, onde todos os melhores-alunos-futuros-senadores e vencedores de bolsas na Guggenheim e bilionários saídos do nada exibiam seus retratos.

— Você podia pendurar os *procura-se* dos alunos atuais — ofereceu Gabbe atrás delas.

Luce começou a rir — *tinha sido* engraçado... e estranho, quase como se Gabbe tivesse lido sua mente —, mas então se lembrou da voz da garota na noite anterior, dizendo a Daniel que *ela* era a única pessoa que tinha. Luce rapidamente engoliu qualquer simpatia por ela.

— Estão enrolando! — gritou uma treinadora desconhecida, aparecendo do nada.

Ela — pelo menos Luce achava que era uma mulher — tinha um chumaço frisado de cabelo castanho puxado para trás num rabo de cavalo, panturrilhas como jarretes de porco, e aparelhos "invisíveis" amarelados cobrindo os dentes de cima. Ela apressou as garotas furiosamente para dentro de um vestiário, onde cada uma recebeu um cadeado com uma chave e foi direcionada até um armário vazio com um empurrão.

— Ninguém se atrasa sob a vigilância da treinadora Dante.

Luce e Penn se atrapalharam ao vestir os maiôs desbotados e largos. Luce estremeceu com seu reflexo no espelho, e então cobriu o máximo possível de si com a toalha.

Dentro do úmido ginásio da piscina, ela imediatamente entendeu do que Penn estava falando. A piscina em si era gigantesca, de tamanho olímpico, uma das poucas coisas benfeitas que tinha visto até agora naquele campus. Mas não era isso que a fazia excepcional, Luce percebeu impressionada. A piscina tinha sido construída bem no meio do que costumava ser uma imensa igreja.

Havia uma fileira de lindos vitrais, com apenas alguns painéis quebrados, abrangendo as paredes até perto do teto alto e arqueado. Havia nichos acesos por velas ao longo da parede. Um trampolim havia sido instalado onde provavelmente costumava ficar o altar. Se Luce não tivesse sido criada sem religião, e sim como uma paroquiana temente a Deus, como o resto de seus amigos da escola primária, teria considerado o lugar um sacrilégio.

Alguns dos outros alunos já estavam na água, sem fôlego enquanto completavam suas voltas. Mas eram os alunos que não estavam dentro d'água que chamaram a atenção de Luce. Molly, Roland e Ariane estavam largados nos bancos junto às paredes, rindo de alguma coisa. Roland estava praticamente dobrado de tanto rir, e Ariane enxugava lágrimas de riso. Estavam usando roupas de banho bem mais bonitas que a de Luce, mas nenhum deles parecia ter a mínima intenção de chegar perto da piscina.

Luce tocou em seu maiô largo. Ela queria se juntar a Ariane, mas, justo quando estava pesando os prós (possível aceitação no mundo da elite) e os contras (a treinadora Dante repreendendo-a por ser avessa a exercícios), Gabbe desfilou até o grupo, como se já fosse a melhor amiga deles. Ela pegou o lugar bem ao lado de Ariane e imediatamente começou a gargalhar também, como se, qualquer que fosse a piada, ela já tivesse entendido.

— Eles sempre têm licença para ficar de fora — explicou Penn, olhando fixamente para a galera popular nos bancos. — Não me pergunte como conseguem se safar.

Luce circulou e hesitou em volta da piscina, sem conseguir prestar atenção nas instruções da treinadora Dante. Vendo Gabbe e os outros amontoados nos bancos, todos parecendo muito descolados, Luce desejou que Cam estivesse lá também. Ela podia imaginá-lo, seu corpo em forma numa roupa de banho preta, acenando com o sorriso largo, chamando-a para ir até o grupinho, fazendo-a se sentir imediatamente bem-vinda, até mesmo importante.

Luce sentiu uma necessidade torturante de se desculpar por fugir da festa tão cedo. Isso era estranho; afinal, eles não estavam juntos, então Luce não precisava dar satisfações de suas idas e vindas a Cam. Mas, ao mesmo tempo, ela gostava quando ele prestava atenção nela. Gostava do cheiro dele — meio livre e aberto, como dirigir à noite com as janelas abertas. Gostava do jeito como ele prestava completa atenção quando ela falava, imóvel como se não pudesse ver ou ouvir mais ninguém além de Luce. Até quando ele a levantou do chão na festa, bem na frente de Daniel, ela gostou. Ela não queria fazer nada que indicasse que Cam deveria reconsiderar a maneira como a tratava.

Quando o apito da treinadora soou, Luce deu um pulo e esticou as costas, então olhou para baixo, arrependida, enquanto Penn e os outros alunos pularam todos para dentro da piscina. Ela olhou para Dante em busca de orientação.

— Você deve ser Lucinda Price... sempre se atrasa e nunca presta atenção? — A treinadora suspirou. — Randy me contou sobre você. São oito voltas, nado livre.

Luce assentiu e parou com os dedos do pé curvados sobre a borda da piscina. Ela costumava amar natação. Quando seu pai a ensinou a nadar na piscina comunitária de Thunderbolt, até ganhara um prêmio por ser a criança mais nova a se aventurar na parte funda, sem boias. Mas aquilo fora anos atrás. Luce não conseguia nem se lembrar da última vez em que havia nadado. A piscina aquecida ao ar livre da Dover sempre cintilara, tentadora — mas era proibida para quem não estava na equipe de natação.

A treinadora Dante limpou a garganta:

— Talvez não tenha entendido que isso é uma corrida... e você já está perdendo.

Essa era a "corrida" mais patética e ridícula que Luce já tinha visto, mas não impediu que sua veia competitiva se agitasse.

— E... *ainda* está perdendo — disse a treinadora, mordendo o apito.

— Não por muito tempo — disse Luce.

Ela observou seus adversários. O garoto à sua esquerda estava cuspindo água pela boca e espadanando, atrapalhado. À sua direita, Penn e seus tampões de nariz estavam calmamente deslizando, a barriga apoiada numa prancha de espuma cor-de-rosa. Por uma fração de segundo, Luce olhou o grupo na arquibancada. Molly e Roland estavam assistindo, Ariane e Gabbe estavam caídas uma sobre a outra, num irritante acesso de risos.

Mas ela não ligava para o motivo das gargalhadas. Não muito. Ela ia pular.

Com os braços curvados acima da cabeça, Luce mergulhou, sentindo suas costas se arquearem enquanto ela deslizava pela água fresca. Poucos sabiam fazer aquilo realmente bem, explicou seu pai uma vez para Luce, aos oito anos de idade, na piscina. Mas uma vez que você aperfeiçoa o nado borboleta, não havia como se mover mais rápido dentro d'água.

Guiada pela irritação, Luce ergueu o tronco para fora da água. O movimento impulsionou-a e ela começou a bater os braços como asas. Luce nadou com mais vontade do que qualquer outra coisa que tinha feito em muito, muito tempo. Sentindo-se vingada, ela ultrapassou os outros alunos uma vez, e depois outra.

Estava chegando ao final da oitava volta quando sua cabeça ficou fora da água por tempo suficiente para escutar a voz lenta de Gabbe dizendo "Daniel".

Como a chama de uma vela sendo soprada, o ímpeto de Luce desapareceu. Pôs os pés no chão da piscina e esperou para ouvir o que mais Gabbe ia dizer. Infelizmente, não conseguiu escutar mais nada além do espadanar confuso dos outros e, um momento depois, o apito.

— E o vencedor é — disse a treinadora Dante com uma expressão aturdida — Joel Bland. — O garoto magricelo de aparelho na raia ao lado pulou para fora da piscina e começou a pular, comemorando sua vitória.

Na raia ao lado, Penn parou subitamente.

— O que aconteceu? — Ela perguntou a Luce. — Você estava totalmente arrasando com ele.

Luce deu de ombros. *Gabbe* aconteceu, mas quando olhou de novo para os bancos Gabbe tinha ido embora, assim como

Molly e Ariane. Onde o grupo estava antes, agora só via Roland concentrado em um livro.

A adrenalina de Luce aumentava exponencialmente enquanto nadava, mas agora, ao parar tão subitamente, Penn teve até que ajudá-la a sair da piscina.

Luce observou Roland pular da arquibancada.

— Você foi muito bem — disse ele, atirando uma toalha para ela e a chave do armário do vestiário que tinha esquecido onde colocara. — Por um tempinho.

Luce pegou a chave no ar e enrolou a toalha em volta do corpo. Mas, antes de poder responder alguma coisa normal, tipo "Valeu pela toalha" ou "Acho que só estou meio fora de forma", sua estranha e irritadiça nova personalidade soltou:

— Daniel e Gabbe estão juntos ou o quê?

Foi um grande erro. Enorme. Ela podia ver pela expressão nos olhos de Roland que sua pergunta seria levada diretamente a Daniel.

— Ah, entendi — disse Roland, e depois riu. — Bem, na verdade não posso... — Ele olhou para ela de cima e deu o que parecia um sorriso de compreensão. Então apontou para a porta aberta para o corredor e, quando Luce seguiu a direção de seu dedo, viu a silhueta magra e loira de Daniel passando. — Por que não pergunta a ele você mesma?

✷✷

O cabelo de Luce pingava e os pés ainda estavam descalços quando ela se viu rondando a porta de uma grande sala de musculação. Ela queria ter ido direto para o vestiário se trocar e secar. Luce não sabia por que essa coisa com Gabbe a estava afetando tanto. Daniel podia ficar com quem quisesse, certo? Talvez Gabbe gostasse de garotos que mostrassem o dedo a ela.

Ou, o que era mais provável, esse tipo de coisa não acontecia com Gabbe.

Mas o corpo de Luce se sobrepôs à sua mente quando vislumbrou Daniel mais uma vez. Ele estava de costas, parado num canto, escolhendo uma corda numa pilha embolada. Ela o observou escolher uma corda fina azul-marinho com pegadores de madeira, e então ir até um espaço aberto no meio da sala. Sua pele praticamente reluzia, e cada movimento que fazia, seja alongando o longo pescoço ou se dobrando para coçar o joelho esculpido, deixava Luce completamente arrebatada. Ela ficou lá, jogada contra a porta de entrada, sem perceber que seu queixo tremia e a toalha estava ensopada.

Quando ele levou a corda para trás dos tornozelos um segundo antes de começar a pular, um *déjà vu* invadiu Luce como uma onda. Não que ela sentisse já ter visto Daniel pulando corda, mas sim a postura que ele assumia, que lhe parecia inteiramente familiar. Os pés afastados seguindo a linha dos quadris, os joelhos relaxados, e os ombros baixos enquanto enchia o peito de ar. Luce quase podia ter desenhado aquilo.

Foi apenas quando Daniel começou a girar a corda que Luce acordou daquele transe... e entrou direto em outro. Nunca em sua vida ela vira alguém se mover como ele. Era quase como se Daniel estivesse voando. A corda passava pelo seu corpo alto tão rapidamente que desaparecia, e os pés — seus graciosos e estreitos pés — estavam mesmo tocando o chão? Ele se movia tão rapidamente que nem devia estar contando.

Um grunhido alto e uma batida do outro lado da sala de musculação tiraram a atenção de Luce. Todd estava caído na base de uma daquelas cordas cheias de nós para escalada. Ela lamentou momentaneamente por Todd, que estava olhando para as mãos cheias de bolhas. Antes que pudesse olhar de volta para Daniel para ver se ele tinha notado, uma agitação gélida e sombria próxima de sua pele fez Luce tremer. A sombra subiu por ela, lenta a princípio, gelada, tenebrosa, seus limites indiscerníveis. Então, subitamente e com violência, caiu sobre seu corpo e a empurrou para trás. A porta da sala de musculação bateu em seu rosto e Luce se viu sozinha no corredor.

— Ai! — ela gritou, não exatamente porque tinha se machucado, mas porque nunca havia sido *tocada* pelas sombras antes. Olhou para seus braços nus, onde tinha sentido quase como se mãos a estivessem agarrando, enxotando-a da academia.

Era impossível — ela simplesmente parou num lugar estranho; uma corrente de ar deve ter passado pelo ginásio. Hesitando, Luce se aproximou da porta fechada e pressionou o rosto contra o pequeno retângulo de vidro.

Daniel estava olhando em volta, como se tivesse escutado alguma coisa. Ela tinha certeza de que não sabia que era ela: ele não estava fazendo cara feia.

Luce pensou na sugestão de Roland de simplesmente perguntar a Daniel o que estava havendo, mas rapidamente afastou aquela ideia. Era impossível perguntar qualquer coisa a Daniel. Ela não queria trazer aquela carranca de volta a seu rosto.

Além disso, qualquer pergunta que pudesse fazer seria inútil. Já ouvira tudo que precisava ouvir noite passada. Só se fosse algum tipo de sádica para pedir a ele que admitisse que estava com Gabbe. Ela se virou em direção ao vestiário quando percebeu que não podia fazer isso.

Sua chave.

Deve ter escorregado de suas mãos quando ela tropeçou para fora da sala. Luce ficou na ponta dos pés para enxergar o chão através da janelinha de vidro da porta. Lá estava, uma mancha cor de bronze no tapete azul fofo. Como é que tinha ido parar tão longe, do outro lado da sala, tão perto de onde Daniel estava pulando corda? Luce suspirou e empurrou a porta de novo, pensando que, se ia ter que entrar ali, pelo menos faria isso rapidamente.

Esticando-se até a chave, ela deu um último olhar para ele. Seu ritmo estava diminuindo, mas os pés ainda mal tocavam o chão. E então, com um último pulo, leve como o ar, ele parou e se virou para olhá-la.

Por um momento, não disse nada. Ela podia sentir que estava corando e desejou com todo o coração não estar usando um maiô tão horroroso.

— Oi. — Foi tudo que ela conseguiu pensar em dizer.

— Oi — respondeu ele, num tom de voz muito mais calmo. Então, apontando para o maiô dela, perguntou: — Ganhou?

Luce deu uma risada triste e apagada, e balançou a cabeça.

— Longe disso.

Daniel franziu os lábios.

— Mas você sempre...

— Sempre o quê?

— Quero dizer, você parece ser uma boa nadadora. — Ele deu de ombros. — Só isso.

Ela deu um passo na direção dele. Estavam parados a apenas trinta centímetros de distância. Gotas de água caíam de seus cabelos e tamborilavam como chuva nos colchões de ginástica.

— Não era isso que você ia dizer — insistiu ela. — Você disse que eu sempre...

Daniel se ocupou enrolando a corda em volta do pulso.

— É, eu não quis dizer *você* você. *Você* em geral. Sempre deixam você ganhar sua primeira corrida aqui. Um acordo de cavalheiros entre nós, veteranos.

— Mas Gabbe também não ganhou — disse Luce, cruzando os braços sobre o peito. — E ela é nova. Ela nem entrou na piscina.

— Ela não é exatamente nova, apenas voltou depois de um tempo... longe. — Daniel deu de ombros de novo, não revelando nada de seus sentimentos por Gabbe. Sua óbvia tentativa de parecer despreocupado deixou Luce com mais ciúmes ainda. Ela o observou terminar de enrolar a corda num caracol, suas mãos se movendo quase tão rapidamente quanto seus pés. E aqui estava ela, tão desajeitada e sozinha e gelada e deixada fora de tudo por todo mundo. Seus lábios tremeram.

— Ah, Lucinda — sussurrou ele, suspirando profundamente.

O corpo inteiro dela se aqueceu com aquele som. Sua voz era tão íntima e familiar.

Ela queria que dissesse seu nome de novo, mas Daniel já estava de costas. Ele pendurou a corda num prego na parede.

— Tenho que me trocar antes da aula.

Ela pousou uma das mãos em seu braço:

— Espera.

Ele se afastou como se tivesse levado um choque — e Luce sentiu isso também, mas era um tipo de choque *bom.*

— Você não tem a sensação... — Ela levantou os olhos para encontrar os dele. De perto, viu como eram incomuns. Pareciam cinzentos de longe, mas de perto havia riscos cor de violeta neles. Ela conhecia outra pessoa com olhos assim... — Podia jurar que já nos conhecemos antes — disse ela. — Estou louca?

— Louca? Não é por isso que está aqui? — ele disse, desconsiderando.

— Estou falando sério.

— Eu também. — O rosto de Daniel estava inexpressivo. — E, para seu governo — ele apontou para um dispositivo piscando no teto —, os vermelhos também monitoram perseguidoras.

— Não estou *perseguindo você*. — Luce esticou as costas, muito ciente da distância entre seus corpos. — Pode dizer que não faz ideia do que estou falando e não mentir?

Daniel deu de ombros.

— Não acredito em você — insistiu Luce. — Olhe nos meus olhos e diga que estou errada. Que nunca vi você na minha vida antes dessa semana.

Seu coração disparou quando Daniel se aproximou dela, colocando as duas mãos em seus ombros. Os polegares se encaixaram perfeitamente nos sulcos de sua clavícula, e ela queria poder fechar os olhos com o calor de seu toque — mas não o fez. Luce olhou para Daniel enquanto ele abaixou sua cabeça de forma que seu nariz estava quase tocando o dela. Ela podia sentir a respiração dele em seu rosto. Podia sentir um toque de doçura em sua pele.

Daniel fez o que ela pediu. Olhou-a nos olhos e disse, muito lentamente, muito claramente, para que suas palavras não pudessem ser mal compreendidas:

— Você nunca me viu na sua vida até essa semana.

SETE

EXPLICANDO

— Para onde você está indo *dessa vez*? — perguntou Cam, abaixando seus óculos de sol de plástico vermelho.

Ele tinha aparecido do lado de fora da entrada do Augustine tão subitamente que Luce quase trombou nele. Ou talvez ele estivesse ali há algum tempo e ela apenas não o tivesse notado, em sua pressa para ir para a aula. De qualquer maneira, seu coração começou a bater mais rápido e as mãos começaram a suar.

— Hum, para a aula? — Luce respondeu; afinal, onde é que parecia que ela estava indo? Seus braços estavam sobrecarregados com os dois pesados livros de cálculo e o trabalho de religião pela metade.

Essa seria uma boa hora para se desculpar por ter ido embora tão de repente na noite anterior. Mas ela não conseguiu. Já estava muito atrasada. Não tinha água quente nos chuveiros do vestiário, então Luce precisou correr de volta até o dormitório. De alguma maneira, o que tinha acontecido depois da festa não parecia mais importante. Ela não queria chamar mais atenção para o fato de ter ido embora — especialmente não agora, depois de Daniel tê-la feito se sentir tão patética. Ela também não queria que Cam pensasse que estava sendo rude; só queria passar por ele e ficar sozinha para superar a manhã de constrangimentos.

Exceto que, quanto mais Cam olhava para ela, menos parecia ser importante ir embora. E menos Luce se sentia diminuída por Daniel a ter dispensado. Como é que um olhar de Cam conseguia fazer tudo isso?

Com sua pele pálida e cabelo preto, Cam era diferente de qualquer outro cara que ela já conhecera. Ele transpirava confiança, e não apenas porque conhecia todo mundo — e sabia como conseguir qualquer coisa — antes de Luce sequer decorar onde ficavam suas salas de aula. Bem ali, parados do lado de fora do prédio monótono e cinzento, Cam parecia uma fotografia artística em preto e branco, com um ponto de cor marcado pelos óculos vermelhos.

— Aula, é? — Cam bocejou dramaticamente. Ele estava bloqueando a entrada e algo no trejeito divertido de seus lábios fez Luce querer saber o que ele estava tramando. Havia uma mochila de tecido pendurada em seu ombro e um copo descartável de expresso entre seus dedos. Ele pausara o seu iPod, mas deixou os fones de ouvido pendurados em volta do pescoço. Parte dela queria saber que música ele estava ouvindo, e onde tinha arranjado aquele expresso ilegal. O sorriso brincalhão visível apenas naqueles olhos verdes a desafiavam a perguntar.

Cam tomou um pequeno gole do café. Levantando o dedo indicador, disse:

— Permita-me dividir com você meu lema sobre as aulas na Sword & Cross: antes nunca do que tarde.

Luce riu e então Cam empurrou os óculos de sol de volta para cima do nariz. As lentes eram tão escuras que ela não via nem sombra de seus olhos.

— Além disso — ele sorriu, mostrando seus dentes brancos —, está quase na hora do almoço, e trouxe um piquenique comigo.

Hora do almoço? Luce não tinha nem tomado café da manhã ainda. Mas seu estômago estava *mesmo* roncando — e a ideia de ser repreendida pelo Sr. Cole por chegar nos vinte minutos finais das aulas matinais parecia menos e menos atraente quanto mais ela ficava ao lado de Cam.

Luce indicou com a cabeça a mochila que ele estava segurando.

— Trouxe o bastante para dois?

Guiando Luce com a mão larga pousada na sua cintura, Cam a levou através do pátio, passando pela biblioteca e pelo dormitório sombrio. Nos portões de metal do cemitério, ele parou.

— Sei que é um lugar estranho para um piquenique — explicou —, mas é o melhor lugar que conheço para sumir de vista um pouquinho. Aqui no campus, pelo menos. Às vezes simplesmente não consigo respirar lá. — Ele indicou os prédios com um gesto.

Luce definitivamente conseguia entender a sensação. Ela se sentia ao mesmo tempo sufocada e exposta naquele lugar quase o tempo todo. Mas Cam parecia ser a última pessoa que compartilharia com ela essa síndrome de aluno novo. Ele era tão... senhor de si. Depois da festa da noite anterior, e agora com um café proibido na mão, ela nunca pensaria que Cam também se sentia sufocado. Ou que escolheria Luce para dividir o que sentia.

Atrás dele, Luce podia ver o resto do campus degradado. Dali não havia muita diferença entre um lado dos portões do cemitério e o outro.

Luce decidiu simplesmente seguir a maré:

— Só prometa que vai me salvar se alguma estátua desabar.

— Não — disse Cam com uma seriedade que apagou a piada dela de uma vez só. — Aquilo não vai acontecer de novo.

Seu olhar caiu no lugar onde, apenas alguns dias antes, ela e Daniel quase conseguiram um túmulo no cemitério para si próprios. Mas o anjo de mármore que tinha caído sobre eles não estava mais lá e o pedestal estava vazio.

— Vamos lá — disse Cam, puxando-a junto com ele. Eles passaram de lado ao redor de várias áreas com ervas daninhas crescidas demais, e Cam ficava virando para trás para ajudá-la a passar por cima de montes de terra cavados por sabe-se lá quem.

A certa altura, Luce quase perdeu o equilíbrio e se segurou em uma das lápides para se estabilizar. Era uma placa grande e brilhante, com um lado bruto e inacabado.

— Sempre gostei dessa — disse Cam, gesticulando para a lápide rosada sob os dedos dela. Luce andou até a frente para ler a inscrição.

— Joseph Miley — leu em voz alta. — 1821 a 1865. Serviu bravamente na Guerra de Secessão. Sobreviveu a três balas e cinco cavalos abatidos até encontrar sua paz final.

Luce estalou os dedos. Talvez Cam só gostasse dela porque a pedra rosada se destacava entre as muitas outras cinzentas? Ou talvez por causa dos intricados espirais no topo? Ela ergueu uma sobrancelha para o garoto.

— É. — Cam deu de ombros. — Só gosto de como a lápide explica como ele morreu. É honesto, sabe? Geralmente o pessoal não gosta de detalhar muito.

Luce desviou os olhos. Ela sabia disso muito bem, por causa do inescrutável epitáfio na lápide de Trevor.

— Pense em como esse lugar seria mais interessante se a causa da morte de todo mundo estivesse escrita aqui. — Ele apontou para um pequeno túmulo a alguns passos do de Joseph Miley. — Como acha que ela morreu?

— Hum, escarlatina? — Luce adivinhou, dirigindo-se para lá.

Ela passou os dedos sobre as datas. A garota enterrada ali era mais nova quando morreu do que Luce hoje. Luce na verdade não queria pensar muito em como poderia ter acontecido.

Cam inclinou a cabeça, considerando.

— Talvez — disse. — Ou então um incêndio misterioso num celeiro, enquanto a jovem Betsy estava tirando uma inocente "soneca" com o vizinho.

Luce começou a fingir ter ficado ofendida, mas em vez disso o rosto de Cam, cheio de expectativa, a fez rir. Havia muito tempo desde que brincara assim com um garoto. Tudo bem, essa cena era um pouco mais mórbida que o típico estacionamento de cinema que servia de cenário para os namoros a que ela estava acostumada, mas os alunos da Sword & Cross também eram. Para o melhor ou para o pior, Luce era um deles agora.

Seguiu Cam até o centro do cemitério em formato de tigela, onde ficavam as lápides e mausoléus mais ornamentados. Da encosta acima, parecia que as lápides estavam olhando para eles, como se Luce e Cam fossem atores num anfiteatro. O sol do meio-dia brilhava alaranjado pelas folhas de um enorme carvalho no cemitério, e Luce protegeu os olhos com as mãos. Era o dia mais quente da semana toda.

— Agora, esse cara — disse Cam, apontando para um imenso túmulo envolto por colunas coríntias. — Desertor total. Morreu sufocado com uma viga que despencou em seu porão. Moral da história: nunca ignore uma convocação dos confederados.

— Ah, é verdade? — Luce perguntou. — E você é um especialista no assunto desde quando? — Mesmo quando o provocava, Luce se sentia estranhamente privilegiada por estar ao seu lado. Ele ficava conferindo para ter certeza de que ela estava sorrindo.

— Apenas um sexto sentido. — Ele deu um sorriso largo e inocente. — Se tiver gostado, tem um sétimo, um oitavo e um nono sentidos de onde esse veio.

— Impressionante. — Ela sorriu. — Vou me conformar com o sentido do paladar agora: estou morrendo de fome.

— Às suas ordens. — Cam puxou uma toalha da mochila e a estendeu num pedaço de sombra embaixo do carvalho. Quando ele abriu a garrafa térmica, Luce pôde sentir o cheiro do café forte. Ela geralmente não tomava café puro, mas não disse nada enquanto Cam enchia a caneca com gelo, derramava o café por cima e acrescentava a quantidade exata de leite no topo. — Esqueci de trazer o açúcar — disse.

— Não coloco açúcar. — Ela tomou um gole do café com leite gelado, seu primeiro delicioso gole da cafeína proibida na Sword & Cross a semana toda.

— Que sorte — disse Cam, mostrando o restante do piquenique. Os olhos de Luce se arregalaram enquanto ela o observava arrumando a comida: uma baguete tostada, um pequeno pedaço redondo de queijo, um baldinho de cerâmica com azeitonas, uma tigela de ovos cozidos recheados e duas maçãs verdes. Não parecia possível que Cam tivesse carregado isso tudo dentro de sua mochila... ou que estivesse planejando comer a comida toda sozinho.

— Onde arranjou tudo isso? — Luce perguntou. Fingindo estar imersa na tarefa de partir um pedaço de pão, ela continuou. — E com quem você estava planejando um piquenique antes de eu aparecer?

— Antes de você aparecer? — Cam riu. — Mal consigo me lembrar de minha vida sem graça antes de você.

Luce deu a ele um discreto olhar de descrença só para ele saber que tinha achado o comentário incrivelmente brega... e talvez um pouquinho charmoso. Ela se inclinou para trás sobre os cotovelos em cima da toalha, seus tornozelos cruzados. Cam estava sentado de pernas cruzadas à sua frente, e quando se inclinou por cima dela para pegar a faca de queijo, seu braço encostou no joelho dela, e ali ficou. Cam olhou para Luce como que se para perguntar, *Tudo bem fazer isso?*

Como ela não se afastou, ele continuou como estava, pegando o pedaço da baguete de sua mão e usando a perna dela como mesa enquanto colocava um triângulo de queijo no pão. Ela gostava da sensação do peso dele nela e, num calor daqueles, isso significava algo importante.

— Vou começar com a pergunta mais fácil — disse ele, finalmente se sentando de volta. — Ajudo na cozinha alguns dias por semana. Isso é parte do meu acordo de readmissão na Sword & Cross. Tenho que "dar algo em troca". — Ele revirou os olhos. — Mas não me incomodo em ajudar. Acho que gosto do calor. Quero dizer, se não contar as queimaduras. — Ele estendeu os pulsos virados para cima para mostrar dúzias de pequenas cicatrizes em seus antebraços. — Ossos do ofício — disse casualmente. — Mas posso atacar a despensa.

Luce não se segurou e passou os dedos nas cicatrizes, os diversos inchaços pálidos sumindo em sua pele ainda mais pálida. Antes de ela poder se sentir envergonhada pela atitude ousada e afastar as mãos, Cam segurou a mão com força.

Luce ficou olhando seus dedos envoltos pelos dele. Ela não tinha percebido antes como o tom de pele dos dois era parecido. Naquela paisagem sulista de adoradores do sol, a palidez de Luce sempre a deixara envergonhada. Mas a pele de Cam era tão impressionante, tão notável, quase metálica — e agora ela percebia que talvez parecesse da mesma maneira para ele. Seus ombros estremeceram e ela se sentiu meio tonta.

— Está com frio? — ele perguntou em voz baixa.

Quando Luce o olhou nos olhos, entendeu que ele sabia que ela não estava com frio.

Ele se aproximou mais e baixou a voz até um sussurro:

— Acho que agora vai querer que eu admita que a vi cruzando o pátio pela janela da cozinha e enfiei tudo isso na mochila na esperança de convencer você a matar aula comigo, certo?

Esse era um bom momento para olhar para o gelo em seu copo, se ele já não tivesse derretido no calor rançoso de setembro.

— E você tinha todo esse esquema para um piquenique romântico — completou ela. — Nesse cemitério cenográfico?

— Ei. — Cam passou um dedo pelo lábio inferior dela. — É você que está falando em romance.

Luce se afastou. Ele tinha razão — ela é que estava sendo a presunçosa... pela segunda vez naquele dia. Podia sentir suas bochechas ardendo enquanto tentava *não* pensar em Daniel.

— Estou brincando — disse Cam, balançando a cabeça ao notar o olhar assustado no rosto dela. — Como se isso não fosse óbvio. — Ele olhou para cima em direção ao vulto de um pássaro que circulava um grande canhão de mármore. — Sei que não é nenhum Éden aqui — disse, atirando uma maçã para Luce —, mas finja que estamos numa música do The Smiths. E a meu favor, não é como se tivéssemos muitas opções nessa escola.

Isso não era nem o começo.

— Na minha opinião — disse Cam, deitando-se na toalha —, o local é insignificante.

Luce lançou um olhar descrente a ele. Ela também não queria que ele tivesse se afastado, mas era tímida demais para se aproximar enquanto ele estava apoiado de lado.

— Onde eu cresci... — uma pausa — as coisas não eram tão diferentes assim do estilo de vida prisioneiro da Sword & Cross. A parte boa disso é que sou oficialmente imune aos meus arredores.

— Até parece. — Luce balançou a cabeça. — Se eu tivesse agora uma passagem de avião para a Califórnia, você não faria de tudo para dar o fora daqui?

— Hum... ficaria levemente indiferente — disse Cam, jogando a metade de um ovo na boca.

— Não acredito em você. — Luce deu um empurrão de leve nele.

— Então deve ter tido uma infância feliz.

Luce mordeu a casca verde da maçã e lambeu o sumo que escorreu pelos seus dedos. Folheando um catálogo mental de sua vida, lembrou-se de todas as reprimendas dos seus pais, visitas a médicos e mudanças de escola, com as sombras pretas encobrindo tudo como uma capa. Não, ela não diria que teve uma infância *feliz*. Mas, se Cam não conseguia nem enxergar alguma esperança no horizonte além da Sword & Cross, então talvez a dele tivesse sido pior.

Houve um farfalhar perto dos pés deles e Luce se encolheu como uma bola quando uma enorme cobra verde e amarela deslizou ali por perto. Tentando não se aproximar demais, ela ficou de joelhos e olhou-a com atenção. Não era apenas uma cobra, mas uma cobra trocando de pele. Uma camada translúcida estava saindo atrás de seu rabo. Havia cobras em toda a Georgia, mas ela nunca vira uma mudar de pele.

— Não grite — disse Cam, descansando uma das mãos no joelho de Luce. Seu toque a fez se sentir mais segura. — Ela vai embora se a deixarmos em paz.

Com sorte, a cobra foi embora bem rápido. Luce queria muito gritar. Ela sempre tinha odiado e sentido medo de cobras. Elas eram simplesmente muito escorregadias e cheias de escamas e...

— Eca. — Ela estremeceu, mas não conseguiu tirar os olhos da cobra até esta ter desaparecido em meio à grama crescida.

Cam riu enquanto pegava a pele antiga e a colocava na mão de Luce. Ainda parecia estar viva, como a pele úmida de um bulbo de alho fresco que seu pai puxara uma vez de sua horta. Mas tinha saído de uma cobra. Nojento. Ela jogou a escama de volta no chão e limpou as mãos no jeans.

— Qual é, não achou bonitinho?

— A minha tremedeira me denunciou, é? — Luce já estava se sentindo meio envergonhada pelo seu comportamento infantil.

— E quanto à sua fé no poder da transformação? — Cam perguntou, tocando com os dedos a pele. — É para isso que estamos aqui, afinal.

Cam tinha tirado os óculos de sol. Seus olhos cor de esmeralda pareciam tão confiantes. Ele estava naquela pose sobrenaturalmente imóvel de novo, esperando por sua resposta.

— Estou começando a achar você meio estranho — ela disse finalmente, abrindo um sorrisinho.

— Ah, e imagine só quanto mais você pode descobrir sobre mim — rebateu ele, se aproximando mais. Mais perto do que quando a cobra apareceu. Mais perto do que ela estava esperando. Cam estendeu a mão e lentamente passou os dedos pelo cabelo dela. Luce ficou tensa.

Cam era lindo e intrigante. O que ela não conseguia entender era como, quando ela devia estar uma pilha de nervos —

como naquele exato momento —, ela ainda se sentia de alguma maneira confortável. Queria estar bem onde estava. Ela não conseguia tirar os olhos da boca de Cam, que era cheia e rosada e cada vez mais próxima, fazendo-a se sentir tonta. Seus ombros se tocaram e ela sentiu um estranho arrepio bem dentro do peito. Ela observou enquanto Cam abria a boca. Então ela fechou os olhos.

— Aí estão vocês! — Uma voz esbaforida fez Luce se desconcentrar.

Luce soltou um suspiro exasperado e olhou para Gabbe, que estava parada na frente deles, com um rabo de cavalo alto de lado e um sorriso inocente no rosto.

— Procurei vocês *em todos os lugares.*

— Por que diabos você faria isso? — Cam olhou furiosamente para ela, ganhando mais alguns pontos com Luce.

— O cemitério foi o último lugar em que pensei — Gabbe continuou tagarelando, contando nos dedos. — Olhei nos quartos, embaixo das arquibancadas, depois...

— O que você *quer,* Gabbe? — Cam a interrompeu, como um irmão, como se eles já se conhecessem há um longo tempo.

Gabbe piscou, e então mordeu o lábio.

— Foi a Srta. Sophia — disse finalmente, estalando os dedos. — Isso mesmo. Ela ficou toda exaltada quando Luce não apareceu para a aula. Não parava de falar sobre como você era uma aluna tão promissora e tudo.

Luce não conseguia entender essa garota. Ela estava falando a verdade, simplesmente seguiu ordens? Estava zombando de Luce por deixar uma boa impressão em um dos professores? Não era o suficiente ter Daniel na palma das mãos — tinha que vir atrás de Cam agora, também?

Era muito provável que Gabbe soubesse que estava interrompendo alguma coisa, mas ainda assim ficou parada ali, piscando seus grandes olhos ingênuos e enrolando uma mecha de cabelo loiro em volta do dedo.

— Bem, andem logo — disse finalmente, estendendo as mãos para ajudar Luce e Cam a se levantarem. — Vamos voltar para a aula.

❧❧

— Lucinda, pode ficar na mesa três — disse a Srta. Sophia, olhando para uma folha de papel enquanto Luce, Cam e Gabbe entravam na biblioteca. Nada de *"Onde vocês estavam?"*. Nada de broncas pelo atraso. Apenas a Srta. Sophia, distraidamente colocando Luce na mesa ao lado de Penn no laboratório de informática da biblioteca. Como se nem tivesse notado a ausência de Luce.

Luce lançou um olhar acusatório para Gabbe, mas ela simplesmente deu de ombros e perguntou um "O quê?" silencioso.

— Onde você tava? — Penn exigiu saber assim que ela se sentou. Era a única pessoa que pareceu ter notado que ela não estivera lá.

Os olhos de Luce encontraram Daniel, que estava praticamente enterrado na mesa sete. De onde estava, tudo que Luce via era a auréola loira de seu cabelo, mas foi o suficiente para deixá-la corada. Ela afundou mais em sua cadeira, envergonhada de novo pela conversa no ginásio.

Mesmo depois de todas as gargalhadas e sorrisos e daquele quase-beijo em potencial que tinha acabado de compartilhar com Cam, ela não podia ignorar o que sentia quando via Daniel.

E eles nunca ficariam juntos.

Era basicamente o que ele dissera a ela no ginásio. Depois de Luce basicamente ter se atirado em cima dele.

A rejeição a machucava tão profunda e emocionalmente que ela tinha certeza de que todos à sua volta podiam dar uma olhada para ela e saber exatamente o que tinha acontecido.

Penn estava batendo o lápis impacientemente na mesa de Luce, mas ela não sabia como explicar. Seu piquenique com Cam tinha sido interrompido por Gabbe antes mesmo de Luce conseguir entender o que estava acontecendo. Ou o que ia acontecer. Mas, o que era mais estranho, e que ela não conseguia entender, era por que tudo aquilo parecia menos importante do que o que tinha acontecido no ginásio com Daniel.

A Srta. Sophia estava parada no meio do laboratório de informática, estalando os dedos no ar como faz uma professora de jardim de infância para chamar a atenção dos alunos. Suas fileiras de pulseiras de prata repicavam como sinos.

— Se algum de vocês já pesquisou sua árvore genealógica — disse ela, mais alto que o ruído da turma —, então sabe que tipos de tesouros estão enterrados em suas raízes.

— Ah, por favor, por favor, acabe com essas metáforas — cochichou Penn. — Ou acabe comigo. O que vier primeiro.

— Vocês terão vinte minutos de acesso à Internet para começarem uma pesquisa sobre suas árvores genealógicas — continuou a Srta. Sophia, batendo num cronômetro. — Uma geração abarca cerca de 20 a 25 anos, então tentem voltar pelo menos seis gerações.

Saco.

Um suspiro alto subiu da mesa sete — Daniel.

A Srta. Sophia se virou para ele.

— Daniel? Algum problema com o trabalho?

Ele suspirou de novo e deu de ombros.

— Não, de maneira alguma. Tudo bem. Minha árvore genealógica. Deve ser interessante.

A Srta. Sophia balançou a cabeça, confusa.

— Vou assumir que está entusiasmado. — Dirigindo-se à turma toda novamente, ela continuou: — Acredito que encontrarão uma linha que valha a pena seguir para um trabalho de dez a quinze páginas.

Luce não conseguiria se concentrar naquilo agora de jeito nenhum. Não quando havia tantas coisas para entender. Ela e Cam no cemitério. Talvez não tivesse sido a definição mais tradicional de romantismo, mas Luce preferia assim. Era diferente de tudo que já tinha feito antes. Matar aula para ficar andando no meio de todos aqueles túmulos, dividindo aquele piquenique, enquanto ele lhe dava um refil daquele café com leite perfeito. Zombando do seu medo de cobras. Bem, ela podia ter passado sem toda aquela história com a cobra, mas pelo menos Cam tinha sido legal com ela. Mais do que Daniel havia sido a semana toda.

Ela odiava admitir, mas era verdade. Daniel não estava interessado.

Cam, por outro lado...

Ela o analisou, a algumas mesas de distância. Cam enviou uma piscadela antes de começar a digitar em seu teclado. Então ele gostava dela. Callie não ia parar de falar sobre como obviamente ele estava a fim dela.

Luce queria ligar para Callie naquele instante, sair correndo dessa biblioteca e deixar a pesquisa da árvore genealógica para depois. Conversar sobre outro cara talvez fosse o meio mais rápido — e talvez o único — de tirar Daniel da cabeça. Mas havia aquela horrível regra sobre telefonemas na Sword & Cross, fora os outros alunos em volta dela, que agora pareciam tão aplicados. Os olhos pequenos da Srta. Sophia examinavam a sala em busca de preguiçosos.

Luce suspirou, derrotada, e abriu a ferramenta de busca em seu computador. Ela estava presa ali por mais vinte minutos, sem dedicar um único neurônio ao trabalho. A última coisa que queria era saber mais sobre sua própria família chata. Em vez disso, seus dedos, até então apáticos, começaram a digitar treze letras por vontade própria:

"Daniel Grigori."

Buscar.

OITO

UM MERGULHO FUNDO DEMAIS

Quando Luce abriu a porta no sábado de manhã, Penn caiu em seus braços.

— E você pensando que um dia eu finalmente entenderia que portas abrem para *dentro* — desculpou-se ela, ajeitando os óculos. — Tenho que me lembrar de parar de me apoiar nos olhos mágicos. Belo quarto, aliás — acrescentou, olhando em volta. Ela atravessou até a janela sobre a cama de Luce. — Vista legal, tirando as barras e tudo.

Luce ficou atrás dela, olhando para o cemitério e, perfeitamente visível dali, para o carvalho embaixo do qual ela fizera o piquenique com Cam. E, invisível dali, mas nítido em sua cabeça, o lugar onde tinha ficado presa embaixo daquela estátua com

Daniel. O anjo vingador que desaparecera misteriosamente depois do acidente.

Lembrando-se dos olhos preocupados de Daniel quando sussurrou seu nome aquele dia, o quase toque de seus narizes, o jeito que ela sentira as pontas dos dedos dele em seu pescoço — tudo aquilo a deixava com calor.

E sentindo-se patética. Ela suspirou e deu as costas para a janela, percebendo que Penn também tinha saído de perto.

Ela estava mexendo na escrivaninha de Luce, dando a cada um dos pertences de Luce uma cuidadosa inspeção. O peso de papel da Estátua da Liberdade que seu pai trouxera de uma conferência na Universidade de Nova York, a foto de sua mãe com um esquisito permanente quando tinha mais ou menos a idade de Luce, o CD de Lucinda Williams que Callie tinha dado para ela como presente de despedida antes de Luce jamais ter ouvido falar de Sword & Cross.

— Cadê seus livros? — ela perguntou a Penn, querendo evitar aquela iminente viagem no tempo. — Você disse que vinha para estudar.

A essa altura, Penn tinha começado a mexer em seu guarda-roupa. Luce assistia enquanto ela rapidamente perdia o interesse diante das camisetas e suéteres pretos seguindo as regras de uniforme. Quando Penn foi em direção às suas gavetas, Luce deu um passo à frente para interceptá-la.

— OK, já chega, sua fuxiqueira — interrompeu. — Não devíamos estar fazendo uma pesquisa sobre árvores genealógicas?

— Falando em fuxicar... — Os olhos de Penn cintilaram. — Sim, temos mesmo que fazer uma pesquisa. Mas não do tipo que você está pensando.

Luce a encarou sem entender.

— Hein?

— Olha. — Penn colocou sua mão no ombro de Luce. — Se realmente quer saber sobre Daniel Grigori...

— Shhh! — Luce exclamou, pulando para fechar a porta. Ela colocou a cabeça para fora e examinou o corredor. Parecia vazio, mas aquilo não significava nada. O pessoal naquela escola tinha um jeito suspeito de aparecer de repente, Cam particularmente. E Luce morreria se ele — ou qualquer outra pessoa — descobrisse como ela estava encantada com Daniel. Ou, no momento, qualquer pessoa além de Penn.

Satisfeita, Luce fechou e trancou a porta e se virou de volta para a amiga. Penn estava sentada de pernas cruzadas na beirada da cama de Luce, achando graça.

Luce entrelaçou as mãos atrás das costas e remexeu com o dedão do pé o tapete circular vermelho perto da porta.

— O que a faz pensar que quero saber alguma coisa sobre ele?

— Fala sério — respondeu Penn, rindo. — É totalmente evidente que você fica encarando Daniel Grigori o tempo *todo*.

— Shhh! — Luce repetiu.

— Além disso — Penn disse, sem abaixar a voz —, eu observei você pesquisando na internet sobre ele durante a aula inteira. Pode reclamar, mas estava sendo totalmente óbvio. E por fim, não fique toda desconfiada. Acha que fofoco com mais alguém nessa escola além de você?

Fazia sentido.

— Só estou dizendo — ela continuou —, pensando *hipoteticamente* que você quisesse saber mais sobre certa pessoa sem nome, poderia *de alguma maneira* encontrar essas informações em locais melhores. — Penn encolheu um dos ombros. — Sabe como é, se tivesse alguma ajuda.

— Estou ouvindo — disse Luce, afundando na cama. Sua busca na internet do outro dia só tinha se resumido a digitar, depois deletar, depois redigitar o nome de Daniel no campo de busca.

— Esperava que fosse dizer isso — disse Penn. — Não trouxe livros comigo hoje porque estou oferecendo — ela arregalou os olhos numa careta —, um tour guiado no altamente proibido escritório subterrâneo da Sword & Cross!

Luce refletiu.

— Eu não sei, não. Bisbilhotar nos arquivos de Daniel? Não sei se preciso de mais um motivo para me sentir uma stalker.

— Rá. — Penn deu uma risadinha. — Você realmente afirmou em voz alta. Qual é, Luce. Vai ser legal. Além disso, o que mais você vai ficar fazendo numa manhã ensolarada de sábado perfeita como essa?

Estava um dia lindo — o tipo de dia que faz você se sentir solitária quando não tem nada divertido ao ar livre para fazer. No meio da noite, Luce tinha sentido uma brisa fria entrar pela janela aberta e, quando acordara pela manhã, o calor e a umidade tinham desaparecido.

Ela costumava passar esses primeiros dias dourados de outono correndo de bicicleta pelo bairro com as amigas. Isso tinha sido antes de ela começar a evitar os atalhos da floresta por causa das sombras que nenhuma das outras garotas jamais via. Antes de suas amigas sentarem com ela um dia durante o recreio e dizerem que seus pais não queriam que elas a convidassem mais, no caso de ela ter um *incidente*.

A verdade era que Luce tinha andado meio em pânico sobre como passaria esse primeiro fim de semana na Sword & Cross. Sem aulas, sem aterrorizantes exames físicos, sem eventos sociais na agenda. Apenas quarenta e oito intermináveis horas de tempo livre. Uma eternidade. Ela estava sentindo uma desconfortável saudade de casa a manhã toda — até Penn aparecer.

— Tá bom. — Luce tentou não rir quando completou. — Leve-me ao seu antro secreto.

⽧⽧

Ao lado de Luce, Penn praticamente saltitava pela grama bagunçada do campus a caminho do saguão principal perto da entrada da escola.

— Não sabe há quanto tempo espero uma parceira no crime para trazer aqui.

Luce sorriu, feliz por Penn estar mais focada em ter uma amiga com quem explorar o lugar do que, bem, nessa... coisa que Luce tinha por Daniel.

Na beira da área comum, elas passaram por alguns alunos de bobeira nas arquibancadas sob o brilhante sol do fim da manhã. Era estranho ver cor no campus, naqueles alunos em quem Luce tinha associado tão intimamente com a cor preta. Mas lá estava Roland, com shorts de futebol verde-limão, driblando uma bola entre os pés. Jules e Phillip — o casal com piercings na língua — estavam desenhando nos joelhos dos jeans surrados um do outro, Todd Hammond se sentara longe dos outros garotos, nas arquibancadas, lendo uma revista em quadrinhos numa camiseta camuflada. Até a própria camiseta cinza e shorts de Luce pareciam mais vibrantes do que qualquer coisa que usara a semana inteira.

A treinadora Dante e Albatroz estavam tomando conta, e tinham montado duas cadeiras de plástico e um guarda-sol bambo na beira do campo. Se não batessem as cinzas de seus cigarros na grama de vez em quando, se poderia pensar que dormiam atrás dos óculos de sol. Pareciam imensamente entediadas, como se aprisionadas pelos seus empregos e pelos alunos que estavam monitorando.

Havia muita gente ao ar livre, mas ao seguir Penn de perto ficou feliz em ver que não havia ninguém perto do saguão principal. Ninguém dissera nada a Luce sobre invasões a áreas restritas, ou até mesmo *quais* áreas eram restritas, mas tinha certeza de que Randy encontraria uma punição adequada.

— E os vermelhos? — Luce perguntou, lembrando-se das onipresentes câmeras.

— Coloquei baterias velhas em algumas delas quando estava indo pegar você — disse Penn, no mesmo tom de voz despreocupado com que outra pessoa usaria para dizer "Enchi o tanque de gasolina".

Penn deu uma olhada em volta antes de guiar Luce pela entrada dos fundos do prédio principal e descer três degraus íngremes até uma porta cor de oliva invisível do nível do chão.

— Esse porão também é da época da Guerra Civil? — perguntou Luce. Parecia uma entrada para algum tipo de lugar onde se esconderiam prisioneiros de guerra.

Penn fungou dramaticamente o ar úmido do lugar.

— O odor fétido responde a pergunta? Isso aqui é cheio de fungos pré-guerra. — Ela sorriu para Luce. — A maioria dos alunos seria capaz de capotar ao inalar um ar tão parado.

Luce tentou não respirar pelo nariz enquanto Penn fazia surgir uma quantidade enorme de chaves num aro gigantesco.

— Minha vida seria tão mais fácil se eles finalmente fizessem uma chave mestra para esse lugar — disse, remexendo e finalmente puxando para fora uma fina chave prateada.

Quando a chave virou no cadeado, Luce sentiu um arrepio inesperado de excitação. Penn tinha razão — isso era bem melhor que rastrear sua árvore genealógica.

Elas andaram uma curta distância por um corredor quente e úmido cujo teto ficava a centímetros de suas cabeças. O ar bolorento cheirava a coisas mortas, e Luce quase se sentiu grata pela sala estar escura demais para poder enxergar o chão. Quando estava começando a se sentir claustrofóbica, Penn pegou outra chave, que abria uma porta pequena, mas muito mais moderna. Elas se abaixaram para passar, e então conseguiram levantar de volta ao passarem para o outro lado.

Lá dentro, o escritório de registros era embolorado, mas o ar parecia mais frio e seco. Estava um breu, com exceção do pálido brilho vermelho do letreiro sinalizando SAÍDA acima de suas cabeças.

Luce podia enxergar a silhueta robusta de Penn, suas mãos tateando o ar.

— Cadê aquela corda? — murmurou. — Aqui.

Com um puxão leve, Penn acendeu uma lâmpada pendurada no teto por uma corrente de elos de metal. A sala ainda estava escura, mas agora Luce podia ver que as paredes de cimento também eram pintadas de verde-oliva e estavam cheias de pesadas prateleiras de metal e armários de arquivos. Dúzias de caixas de papelão tinham sido empilhadas nas prateleiras, e os corredores entre os armários pareciam se estender infinitamente. Tudo estava coberto por uma grossa camada de poeira.

A luz do sol lá fora subitamente pareceu muito distante. Apesar de Luce saber que estavam a apenas alguns degraus abaixo do nível do chão, parecia estar a um quilômetro. Ela esfregou os braços nus. Se fosse uma sombra, esse porão era exatamente onde moraria. Ainda não havia sinal delas, mas Luce sabia que isso nunca era motivo para se sentir totalmente segura.

Penn, inabalada pela melancolia do porão, arrastou um banquinho do canto.

— Nossa — comentou, puxando-o atrás de si enquanto andava. — Tem alguma coisa diferente. Os arquivos costumavam ficar bem aqui... Acho que andaram fazendo uma faxina no lugar desde a última vez que vim.

— Há quanto tempo foi isso? — Luce perguntou.

— Mais ou menos uma semana atrás... — A voz de Penn foi sumindo enquanto ela desaparecia na escuridão atrás de um alto armário de arquivos.

Luce não podia imaginar para que a Sword & Cross precisava de todas aquelas caixas. Ela levantou a tampa de uma delas e puxou um arquivo grosso rotulado MEDIDAS CORRETIVAS. Engoliu em seco. Talvez fosse melhor continuar sem saber.

— Está em ordem alfabética por aluno — disse Penn. Sua voz parecia abafada e distante. — E, F, G... Aqui está, Grigori.

Luce seguiu o som das folhas de papel por um corredor estreito, e logo encontrou Penn, com uma caixa nos braços, se esforçando por causa do peso. O arquivo de Daniel estava preso sob seu queixo.

— É tão fino — surpreendeu-se, levantando o queixo levemente para Luce poder pegar a pasta. — Normalmente são muito mais... — Ela levantou os olhos para Luce e mordeu o lábio. — OK, agora *eu* é que estou parecendo uma stalker. Vamos ver o que tem aí dentro.

Havia apenas uma única folha no arquivo de Daniel. Uma cópia em preto e branco do que devia ser sua foto da identidade estava colada na parte superior direita do papel. Ele estava olhando diretamente para a câmera, para Luce, com um leve sorriso nos lábios. Luce não conseguiu evitar sorrir de volta. Daniel estava igualzinho àquela noite quando — bem, ela não conseguia exatamente se lembrar de quando. A imagem daquela expressão era tão viva em sua mente, mas ela não conseguia lembrar onde a teria visto.

— Deus, ele não está igualzinho? — Penn interrompeu os pensamentos de Luce. — E olhe a data. Essa foto foi tirada há três anos, quando ele chegou à Sword & Cross.

Talvez fosse isso que Luce estava notando... que Daniel estava igualzinho, o mesmo rosto daquela época. Mas sentia que estivera pensando — ou estivera prestes a pensar — em alguma outra coisa, só que agora não conseguia se lembrar do que era.

— Pais: desconhecidos. — Penn leu, e Luce se inclinou por cima de seu ombro. — Guardião: Orfanato da Cidade de Los Angeles.

— Orfanato? — perguntou Luce, colocando a mão sobre o coração.

— É só isso que diz. Todo o resto listado aqui são seus...

— Antecedentes criminais — terminou Luce, lendo o resto. — Vadiagem numa praia pública tarde da noite... Vandalismo de um carrinho de supermercado... Atravessar a rua fora da faixa de pedestres.

Penn arregalou os olhos para Luce e engoliu uma gargalhada.

— Seu querido Grigori foi preso por *atravessar fora da faixa*? Tem que admitir, é engraçado.

Luce não gostou de imaginar Daniel sendo preso, pelo motivo que fosse. Gostou menos ainda de saber que, de acordo com a Sword & Cross, a vida dele se resumia a quase nada além de uma listinha de crimes medíocres. Todas essas caixas de papelada aqui embaixo, e era só isso que tinham sobre Daniel.

— Tem que ter mais coisa — argumentou.

Ouviram passos acima delas. Os olhos de Penn e de Luce dispararam para o teto.

— O escritório principal — sussurrou Penn, tirando um lencinho de dentro da blusa para assoar o nariz. — Pode ser qualquer um. Mas ninguém vai descer até aqui, pode acreditar.

Um segundo depois, uma porta no fundo da sala se abriu com um rangido, e uma luz vinda do corredor iluminou a escada. Ruídos de sapatos começaram a vir daquela direção. Luce sentiu o apertão de Penn nas costas de sua camisa, puxando-a contra a parede atrás de uma estante de livros. Elas esperaram, segurando o fôlego e apertando o arquivo roubado de Daniel. Estavam tão, tão ferradas!

Luce estava de olhos fechados, esperando o pior, quando um murmúrio fantasmagórico e melodioso encheu a sala. Alguém estava cantando.

— Lá lalalá lá lá — cantou suavemente uma voz feminina. Luce espichou o pescoço entre duas caixas de arquivos e pôde ver uma mulher mais velha e magra com uma pequena lanterna amarrada na testa como um minerador. Era a Srta. Sophia. Ela estava carregando duas caixas grandes, uma em cima da outra, fazendo com que a única parte visível de seu rosto fosse a testa brilhante. Seus passos leves faziam parecer que as caixas estavam cheias de penas em vez de arquivos pesados.

Penn agarrou a mão de Luce enquanto observavam a Srta. Sophia colocar as caixas numa prateleira vazia. Ela pegou uma caneta para anotar alguma coisa em seu caderninho.

— Só mais duas — falou para si mesma, e depois completou com mais alguma coisa em voz tão baixa que Luce não escutou. Um segundo depois, a Srta. Sophia estava deslizando escadas acima, sumindo com a mesma rapidez com que tinha aparecido. Seu cantarolar permaneceu por apenas um momento depois que partiu.

Quando a porta se fechou, Penn soltou o ar com estrépito.

— Ela disse que tinha mais. Provavelmente vai voltar.

— O que fazemos? — Luce perguntou.

— Você volta e sobe as escadas de mansinho — disse Penn, apontando. — Vire à esquerda lá em cima e vai dar de volta no escritório principal. Se alguém vir você, pode dizer que estava procurando por um banheiro.

— E você?

— Vou colocar o arquivo de Daniel de volta no lugar e encontro você nas arquibancadas. A Srta. Sophia não vai achar suspeito se eu estiver aqui sozinha. Fico tanto aqui embaixo que é quase como um segundo quarto.

Luce olhou para o arquivo de Daniel com uma pequena pontada de arrependimento. Ainda não estava pronta para partir. Logo agora que aceitara bisbilhotar no arquivo de Daniel, também tinha começado a pensar no de Cam. Daniel era tão misterioso — e, infelizmente, seu arquivo também. Cam, por outro lado, parecia tão aberto e fácil de entender que isso a deixou curiosa. Luce imaginou o que mais poderia descobrir sobre ele que ainda não sabia. Mas a expressão no rosto de Penn disse a Luce que não havia mais tempo.

— Se houver mais o que descobrir sobre Daniel, vamos descobrir. — Penn assegurou-a. — Vamos continuar procurando. — Ela deu a Luce um pequeno empurrão em direção à porta. — Agora vá.

Luce andou rapidamente pelo corredor e então abriu a porta em direção às escadas. O ar na base das escadas ainda estava úmido, mas ela podia senti-lo se dispersando um pouco mais a cada passo que dava. Quando finalmente virou a esquina no alto das escadas, precisou piscar várias vezes para reacostumar seus olhos à forte luz do sol do corredor de entrada. Ela tropeçou virando a esquina e passando pelas portas brancas até o saguão principal. Ali congelou.

Um par de botas pretas de salto agulha, cruzadas nos tornozelos, estava escorado e saindo da cabine telefônica, parecendo a Bruxa Má do Sul. Luce correu apressada até a porta da frente, esperando não ser vista, quando percebeu que as botas estavam ligadas a leggings de estampa de cobra, que estavam ligadas a uma Molly muito séria. A pequena câmera fotográfica prateada estava em sua mão. Ela ergueu os olhos para Luce, desligou o telefone que estava apoiado no ouvido, e jogou os pés para baixo.

— Por que está parecendo tão culpada, Bolo de Carne? — perguntou, se levantando com as mãos nos quadris. — Deixe-me adivinhar. Ainda está planejando ignorar minha sugestão de ficar longe de Daniel.

Toda essa coisa de bruxa malvada tinha que ser exagero. Molly não tinha como saber onde Luce estivera. Ela não sabia nada sobre Luce, não havia motivos para ser tão desagradável. Desde o primeiro dia de aula, Luce nunca tinha feito nada a Molly — exceto tentar ficar longe dela.

— Está se esquecendo do desastre infernal que aconteceu da *última* vez que pressionou um cara que não estava interessado? — A voz de Molly era afiada como uma faca. — Qual era o nome dele mesmo? Taylor? Truman?

Trevor. Como Molly podia saber sobre Trevor? Era o seu segredo mais profundo e sombrio. A única coisa que Luce queria — *precisava* — manter para si na Sword & Cross. Agora, não apenas o Mal Encarnado sabia tudo sobre ele, como também não pensara duas vezes antes de tocar no assunto, cruelmente, sem cerimônia — no meio do escritório principal da escola.

Seria possível que Penn estivesse mentindo, que Luce *não fosse* a única pessoa com quem ela dividia seus segredos? Haveria outra explicação lógica? Luce cruzou os braços se sentindo enjoada e exposta... e inexplicavelmente culpada, como se sentira na noite do incêndio.

Molly levantou a cabeça.

— Finalmente — disse, parecendo aliviada. — *Alguma coisa* atingiu você. — Ela virou de costas para Luce e abriu com violência as portas da frente. Então, logo antes de pisar do lado de fora, ela se virou, completando. — Então não faça ao nosso querido Daniel o que fez com o tal Fulano. *Capisce?*

Luce começou a andar atrás dela, mas foram apenas alguns passos depois da porta até perceber que provavelmente desmoronaria se tentasse confrontar Molly agora. A garota era simplesmente má demais. Então, para esfregar sal na ferida de Luce, Gabbe desceu das arquibancadas para encontrar Molly no meio do campo. Elas estavam longe, e Luce não pôde distinguir suas expressões quando as duas se viraram para olhar para ela. A cabeça loira de rabo de cavalo se inclinava em direção à de cabelo curtinho — a mais vil conversinha que Luce já vira.

Ela cerrou os punhos suados, imaginando Molly contando tudo que sabia sobre Trevor para Gabbe, que imediatamente ia sair correndo para dar as notícias a Daniel. Só de pensar nisso, uma dor horrível se espalhou das pontas dos dedos de Luce, subindo por seus braços, até chegar ao seu peito. Daniel podia ter sido pego atravessando fora da faixa de pedestres, mas e daí? Não era nada comparado ao motivo por que Luce estava ali.

— Cuidado com a cabeça! — gritou alguém. Aquela sempre fora a frase que Luce mais detestava. Equipamentos esportivos de todos os tipos tinham uma maneira engraçada de serem atraídos por ela. Ela estremeceu, olhando diretamente para o sol. Não podia ver nada e nem teve tempo de proteger o rosto antes de sentir um golpe do lado da cabeça e ouvir um zumbido alto em seus ouvidos. *Ai.*

A bola de futebol de Roland.

— *Boa!* — Roland gritou ao ver que a bola voltava diretamente para ele, como se ela tivesse feito aquilo de propósito. Luce esfregou a testa e deu alguns passos bambos.

A mão de alguém envolveu seu pulso e uma faísca de calor a fez engasgar. Ela olhou para baixo e viu dedos bronzeados de sol em volta de seu braço, depois levantou a cabeça até encontrar os profundos olhos cinzentos de Daniel.

— Você está bem? — ele perguntou.

Quando ela assentiu, Daniel ergueu uma sobrancelha:

— Se queria jogar futebol, podia ter simplesmente pedido — brincou. — Eu teria ficado feliz em explicar alguns detalhes do jogo, como, por exemplo, que a maioria das pessoas usa partes menos delicadas do corpo para devolver a bola.

Ele largou o pulso dela, e Luce achou que ele estava estendendo as mãos em direção ao seu rosto, para acariciar o machucado. Por um segundo, Luce ficou parada ali, prendendo a respiração. Então suspirou quando a mão de Daniel voltou-se para tirar o próprio cabelo dos olhos.

Foi quando Luce percebeu que Daniel estava gozando dela.

E por que não o faria? Provavelmente a marca da bola de futebol reluzia num dos lados de seu rosto.

Molly e Gabbe ainda a olhavam fixamente — e agora Daniel também —, com os braços cruzados.

— Acho que sua namorada está ficando com ciúmes — disse Luce, indicando o par.

— Qual das duas? — ele perguntou.

— Não sabia que as duas eram suas namoradas.

— Nenhuma delas é — respondeu Daniel com simplicidade. — Não tenho namorada. Quero saber qual das duas você achou que fosse minha namorada.

Luce estava surpresa. E toda aquela conversa aos sussurros com Gabbe? E o jeito como as garotas estavam olhando para os dois agora? Daniel estava mentindo?

Ele estava olhando para ela de um jeito engraçado.

— Talvez tenha batido a cabeça com mais força que pensei — disse ele. — Vamos lá, vamos dar uma volta, pegar um pouco de ar.

Luce tentou entender se havia alguma piada oculta nessa última sugestão de Daniel. Estava sugerindo que ela era uma cabeça de vento que precisava de mais ar? Não, aquilo nem fazia sentido. Luce olhou para ele. Como podia parecer tão sincero agora? E logo quando ela estava se acostumando com o mau humor de Grigori.

— Uma volta onde? — Luce perguntou com cautela. Porque seria fácil demais se alegrar por Daniel não ter namorada, por ele querer ir a algum lugar com ela. Com certeza havia uma pegadinha em algum lugar.

Daniel simplesmente apertou os olhos para as garotas no campo.

— Em algum lugar onde não vamos ser observados.

Luce dissera a Penn que a encontraria nas arquibancadas, mas poderia explicar tudo depois — Penn com certeza entenderia. Luce se deixou guiar por Daniel, passando pelas meninas de olhar curioso e pelo pequeno arvoredo de pessegueiros meio podres, dando a volta por trás da velha academia/igreja. Eles estavam se aproximando de uma floresta com carvalhos maravilhosamente retorcidos, que Luce nunca imaginaria estar escondida ali. Daniel olhava para trás para ter certeza de que ela o estava acompanhando. Luce sorriu como se segui-lo não fosse grande coisa, mas, à medida que abria caminho entre as velhas raízes nodosas, seus pensamentos se concentraram nas sombras.

Agora estavam entrando na floresta mais densa, a escuridão sob a folhagem espessa ocasionalmente pontilhada por pequenos riscos de luz do sol. O cheiro da lama úmida enchia o ar, e Luce subitamente sentiu que havia água por perto.

Se fosse alguém que acreditasse em orações, essa seria a hora em que rezaria para que as sombras ficassem longe, só para ter essa pequena fração de tempo com Daniel, para que ele não visse como ela ficava perturbada às vezes. Mas Luce nunca havia rezado. Não sabia como. Em vez disso, ela apenas cruzou os dedos.

— A floresta termina bem aqui — disse Daniel. Tinham chegado a uma clareira, e Luce arfou, maravilhada.

Algo mudara enquanto ela e Daniel andavam pela floresta, e não era só porque estavam distantes da pálida Sword & Cross. Porque, quando saíram da mata fechada e pararam em uma pedra alta e avermelhada, era como se estivessem parados no meio de um cartão-postal, do tipo que se encontraria exposto numa farmácia de cidadezinha do interior, uma imagem idílica de um Sul imaginário que não existia mais. Todas as cores eram brilhantes, mais fortes do que pareceram apenas segundos antes. Do lago azul cristalino bem abaixo deles à densa floresta cor de esmeralda ao redor. Duas gaivotas voavam no céu sem nuvens acima deles. Quando ficou na ponta dos pés, Luce podia ver o princípio de um pântano salgado amarelado, que ela sabia que daria lugar à espuma branca do oceano em algum lugar além do horizonte.

Ela levantou os olhos para Daniel. Ele também brilhava. A pele reluzia e os olhos eram quase como a chuva. A sensação deles em seu rosto era uma coisa profunda e marcante.

— O que achou? — ele perguntou. Parecia tão mais relaxado agora, que estavam longe de todo mundo.

— Nunca vi nada tão lindo — respondeu ela, olhando a superfície prístina do lago, sentindo vontade de mergulhar. A quase quinze metros de distância, no meio do lago, ficava uma rocha plana coberta de limo. — O que é aquilo?

— Vou mostrar — disse Daniel, tirando os sapatos. Luce tentou, sem sucesso, não encarar enquanto ele tirava a camiseta, expondo o torso musculoso. — Vamos lá — disse, fazendo-a perceber como devia estar parecendo plantada no chão. — Pode nadar com isso — acrescentou, apontando para a regata cinza e os shorts de Luce. — Vou até deixar você ganhar dessa vez.

Ela riu.

— Dessa vez? Diferente de todas aquelas vezes que *eu* deixei você ganhar?

Daniel começou a concordar, então se interrompeu abruptamente.

— Não. Já que perdeu a corrida na piscina no outro dia.

Por um segundo, Luce teve vontade de contar a ele por que tinha perdido. Talvez pudessem rir daquele mal-entendido, sobre Gabbe ser a namorada dele. Mas, a essa altura, os braços de Daniel já estavam esticados e ele estava no ar, arqueando e então caindo, mergulhando no lago com perfeição.

Era uma das coisas mais lindas que Luce já vira. Daniel se movimentava com uma graciosidade que ela jamais vira. Até o *splash* que ele fizera deixara um agradável zumbido em seus ouvidos.

Ela queria estar lá com ele.

Luce tirou os sapatos e os deixou embaixo da árvore de magnólia, ao lado dos de Daniel, e então ficou em pé na beira da rocha. A queda era de cerca de seis metros, o tipo de mergulho alto que sempre tinha feito o coração de Luce palpitar. De um jeito bom.

Um segundo depois, a cabeça dele surgiu na superfície. Ele estava rindo, espalhando água.

— Não me faça mudar de ideia quanto a deixar você ganhar — gritou.

Inspirando profundamente, ela mirou na direção da cabeça de Daniel e pulou num mergulho elegante. A queda durou apenas uma fração de segundo, mas a sensação era deliciosa, voando pelo ar ensolarado, para baixo, para baixo, para baixo.

Splash. A água gelada foi um choque a princípio, mas ficou ideal em um segundo. Luce subiu à superfície para recuperar o fôlego, deu uma olhada em Daniel e começou seu nado borboleta.

Ela se esforçou tanto que o perdeu de vista. Sabia que estava se exibindo e esperava que Daniel estivesse assistindo. Luce se aproximou mais e mais até espalmar na rocha plana — um segundo antes de Daniel.

Os dois estavam arfando enquanto subiam na superfície lisa e aquecida pelo sol. As beiradas da pedra eram escorregadias por causa do limo, e Luce teve dificuldade para subir. Daniel, no entanto, não teve problemas em escalar a rocha. Ele se voltou e estendeu a mão para ela, puxando-a para onde fosse possível se apoiar numa das pernas.

Até ela finalmente conseguir sair totalmente de dentro d'água, Daniel já estava deitado de costas, quase seco. Apenas sua bermuda dava algum indício de que havia estado no lago. Por outro lado, as roupas encharcadas de Luce grudavam em seu corpo, e o cabelo pingava para todos os lados. A maioria dos caras teria aproveitado a oportunidade de olhar uma garota ensopada assim, mas Daniel continuava deitado de costas na rocha, os olhos fechados, como se estivesse dando a ela um momento para se recompor — por gentileza ou por falta de interesse.

Gentileza, decidiu Luce, sabendo que estava sendo uma romântica incorrigível. Mas Daniel parecia tão sensível, deve ter percebido pelo menos um pouco como Luce se sentia. Não apenas a atração entre eles, a necessidade de ficar perto de Daniel quando todos em volta a mandavam se afastar, mas aquela sensação muito real de que se conheciam — realmente conheciam — um ao outro, de algum lugar.

Daniel abriu subitamente os olhos e sorriu — o mesmo sorriso da foto em seu arquivo. Uma onda de *déjà vu* a tomou tão completamente que Luce teve que se deitar também.

— O quê? — perguntou ele, parecendo nervoso.

— Nada.

— Luce.

— Não consigo tirar isso da cabeça — respondeu, virando-se de lado para encará-lo. Ela ainda não sentia firmeza o suficiente para voltar a se sentar. — Essa sensação de que conheço você. Que o conheço há um tempo.

A água bateu na rocha, respingando nos dedos dos pés de Luce próximos da beirada. A água estava fria e fez suas pernas se arrepiarem. Finalmente, Daniel respondeu:

— Já não tivemos essa conversa antes? — Seu tom de voz tinha mudado, como se estivesse tentando fazê-la rir daquilo. Ele parecia um dos caras da Dover: autossuficiente, eternamente entediado, convencido. — Estou lisonjeado que você sinta que temos essa conexão, de verdade. Mas não precisa inventar uma história misteriosa qualquer para fazer um cara prestar atenção em você.

Ah, não. Ele achava que Luce estava mentindo sobre essa sensação estranha, da qual não conseguia se livrar, só para se aproximar dele? Ela cerrou os dentes, mortificada.

— Por que eu inventaria isso? — ela perguntou, apertando os olhos contra a luz do sol.

— Você é quem pode dizer — disse Daniel. — Não, na verdade, não diga. Não vai servir de nada. — Ele suspirou. — Olha, eu devia ter dito isso antes, quando vi os primeiros sinais.

Luce se sentou. Seu coração estava disparado. Daniel também viu os sinais.

— Sei que dei um fora em você na academia antes — disse ele lentamente, fazendo Luce se inclinar para a frente, como se com isso pudesse fazer as palavras saírem mais rápido. — Devia simplesmente ter contado a verdade.

Luce esperou.

— Levei um fora de uma garota. — Ele mergulhou uma das mãos na água, puxou um lírio, e o amassou entre as mãos. — Era alguém que eu amava muito, e foi há pouco tempo. Não é nada pessoal, e não quero ignorar você. — Ele olhou para ela e a luz do sol se infiltrou por uma gota d'água em seu cabelo, fazendo-o brilhar. — Mas também não quero ficar dando esperanças. Só não quero me envolver com ninguém, por enquanto.

Ah.

Ela desviou os olhos, para a água azul-escura parada onde, há apenas alguns minutos, estavam rindo e nadando. O lago não mostrava mais nenhum sinal daquela alegria. Tampouco o rosto de Daniel.

Bem, Luce tinha se magoado também. Talvez, se contasse a ele sobre Trevor e como tudo aquilo tinha sido horrível, Daniel se abriria sobre o seu passado. Mas, pensando bem, ela já sabia que não suportaria ouvir sobre o passado dele com outra pessoa. A ideia de vê-lo com outra garota — ela imaginou Gabbe, Molly, uma interminável montagem de rostos sorridentes, olhos grandes, cabelos longos — era o bastante para deixá-la enjoada.

A história do namoro com final traumático devia ter explicado tudo, mas isso não aconteceu. Daniel fora tão estranho com ela desde o princípio. Mostrando o dedo um dia, antes até mesmo de terem sido apresentados, e então protegendo-a da estátua no cemitério no dia seguinte. Agora, a tinha trazido até aqui, para esse lago — só os dois. Era confuso demais.

A cabeça de Daniel estava baixa, mas seus olhos olhavam para cima, na direção dela.

— Não foi uma resposta boa o suficiente? — perguntou, quase como se lesse seus pensamentos.

— Ainda acho que tem alguma coisa que você não está me contando — argumentou Luce.

Tudo aquilo não podia ser explicado por um coração partido, Luce sabia. Era experiente nesse departamento.

Daniel estava de costas para ela, olhando para o atalho que tinham pegado até o lago. Depois de um tempo, riu com amargura:

— É óbvio que não estou contando algumas coisas. Eu mal a conheço. Não sei por que acha que devo alguma coisa a você. — Então se levantou.

— Onde está indo?

— Tenho que voltar — respondeu.

— Não vá — sussurrou ela, mas ele pareceu não escutar.

Luce observou, o peso em seu peito aumentando, enquanto Daniel mergulhava de volta na água.

Ele só emergiu bem longe da pedra e começou a nadar em direção à margem. Olhou de volta para ela uma vez, no meio do caminho, e acenou um adeus definitivo.

Então seu coração se inflamou quando ele começou um nado borboleta perfeito. Por mais vazia que se sentisse por dentro, não podia negar a admiração que sentia. Tão perfeito, tão simples, nem parecia que ele estava nadando.

Em pouco tempo ele chegou até a margem, fazendo a distância entre os dois parecer bem menor do que parecia a Luce. Ele parecia muito relaxado enquanto nadava, mas não era possível que tivesse chegado ao outro lado tão rapidamente a não ser que estivesse realmente se esforçando muito.

O quanto ele precisava se afastar dela?

Luce observou — sentindo um misto de confusão e vergonha, e uma tentação maior ainda — enquanto Daniel subia a margem de volta. Um raio de sol passou por entre as árvores e envolveu sua silhueta com um brilho radiante, e Luce precisou apertar os olhos para aquela visão em sua frente.

Ela se perguntou se a bola de futebol que bateu em sua cabeça tinha prejudicado sua visão. Ou se o que pensava estar vendo era uma miragem. Uma ilusão de óptica sob a luz do sol de fim de tarde.

Ela ficou de pé na rocha para enxergar melhor.

Ele estava simplesmente sacudindo a água de sua cabeça, mas o brilho das gotículas parecia pairar em volta dele, sobre ele, desafiando a gravidade, numa grande distância em volta de seus braços.

Como a água cintilava sob a luz do sol, parecia que Daniel tinha asas.

NOVE

ESTADO DE INOCÊNCIA

Na segunda-feira de manhã, a Srta. Sophia estava atrás de um pódio na maior sala de aulas do Augustine, tentando fazer bonecos de sombras com as mãos. Ela convocara uma sessão de estudos de última hora para os alunos da aula de religião antes do teste do dia seguinte e, como Luce já havia perdido um mês inteiro de aulas, achou que tinha muita coisa para colocar em dia.

Isso explicava por que ela era a única pessoa se esforçando em fingir que anotava alguma coisa. Nenhum dos outros alunos sequer notou que o sol do fim de tarde que se esgueirava pelas janelas estreitas estava prejudicando o palco improvisado para o teatro de sombras da Srta. Sophia. E Luce não queria chamar a atenção para o fato de que ela estava prestando atenção ao se levantar e fechar as persianas empoeiradas.

Quando o sol esquentou a nuca de Luce, ela se deu conta de há quanto tempo estava sentada nessa sala. Vira o sol ao leste brilhar como uma juba em volta do cabelo ralo do Sr. Cole, naquela manhã, durante a aula de história geral. Tinha sofrido no calor abafado do meio da tarde, durante a aula de biologia com Albatroz. Estava quase anoitecendo. O sol tinha dado a volta no campus inteiro, e Luce mal levantara da cadeira. Seu corpo parecia tão duro quanto a cadeira de metal em que estava sentada, sua mente inútil como o lápis que desistira de usar para fazer anotações.

Qual era a desse teatrinho de sombra? Por acaso ela e os outros alunos tinham, tipo, 5 anos?

Mas então ela se sentiu culpada. De todos os professores dali, a Srta. Sophia era de longe a mais gentil; até chamara Luce para uma conversa particular no outro dia sobre o atraso dela no trabalho da árvore genealógica. Luce teve que fingir uma gratidão assombrosa quando a Srta. Sophia lhe explicou, durante uma hora, as instruções da ferramenta de busca de novo. Ela se sentira meio envergonhada, mas se fingir de burra era bem melhor do que admitir que andava obcecada demais por um certo colega de turma para devotar algum tempo a sua pesquisa.

Agora a Srta. Sophia estava de pé em seu longo vestido de crepe preto, elegantemente entrelaçando os polegares e levantando as mãos no ar, se preparando para a próxima pose. Do lado de fora da janela, uma nuvem cobriu o sol. Luce voltou a prestar atenção na aula quando notou que, subitamente, havia uma sombra de verdade na parede atrás da Srta. Sophia.

— Como todos vocês devem se lembrar, em *A Perda do Paraíso*, que lemos ano passado, quando Deus deu o livre-arbítrio a seus anjos — disse a Srta. Sophia, o som da respiração ressoando no microfone preso em sua lapela marfim e agitando os dedos magros como perfeitas asas de anjo —, *um deles* passou dos limites. — A voz da Srta. Sophia baixou para um sussurro dramático, e Luce observou enquanto ela torcia os indicadores para transformar as asas de anjo em chifres de demônio.

Atrás de Luce, alguém murmurou:

— Grande coisa, esse é o truque mais velho que existe.

Desde o momento em que a Srta. Sophia tinha começado a aula, parecia que pelo menos uma pessoa na sala implicava com cada palavra que saía de sua boca. Talvez porque Luce não tivera uma educação religiosa como os outros, ou talvez por ter pena da Srta. Sophia, sentia uma vontade cada vez maior de virar para trás e mandar todo mundo calar a boca.

Ela estava rabugenta. Cansada. Com fome. Em vez de fazerem fila até o refeitório, para jantar com o resto dos alunos, os vinte inscritos na aula de religião da Srta. Sophia tinham sido informados de que assistiriam à sessão de estudos "opcional" — um termo triste e impróprio, segundo Penn — e sua refeição seria servida na sala, para poupar tempo.

A refeição — não um jantar, nem mesmo um almoço; apenas um lanche qualquer no fim da tarde — fora uma estranha experiência para Luce, para quem já era difícil achar algo para comer no refeitório carnívoro. Randy tinha simplesmente empurrado um carrinho cheio de sanduíches deprimentes e algumas jarras de água nada gelada.

Todos os sanduíches eram recheados de frios misteriosos, maionese e queijo, e Luce observou com inveja Penn mastigar um após o outro, deixando apenas migalhas para trás. Estava prestes a *des-presuntar* um deles quando Cam apareceu ao seu lado. Ele abriu a mão, expondo um pequeno punhado de figos frescos. Suas cascas profundamente roxas pareciam joias.

— O que é isso? — ela perguntara, contendo um sorriso.

— Não dá pra viver só de pão, dá? — ele respondeu.

— Não coma isso — interrompera Gabbe, tirando os figos de Luce e jogando-os no lixo. Ela tinha interrompido mais uma conversa particular e substituíra o vazio nas mãos de Luce com um monte de M&M's de amendoim. Gabbe estava usando uma faixa de cabelo com as cores do arco-íris, e Luce imaginou como seria arrancar aquela coisa da sua cabeça e atirá-la no lixo.

— Ela está certa, Luce. — Ariane aparecera, olhando feio para Cam. — Quem sabe que drogas ele colocou naquilo?

Luce rira; era óbvio que Ariane estava brincando, mas, quando ninguém mais sorriu, ela calou a boca e guardou os M&M's no bolso, bem na hora em que a Srta. Sophia mandou todos voltarem a seus lugares.

❉❉

Aparentemente horas mais tarde, ainda estavam todos presos na sala de aula e a Srta. Sophia tinha ensinado apenas do Nascer da Criação até a Guerra no Paraíso. Não chegara nem em Adão e Eva. O estômago de Luce roncava em protesto.

— E todos nós sabemos quem foi o anjo malvado que brigou com Deus? — perguntou a Srta. Sophia, como se estivesse lendo um livro ilustrado para um bando de criancinhas numa livraria. Luce quase esperou que a sala inteira cantarolasse um infantil *Sim, Srta. Sophia*.

— Alguém? — A Srta. Sophia repetiu a pergunta.

— Roland! — Ariane piou baixinho.

— Isso mesmo — concordou a Srta. Sophia, a cabeça balançando numa concordância beatífica. Ela talvez não escutasse muito bem. — Nós o chamamos de Satã agora, mas durante os anos ele tem trabalhado sob muitos disfarces: Mefistófeles, Belial ou até mesmo Lúcifer para alguns.

Molly, que estava sentada na frente de Luce, balançando as costas de sua cadeira de propósito contra a mesa de Luce durante a última hora pelo simples prazer de enlouquecê-la, rapidamente largou um pedaço de papel por cima do ombro na mesa de Luce.

Luce... Lúcifer... alguma relação?

Sua letra era sombria, zangada e frenética. Luce podia ver as maçãs do rosto dela se levantando numa risadinha. Num momento de fraqueza e fome, Luce começou a rabiscar furiosamente uma resposta no verso do bilhete de Molly. Seu nome fora uma homenagem a Lucinda Williams, a maior cantora e compositora viva, em cujo show, que quase fora cancelado por causa da chuva, seus pais se conheceram. E que depois que sua mãe escorregara num copo de plástico, deslizara por um monte de lama e caíra nos braços de seu pai, não saíra daqueles braços por vinte anos. Que *seu* nome significava algo romântico. E o que Molly, aquela boca suja, tinha a dizer sobre si mesma? E, mais ainda: se alguém naquela escola inteira chegava perto de se parecer com Satã, não era o destinatário do bilhete, e sim seu remetente.

Seus olhos fuzilaram os cabelos recentemente pintados de escarlate de Molly. Luce estava pronta para arremessar o pedaço de papel dobrado e se arriscar com o mau gênio de Molly quando a Srta. Sophia chamou sua atenção.

Ela estava com as mãos elevadas acima da cabeça, com as palmas para cima e em concha. Ao baixá-las, as sombras de seus dedos na parede pareciam milagrosamente braços e pernas se agitando, como alguém pulando de uma ponte ou para fora de um prédio. A visão era tão bizarra, tão sombria e ao mesmo tempo tão benfeita, que deixou Luce nervosa. Ela não conseguia tirar os olhos daquilo.

— Durante nove dias e nove noites — disse a Srta. Sophia —, Satã e seus anjos caíram, um após o outro, do céu.

Suas palavras despertaram alguma coisa na memória de Luce. Ela olhou, duas fileiras ao lado, para Daniel, que a encarou por meio segundo antes de mergulhar o rosto em seu caderno. Mas aquele olhar rápido fora o suficiente, e de repente ela se lembrou: tivera um sonho na noite anterior.

Tinha sido uma história que partia do encontro dos dois no lago. Mas, no sonho, quando Daniel deu adeus e mergulhou de volta na água, Luce teve a coragem de ir atrás dele. A água estava tão morna, tão agradável, que ela nem se sentia molhada, e um cardume de peixes violeta nadavam a sua volta. Ela estava nadando o mais rápido que conseguia, e a princípio achou que os peixes estavam ajudando a empurrá-la para Daniel e para a margem. Mas logo o cardume ficou escuro, turvando sua visão, e ela não conseguia mais vê-lo. Os peixes se tornaram sombras horríveis, e se agrupavam mais e mais até ela não conseguir ver mais nada... Ela sentia-se afundando, escorregando para baixo, para as profundezas rochosas do lago. Não era uma questão de não conseguir respirar, era uma questão de nunca conseguir subir de volta à superfície. Era uma questão de perder Daniel para sempre.

Então, vindo do fundo, Daniel tinha aparecido, os braços abertos como velas. Eles afastaram os peixes sombrios e envolveram Luce, e juntos os dois emergiram de novo. Rasgaram a água, mais alto e mais alto, passando pela rocha e pela árvore de magnólia onde tinham deixado seus sapatos. Um segundo depois, estavam tão alto que Luce nem conseguia enxergar o chão.

— E então pousaram — disse a Srta. Sophia, descansando as mãos no pódio —, nos abismos ardentes do inferno.

Luce fechou os olhos e soltou o ar. Tinha sido apenas um sonho. Infelizmente, essa era a realidade.

Ela suspirou e descansou o queixo nas mãos, lembrando-se da resposta para Molly, ainda dobrada em suas mãos. Parecia idiota e precipitada agora. Melhor não responder, para Molly não achar que conseguira atingir Luce.

Um avião de papel pousou em seu antebraço esquerdo. Ela olhou para o canto correspondente da sala, onde Ariane estava sentada numa pose exagerada, piscando sem parar para Luce.

Imagino que não esteja sonhando acordada com Satã. Para onde você e DG fugiram no sábado à tarde?

Luce não tivera chance de ficar a sós com Ariane o dia todo. Mas como Ariane sabia que Luce tinha ido a algum lugar com Daniel? Enquanto a Srta. Sophia se ocupava com um boneco de sombras representando os nove círculos do inferno, Luce assistiu Ariane arremessar mais um avião que cairia certeiro em sua mesa.

Molly também.

Ela se esticou bem a tempo de pegar o aviãozinho entre as unhas pintadas de preto, mas Luce não ia deixá-la ganhar dessa vez: puxou o avião das garras de Molly, rasgando sua asa bem no meio com um som alto. Só deu tempo para Luce enfiar no bolso o bilhete rasgado antes da Srta. Sophia se virar.

— Lucinda e Molly — disse ela, franzindo os lábios e apoiando as mãos no palanque. — Gostaria que o que as duas sentem tanta necessidade de discutir numa desrespeitosa troca de bilhetinhos fosse feito agora na frente da turma inteira.

A mente de Luce disparou. Se ela não inventasse alguma coisa rápido, Molly o faria, e era impossível saber o quão embaraçoso isso poderia ser.

— M-Molly só estava dizendo — gaguejou Luce — que discorda da sua visão de como o inferno é dividido. Ela tem suas próprias teorias.

— Bem, Molly, se você tem uma planta diferente do mundo subterrâneo, eu certamente gostaria de ouvir.

— Mas que droga — murmurou Molly. Ela limpou a garganta e se levantou. — Bem, você descreveu a boca de Lúcifer como o lugar mais baixo do inferno, o que explica por que todos os traidores acabam lá. Mas, para mim — ela disse, como se tivesse ensaiado aquelas falas —, acho que o lugar mais torturante no Inferno — ela deu uma olhada demorada para Luce — devia ser reservado não aos traidores, e sim aos covardes. Os mais fracos, perdedores sem coragem. Entendo que traidores pelo menos fizeram uma escolha. Mas e os covardes? Eles só correm por aí roendo as unhas, apavorados demais para fazer qualquer coisa. O que é bem pior. — Ela tossiu, imitando o som de "Lucinda!", e limpou a garganta. — Mas essa é só a minha opinião. — E se sentou.

— Obrigada, Molly — disse, cautelosa, a Srta. Sophia. — Tenho certeza de que seu ponto de vista foi muito elucidativo.

Luce não concordava. Ela parara de escutar no meio do discurso de Molly, quando sentiu uma sensação estranha e pesada no fundo do estômago.

As sombras. Ela pôde senti-las antes de vê-las, borbulhando como piche do chão. Um tentáculo de escuridão se enrolara em seu pulso, e Luce olhou para baixo, aterrorizada. Estava tentando entrar em seu bolso, em direção ao aviãozinho de papel de Ariane. Ela nem havia lido aquilo ainda! Luce enfiou o pulso fundo no bolso e usou toda a força de vontade para manter a sombra longe o mais forte que conseguia.

Então uma coisa incrível aconteceu: a sombra recuou, se afastando como um cachorro machucado. Era a primeira vez que Luce conseguia fazer isso.

Do outro lado da sala, seu olhar encontrou o de Ariane. A cabeça dela estava inclinada de lado, a boca aberta.

O bilhete — devia ainda estar esperando Luce ler o bilhete.

A Srta. Sophia desligou a luz do teatro de sombras.

— Acho que minha artrite já teve inferno o bastante para uma noite. — Deu uma risadinha, fazendo os alunos semiadormecidos rirem junto com ela. — Se todos relerem as sete dissertações que indiquei em *A Perda do Paraíso*, acho que estarão bem preparados para o teste de amanhã.

Enquanto os outros alunos se apressavam em arrumar suas mochilas e dar o fora, Luce desdobrou o bilhete de Ariane:

Não me diga que ele veio com aquele patético "Levei um fora antes".

Ai. Ela definitivamente precisava conversar com Ariane e descobrir exatamente o que sabia sobre Daniel. Mas antes...

Ele estava parado na frente dela. O fecho prateado de seu cinto brilhava na altura dos olhos dela. Luce respirou fundo e levantou a cabeça.

Os olhos acinzentados e violeta de Daniel pareciam descansados. Ela não falava com ele há dois dias, desde que a largara no lago. Era como se o tempo que ele passara longe dela o tivesse rejuvenescido.

Luce percebeu que ainda estava com o bilhete indiscreto de Ariane aberto em cima da mesa. Ela engoliu em seco e o enfiou de volta no bolso.

— Queria me desculpar por ter ido embora tão de repente no outro dia — disse Daniel, parecendo estranhamente formal. Luce não sabia se devia aceitar suas desculpas, mas ele não lhe deu tempo de responder. — Imagino que tenha chegado em terra firme sem problemas, certo?

Ela deu um sorriso amarelo. Passou pela sua cabeça contar a Daniel sobre o sonho que tivera, mas felizmente ela percebeu que aquilo seria totalmente esquisito.

— O que achou dessa aula de revisão? — Daniel parecia distante, duro, como eles nunca tivessem se falado antes. Talvez estivesse brincando.

— Uma tortura — respondeu Luce. Ela sempre ficava irritada quando garotas espertas fingiam não gostar de alguma coisa só porque achavam que era o que algum cara gostaria de ouvir. Mas Luce não estava fingindo. *Tinha sido* uma tortura.

— Bom — disse Daniel, parecendo satisfeito.

— Também odiou?

— Não — respondeu enigmaticamente, e Luce imediatamente desejou ter mentido para parecer mais interessada do que realmente estava.

— Então... você gostou — continuou Luce, querendo dizer alguma coisa, qualquer coisa para mantê-lo ali ao lado dela, conversando. — Do que você gostou exatamente?

— Talvez "gostar" não seja a palavra certa. — Depois de uma longa pausa, ele continuou: — Está na minha família... estudar essas coisas. Acho que não tenho como não sentir uma ligação.

Levou um momento até Luce registrar completamente as palavras de Daniel. Sua mente viajou até o abafado e velho porão de registros onde tinha visto o arquivo de uma única folha de Daniel. O arquivo dizia que Daniel Grigori tinha passado a maior parte de sua vida num orfanato da cidade de Los Angeles.

— Não sabia que você tinha família — comentou ela.

— Por que saberia? — Daniel zombou.

— Não sei... Então, quero dizer, você tem?

— A questão é: por que você pressupõe que sabe qualquer coisa sobre a minha família ou sobre mim?

Luce sentiu seu estômago revirar. Ela viu *Perigo: Alerta de Perseguidora* piscando nos olhos alarmados de Daniel. E sabia que tinha estragado as coisas com ele mais uma vez.

— D. — Roland veio de trás deles e pôs a mão nos ombros de Daniel. — Quer esperar mais um pouco e ver se vai ter mais alguma aula com um ano de duração, ou vamos dar o fora?

— É — Daniel disse, suavemente, dando uma última olhada desconfiada em Luce. — Vamos dar o fora daqui.

Ela obviamente devia ter fugido vários minutos antes tipo, ao primeiro impulso de divulgar qualquer detalhe da ficha de Daniel. Uma pessoa esperta e normal teria escapado da conversa, ou mudado de assunto para alguma coisa bem menos bizarra ou, pelo menos, mantido a boca fechada.

Mas... Luce estava provando, dia após dia — especialmente quando se tratava de Daniel —, que era incapaz de fazer qualquer coisa que a enquadrasse na categoria de "normal" ou "esperta".

Ela observou enquanto Daniel ia embora com Roland. Ele não olhou para trás e, a cada passo que dava para longe dela, Luce se sentia mais e mais estranhamente sozinha.

DEZ

ONDE HÁ FUMAÇA

— O que está esperando? — Penn perguntou, um segundo depois de Daniel ter saído com Roland. — Vamos nessa. — Ela puxou a mão de Luce.

— Para onde? — Luce perguntou. Seu coração ainda estava martelando pela conversa com Daniel, e por tê-lo visto indo embora. No corredor, o contorno de seus ombros torneados parecia ser maior que o próprio Daniel.

Penn bateu levemente no lado direito da cabeça de Luce:

— Alô? Para a biblioteca, como expliquei no meu bilhete... — Ela analisou a expressão intrigada de Luce. — Não recebeu nenhum dos meus bilhetes? — Frustrada, Penn bateu na própria perna. — Mas eu os entreguei a Todd para dar para Cam passar para você.

— Pombo-correio. — Cam passou na frente de Penn e entregou a Luce dois pedaços de papel dobrado entre seus dedos médio e indicador.

— Fala sério. Seu pombo morreu de cansaço durante o trajeto? — bufou Penn, agarrando os bilhetes. — Entreguei isso a você há, tipo, uma hora. Por que demorou tanto? Você não leu...

— É lógico que não. — Cam colocou a mão sobre o peito largo, ofendido. Ele usava um anel largo preto no dedo médio. — Não sei se você se lembra, mas Luce se deu mal por trocar bilhetinhos com Molly...

— Eu *não* estava trocando bilhetinhos com Molly...

— Mesmo assim — disse Cam, tirando os bilhetes de volta da mão de Penn e entregando-os, finalmente, a Luce. — Só estava tomando conta de você. Esperando a oportunidade certa.

— Bem, obrigada. — Luce enfiou os bilhetes no bolso e deu de ombros para Penn.

— Falando em esperar a hora certa — continuou ele —, estava por aí outro dia e vi isso. — Cam mostrou uma pequena caixa de joia de veludo vermelho e a abriu para Luce ver.

Penn empurrou o ombro de Luce para dar uma olhada também.

Dentro da caixa, uma fina corrente de ouro tinha pendurado um pingente circular com uma linha gravada no meio e uma pequena cabeça de serpente na ponta.

Luce olhou para ele. Era uma brincadeira?

Ele tocou o pingente:

— Achei, depois do outro dia... Queria ajudar você a encarar seu medo — falou, parecendo quase nervoso, com medo de que ela não aceitasse. Ela devia aceitar? — Só estou brincando. Gostei dele, foi tudo. É diferente, me lembrou de você.

Era *mesmo* diferente. E muito bonito, e fez Luce estranhamente sentir como se não o merecesse.

— Você foi às compras? — ela se viu perguntando, porque era mais fácil discutir como Cam tinha escapado da escola do que perguntar *Por que eu?*. — Achei que a diferença entre um reformatório e uma escola comum é que estamos todos presos aqui.

Cam ergueu o queixo levemente e deu um grande sorriso.

— É possível — ele disse baixo. — Vou mostrar a você um dia desses. Podia mostrar... hoje à noite?

— Cam, meu bem — disse uma voz atrás dele. Era Gabbe, cutucando seu ombro. Uma mecha fina na frente de sua cabeça estava amarrada e presa atrás de sua orelha, como uma faixa de cabelo perfeita. Luce ficou olhando, enciumada.

— Preciso da sua ajuda na organização — ronronou Gabbe.

Luce olhou em volta e percebeu que eles eram as únicas pessoas ainda na sala.

— Vou dar uma festinha no meu quarto depois — disse Gabbe, apoiando o queixo em cima do ombro de Cam para se dirigir a Luce e Penn. — Vocês vêm, né?

Gabbe, cuja boca sempre parecia grudenta de gloss, e cujo cabelo loiro nunca falhava em balançar no mesmo segundo em que um cara começava a falar com Luce. Apesar de Daniel ter dito que não havia nada acontecendo entre eles, Luce sabia que nunca seria amiga daquela garota.

Mas, mesmo assim, você não precisa gostar de alguém para ir a sua festa, especialmente quando outras pessoas de quem você gosta provavelmente vão estar lá...

Ou deveria aceitar a oferta de Cam? Ele estava mesmo sugerindo que saíssem escondidos? No dia anterior, um rumor correu pela sala quando Jules e Phillip, o casal de piercings na língua, não apareceram para a aula da Srta. Sophia. Aparentemente, tinham tentado fugir do campus no meio da noite, mas o encontro deu errado e agora os dois estavam em algum tipo de prisão solitária cuja locação nem mesmo Penn conhecia.

A parte mais estranha era que a Srta. Sophia — que normalmente não tolerava cochichos — não tinha mandado os alunos que fofocavam intensamente durante a aula calarem a boca. Era quase como se a escola *quisesse* que os outros imaginassem o pior castigo possível por quebrar uma de suas regras ditatoriais.

Luce engoliu em seco, olhando de volta para Cam. Ele ofereceu o braço, ignorando completamente Gabbe e Penn.

— Que tal, garota? — ele perguntou, parecendo tão charmoso quanto um galã hollywoodiano, então Luce esqueceu tudo o que havia acontecido com Jules e Phillip.

— Desculpe — Penn se intrometeu, respondendo pelos dois e puxando Luce para longe. — Mas já temos outros planos.

Cam olhou para Penn como se estivesse tentando entender de onde ela tinha surgido. Ele tinha um talento para fazer Luce se sentir uma versão melhor e mais legal de si mesma. E Luce tinha um talento para dar de cara com Cam logo depois de Daniel a fazer se sentir exatamente o oposto. Mas Gabbe ainda estava rondando ao lado dele, e o puxão de Penn estava ficando cada vez mais forte, então Luce finalmente simplesmente acenou com a mão que ainda segurava o presente de Cam.

— Hum, talvez num outro dia! Obrigada pelo colar!

Deixando Cam e Gabbe confusos na sala, Penn e Luce saíram do Augustine. Era assustador ficar sozinha no prédio escuro até tão tarde, e Luce sentia, pelos passos apressados de Penn à sua frente nas escadas, que a outra menina se sentia da mesma maneira.

Do lado de fora, ventava bastante. Uma coruja arrulhou do alto de uma árvore. Quando passaram sob os carvalhos ao longo do prédio, gavinhas dispersas de musgo espanhol roçaram seus rostos como mechas de cabelo embaraçado.

— *Talvez num outro dia?* — Penn imitou a voz de Luce. — Que história foi essa?

— Nada... eu não sei. — Luce queria mudar de assunto. — Fez a gente parecer muito importante, Penn — disse ela rindo, enquanto andavam. — Outros planos... achei que tinha se divertido na festa da semana passada.

— Se tivesse lido as minhas recentes cartas, veria por que temos coisas mais importantes a fazer.

Luce esvaziou seus bolsos, redescobrindo os cinco intactos M&M's, e os dividiu com Penn, que fez uma expressão muito típica, demonstrando que esperava que eles tivessem vindo de um lugar higiênico; mas os comeu mesmo assim.

Luce desdobrou o primeiro bilhete de Penn, que parecia uma página xerocada de um dos arquivos do escritório subterrâneo:

Gabrielle Givens
Cameron Briel
Lucinda Price
Todd Hammond
LOCAIS ANTERIORES:
Todos no Nordeste, exceto por T. Hammond
    (Orlando, Flórida)

Ariane Alter
Daniel Grigori
Mary Margaret Zane
LOCAIS ANTERIORES:
Los Angeles, Califórnia

Estava anotado que o grupo de Lucinda tinha chegado na Sword & Cross no dia quinze de setembro daquele ano. O segundo grupo chegara no dia quinze de março três anos antes.

— Quem é Mary Margaret Zane? — Luce perguntou.

— Apenas a extremamente virtuosa Molly — respondeu Penn.

O nome de Molly era Mary Margaret?

— Não me admira ela ter tanta raiva do mundo — comentou Luce. — Então, onde foi que arranjou isso?

— Tirei de uma das caixas que a Srta. Sophia levou lá para baixo naquele dia — disse Penn. — Essa letra é da Srta. Sophia.

Luce olhou para ela.

— E o que isso significa? Por que ela precisaria anotar isso? Achei que eles tinham nossas datas de chegada em nossos arquivos separadamente.

— E têm. Também não consigo entender — Penn continuou. — E, quero dizer, mesmo que você tenha chegado no mesmo dia que os outros, não é como se tivesse alguma coisa em comum com eles.

— Eu não poderia ter *menos* em comum com eles — disse Luce, lembrando-se da expressão inocente que Gabbe sempre tinha colada no rosto.

Penn coçou o queixo.

— Mas, quando Ariane, Molly e Daniel chegaram, já se conheciam. Acho que vieram do mesmo reformatório de L.A.

Em algum lugar ali estava a chave para o passado de Daniel. Com certeza ele tinha uma história além de um reformatório na Califórnia. Mas, lembrando de sua reação — aquele horror por Luce mostrar algum interesse em saber qualquer outra coisa sobre ele —, bem, isso a fazia sentir que o que estava fazendo com Penn era fútil e imaturo.

— Para que tudo isso? — Luce perguntou, subitamente irritada.

— Por que a Srta. Sophia estaria reunindo todas essas informações, eu não sei. Apesar de a Srta. Sophia ter chegado à Sword & Cross no mesmo dia que Ariane, Daniel e Molly... — Penn continuou. — Quem sabe? Talvez não signifique nada. É que falam tão pouco de Daniel nos registros que achei que valeria mostrar qualquer coisa que descobrisse. O que nos leva à segunda evidência.

Penn apontou o segundo bilhete na mão de Luce.

Luce suspirou. Parte dela queria encerrar essa investigação e parar de se sentir envergonhada em relação a Daniel. Mas uma parte ainda mais insistente dela queria conhecê-lo melhor... o que, estranhamente, era muito mais fácil de se fazer sem que ele estivesse tecnicamente presente para dar a ela novos motivos para se sentir envergonhada.

Luce baixou os olhos para o bilhete, uma xerox de um antiquado cartão de biblioteca.

Grigori, D. Os guardiões: Mitos na Europa Medieval.
Editora Serafim, Roma, 1755.
Identificação: R999.318 GRI

— Parece que um dos antepassados de Daniel era um estudioso — disse Penn, relendo a ficha por cima do ombro de Luce.

— Deve ter sido isso que ele quis dizer... — Luce refletiu baixinho. Ela olhou para Penn. — Ele me disse que estudar religião estava em seu sangue. Deve ter sido isso que ele quis dizer.

— Achei que ele era órfão...

— Não queira saber — disse Luce, acenando para ela desistir. — Assunto delicado para ele. — Ela passou o dedo sobre o título do livro. — O que é um guardião?

— Só há um jeito de descobrir — respondeu Penn. — Apesar de um possível arrependimento eterno, já que esse parece ser o livro mais chato de todos os tempos... Mesmo assim — ela acrescentou, limpando os dedos na camisa —, tomei a liberdade de olhar no catálogo. O livro deve estar na biblioteca. Pode me agradecer depois.

— Você é boa. — Luce sorriu. Ela estava ansiosa para chegar à biblioteca. Se alguém da família de Daniel tinha escrito um livro, não havia como ser chato. Ou pelo menos não para Luce. Mas então ela olhou para a outra coisa que tinha nas mãos: a caixa de veludo de Cam.

— O que acha que isso significa? — perguntou para Penn enquanto começavam a andar para as escadas cobertas de azulejo em direção à biblioteca.

Penn deu de ombros:

— Em relação a cobras você sente...

— Ódio, agonia, intensa paranoia e nojo — listou Luce.

— Talvez seja tipo... Por exemplo, eu costumava ter medo de cactos. Não podia nem chegar perto! Ei, não ria, você por acaso já se machucou numa daquelas coisas? Ficam na sua pele durante dias. Enfim, um ano, no meu aniversário, meu pai me deu tipo onze cactos. A princípio fiquei com vontade de jogar todos em cima dele, mas depois, sabe como é, me acostumei. Já não ficava apavorada toda vez que estava perto de um. No final, deu supercerto.

— Então está dizendo que o presente de Cam — disse Luce —, na verdade, é muito encantador.

— Acho que sim — disse Penn. — Mas se eu soubesse que ele estava a fim de você, *não* teria confiado a ele nossos bilhetes particulares. Foi mal.

— Ele não está a fim de mim — Luce começou a dizer, tocando a corrente de ouro dentro da caixa, imaginando como ia ficar nela. Não tinha contado nada sobre seu piquenique com Cam para Penn porque, bem, não sabia exatamente a razão. Tinha a ver com Daniel e como Luce ainda não conseguia entender o que sentia, ou o que queria sentir, por nenhum dos dois.

— Rá — riu Penn. — Então quer dizer que você meio que gosta dele! Traindo Daniel. Não consigo me manter atualizada com você e seus homens.

— Como se tivesse alguma coisa rolando com *algum* dos dois — disse Luce mal-humorada. — Acha que Cam leu os bilhetes?

— Se ele leu, e ainda assim lhe deu esse colar — respondeu Penn —, então está mesmo a fim de você.

As duas entraram na biblioteca e as pesadas portas duplas bateram com força atrás delas, o som ecoando pelo salão. A Srta. Sophia levantou os olhos das pilhas de papel que cobriam sua mesa iluminada por um abajur.

— Ah, olá, garotas — disse, sorrindo com tanta alegria que Luce se sentiu culpada mais uma vez por não prestar atenção em sua aula. — Espero que tenham gostado da minha breve revisão! — Ela praticamente cantarolou de alegria.

— Muito mesmo. — Luce assentiu, apesar de não haver nada de breve naquilo. — Viemos aqui revisar algumas coisas antes do teste.

— Isso mesmo — acrescentou Penn. — Você nos inspirou.

— Que maravilha! — A Srta. Sophia remexeu na sua papelada. — Tenho uma lista de leituras adicionais em algum lugar. Ficaria feliz em copiar para vocês.

— Ótimo — mentiu Penn, dando a Luce um pequeno empurrãozinho para as fileiras de estantes. — A gente avisa se precisar!

Com exceção da Srta. Sophia em sua mesa, a biblioteca estava quieta. Luce e Penn viram os números de identificação enquanto conferiam estante após estante até os livros sobre religião. As luzes programadas para poupar energia tinham detectores de movimento e deviam acender quando alguém cruzava os corredores, mas apenas cerca de metade delas funcionava. Luce percebeu que Penn ainda estava segurando seu braço, e depois entendeu que não queria mesmo que ela o soltasse.

As garotas chegaram à normalmente cheia sessão de estudos, onde apenas uma lâmpada estava acesa. Todos os outros deviam estar na festa de Gabbe. Todo mundo, menos Todd. Ele estava com os pés em cima da cadeira à sua frente e parecia estar lendo um atlas mundial imenso. Quando as garotas passaram, ele as olhou com uma expressão estranha que denunciava muita solidão ou ligeira irritação por estar sendo perturbado.

— Está tarde para vocês estarem por aqui — disse ele, seco.

— Para você também — retaliou Penn, mostrando a língua dramaticamente.

Quando já tinham se afastado um pouco de onde Todd estava, Luce ergueu uma sobrancelha para Penn:

— Que foi *aquilo*?

— O quê? — disse Penn, amuada. — Ele meio que dá em cima de mim. — Ela cruzou os braços e soprou um cacho de cabelo castanho para longe dos olhos. — Até parece.

— Você está o quê, no quarto ano? — Luce provocou.

Penn esticou o dedo para Luce com uma intensidade que a faria pular para trás, se não estivesse com tanta vontade de rir.

— Conhece mais alguém que investigaria a história familiar de Daniel Grigori com você? Acho que não. Então me deixa.

A essa altura, finalmente tinham chegado ao canto no fundo da biblioteca, onde todos os livros 999 estavam guardados numa única prateleira cor de chumbo. Penn se agachou e tocou as lombadas dos livros com o dedo. Luce sentiu um tremor, como se alguém estivesse passando um dedo pelo seu pescoço. Virou a cabeça e viu um tufo cinza. Não preto, como geralmente eram as sombras, mas mais leve e mais fino. Mas tão indesejável quanto.

Ela observou com os olhos esbugalhados enquanto a sombra se alongava como uma corda comprida e ondulante diretamente acima da cabeça de Penn. Ela desceu lentamente, como uma agulha, e Luce não queria nem pensar no que poderia acontecer se aquilo tocasse em sua amiga. Aquele dia na academia tinha sido a primeira vez que as sombras a tocaram — e Luce ainda se sentia violada, quase suja, com aquilo. Ela não sabia o que mais as sombras podiam fazer.

Nervosa, insegura, Luce esticou o braço como um taco de beisebol, respirou fundo e deu um tapa no ar. Luce se arrepiou com o contato gelado quando golpeou a sombra para longe — e bateu no alto da cabeça de Penn.

Penn apertou as mãos em volta da cabeça e olhou chocada para Luce:

— *Qual* é o seu problema?

Luce se encolheu ao lado dela e afagou o topo da cabeça de Penn.

— Desculpe. Tinha uma... achei que tinha visto uma abelha... pousando na sua cabeça. Fiquei em pânico. Não queria que ela picasse você.

Luce podia sentir como era imensamente, totalmente ridícula essa desculpa, e esperou que a amiga achasse a coisa toda uma bobagem. O que uma abelha estaria fazendo numa biblioteca? Ela esperou Penn desistir, enraivecida.

Mas o rosto redondo de Penn amoleceu. Ela segurou as mãos de Luce nas suas e as sacudiu.

— Tenho horror de abelhas também — confessou. — E sou extremamente alérgica. Você basicamente acaba de salvar minha vida.

Esse era para ser um grande momento entre as duas — só que não era, porque Luce estava completamente consumida pela presença das sombras. Se apenas houvesse uma maneira de tirá-las de sua mente, de afastar essas coisas sombrias, sem ter que se separar de Penn.

Luce tinha uma sensação forte e incômoda a respeito dessa sombra cinzenta. A uniformidade das sombras nunca tinha sido reconfortante, mas essas recentes variações a faziam atingir um novo nível de nervosismo. Significava que mais tipos de sombras estavam indo atrás dela? Ou ela só estava ficando mais experiente em distingui-las? E quanto àquele momento esquisito durante a aula da Srta. Sophia, quando ela beliscou uma sombra e a fez se afastar de seu bolso? Luce tinha feito aquilo sem pensar e não tinha motivo para esperar que seus dedos fossem páreo para uma sombra, mas acontecera — ela olhou em volta das prateleiras —, pelo menos temporariamente.

Ela se perguntou se havia estabelecido algum tipo de precedente nas interações com as sombras, embora chamar o que acabara de fazer com a sombra acima da cabeça de Penn de "interagir" era, até Luce sabia, um eufemismo. Uma sensação fria e enjoada surgiu em seu estômago quando ela percebeu que o que tinha começado a fazer com as sombras estava mais para... lutar contra elas.

— Que coisa estranha — comentou Penn de onde estava no chão. — Devia estar bem aqui, entre *O dicionário dos anjos* e essa horrível coisa sobre enxofre e fogo de Billy Graham. — Ela olhou para Luce. — Mas não está.

— Mas achei que tinha dito...

— E disse. O computador listava como se estivesse disponível quando olhei essa tarde, mas não podemos entrar online tarde assim para checar de novo.

— Pergunte para o seu amigo Todd — sugeriu Luce. — Talvez ele esteja usando o livro para disfarçar suas *Playboys*.

— Que nojo. — Penn deu-lhe um tapa na coxa.

Luce sabia que só tinha feito essa piada para tentar amenizar a decepção. Era tão frustrante; ela não conseguia descobrir nada sobre Daniel sem dar de cara num obstáculo. Não sabia o que poderia encontrar nas páginas daquele livro do ta-ta-taravô dele ou algo do tipo, mas pelo menos encontraria *alguma outra coisa* sobre ele. Isso com certeza seria melhor do que nada.

— Fique aqui — disse Penn, se levantando. — Vou perguntar à Srta. Sophia se alguém retirou esse livro hoje.

Luce observou enquanto a amiga corria pelo longo corredor de volta até a mesa da bibliotecária. Ela riu quando Penn apressou-se mais ainda ao passar por onde Todd estava sentado.

Sozinha nos fundos, Luce tocou em mais alguns livros das prateleiras. Fez uma rápida recapitulação mental dos alunos da Sword & Cross, mas não conseguia pensar em nenhum provável candidato a retirar um livro sobre religião. Talvez a Srta. Sophia o tivesse usado como referência para sua aula mais cedo. Luce imaginou como devia ser para Daniel ficar sentado ali, ouvindo a bibliotecária falando sobre assuntos que provavelmente eram discutidos durante o jantar quando estava crescendo. Luce queria saber como tinha sido sua infância. O que tinha acontecido com a família? Será que sua educação no orfanato tinha sido religiosa? Ou sua infância tinha sido como a dela, em que as únicas coisas religiosamente adoradas eram notas boas e honras acadêmicas? Ela queria saber se Daniel já lera esse livro de seu antepassado e o que tinha achado, e se gostava de escrever também. Queria saber o que ele estava fazendo nesse exato momento na festa de Gabbe e quando era seu aniversário e qual número ele calçava e se ele já havia desperdiçado um único segundo pensando nela.

Luce balançou a cabeça. Pensar nessas coisas era um caminho sem volta à autopiedade, e ela queria dar o fora. Tirou o primeiro livro da prateleira — o *Dicionário dos Anjos*, um livro sem graça com a capa forrada de tecido — e decidiu se distrair lendo até Penn voltar.

Ela tinha chegado na parte do anjo caído Abbadon, que se arrependera de ficar ao lado de Satã e constantemente lamentava sua escolha — *bocejo* — quando um apito estridente tocou. Luce olhou para cima e viu as luzes vermelhas do alarme de incêndio.

— Alerta. Alerta. — Uma voz robótica sem emoção anunciava por um alto-falante. — O alarme de incêndio foi ativado. Saiam do prédio.

Luce colocou o livro de volta na prateleira e se levantou. Faziam esse tipo de coisa na Dover o tempo todo. Depois de um tempo, tinha chegado no nível em que nem os professores obedeciam mais às simulações mensais de incêndio, então os bombeiros começaram a acionar o alarme de verdade para fazer as pessoas reagirem. Luce podia ver sem problemas os administradores da Sword & Cross fazendo esse tipo de coisa. Mas quando ela começou a caminhar para a saída, ficou surpresa ao começar a tossir. Realmente havia fumaça dentro da biblioteca.

— Penn? — ela gritou, escutando o som ecoar de volta até seus ouvidos. Sabia que não seria ouvida por cima dos gritos agudos do alarme.

O cheiro acre da fumaça a levou instantaneamente de volta à noite do incêndio com Trevor. Imagens e sons inundaram sua mente, coisas que ela estivera guardando tão escondido na memória que podia até mesmo ter esquecido. Até agora.

O branco contrastante dos olhos de Trevor contra a luz laranja. Os tentáculos de chamas se espalhando por cada um de seus dedos. O estridente, interminável grito que ainda soava em sua cabeça como uma sirene, bem depois de Trevor ter desistido. E o tempo todo ela ficara ali, olhando, sem conseguir parar de olhar, congelada naquele banho de calor. Ela não conseguira se mexer. Não tinha conseguido fazer nada para ajudá-lo. Então ele tinha morrido.

Luce sentiu uma mão agarrando seu pulso esquerdo e se virou, esperando ver Penn, mas era Todd. Os brancos de seus olhos estavam imensos, e ele também estava tossindo.

— Temos que sair daqui — disse ele, respirando rapidamente. — Acho que tem uma saída nos fundos.

— E Penn e a Srta. Sophia? — Luce perguntou. Ela estava se sentindo fraca e tonta, e esfregou os olhos. — Elas estavam do outro lado. — Quando apontou para o corredor em direção à entrada, pôde ver que a fumaça estava muito mais espessa lá.

Todd pareceu em dúvida por um segundo, mas depois concordou.

— Certo — disse, segurando seu pulso enquanto os dois se agachavam e iam em direção às portas da frente da biblioteca. Eles viraram à direita quando um corredor parecera particularmente mais enfumaçado, e ficaram de frente para uma parede de livros sem ter a mínima ideia de para onde correr. Os dois pararam para tossir e engasgar. A fumaça, que apenas um minuto antes simplesmente pairava sobre suas cabeças, agora descia até seus ombros.

Mesmo se abaixando, estavam sufocando, e não podiam ver mais do que alguns centímetros à frente. Certificando-se de que continuava segurando Todd, Luce deu a volta, subitamente sem saber de que direção tinham vindo. Estendeu o braço e sentiu a prateleira de metal quente. Ela não conseguia nem identificar as letras nas lombadas dos livros. Estavam na seção D ou O?

Não havia pistas para guiá-los até Penn e a Srta. Sophia, e nem para a saída. Luce sentiu uma onda de pânico a invadindo, deixando sua respiração ainda mais difícil.

— Elas já devem ter saído pelas portas da frente! — Todd gritou, parecendo não ter muita certeza daquilo. — Temos que voltar!

Luce mordeu o lábio. Se acontecesse alguma coisa a Penn...

Ela mal conseguia ver Todd, que estava bem na sua frente. Ele estava certo, mas onde ficava a porta dos fundos? Luce assentiu em silêncio, e sentiu a mão dele apertando a sua.

Durante um bom tempo, Luce andou sem saber para onde estava indo, mas, enquanto corriam, a fumaça subiu, pouco a pouco, até, depois de um tempo, ela poder ver o brilho avermelhado de um sinal de saída de emergência. Luce suspirou de alívio enquanto Todd procurava a maçaneta e finalmente abriu a porta.

Eles estavam num corredor que Luce nunca tinha visto antes. Todd fechou a porta com força atrás deles. Os dois arfaram e encheram os pulmões de ar puro. Tinha um gosto tão bom que Luce queria poder comê-lo, beber um galão dele, se banhar nele. Ela e Todd expulsaram a fumaça de seus pulmões, tossindo até começarem a rir, uma risada nervosa e apenas ligeiramente aliviada. Riram até chorar. Mas, mesmo depois de Luce terminar de chorar e tossir, seus olhos continuavam a lacrimejar.

Como ela podia respirar esse ar quando nem sabia o que tinha acontecido com Penn? Se Penn não tivesse escapado — se estivesse desmaiada em algum lugar lá dentro — então Luce falhara com mais alguém querido. Só que, dessa vez, seria bem pior.

Luce secou os olhos e viu uma nuvem de fumaça se encaracolar pela fresta embaixo da porta. Ainda não estavam a salvo. Havia outra porta no final do corredor; pela janela de vidro na porta, Luce podia ver o balanço de uma árvore na noite. Ela relaxou. Em poucos instantes estariam lá fora, longe dessa fumaça sufocante.

Se fossem rápidos o suficiente, poderiam dar a volta até a entrada para ter certeza de que Penn e a Srta. Sophia tinham saído e que estavam bem.

— Vamos lá — disse a Todd, que estava dobrado, chiando. — Temos que continuar.

Ele endireitou as costas, mas Luce podia ver que ele estava realmente acabado. Seu rosto estava vermelho, os olhos assustados e molhados. Ela praticamente teve que arrastá-lo até a porta.

Ela estava tão concentrada em sair que demorou muito para entender o barulho pesado e sibilante que vinha de cima deles, ocultando os alarmes.

Luce olhou para cima e viu um turbilhão de sombras. Um espectro de tons que iam do cinza até o preto mais profundo. Ela deveria enxergar apenas o teto, mas as sombras pareciam, de alguma maneira, ultrapassar esses limites, criando um céu estranho e misterioso. Estavam todas entrelaçadas umas nas outras, e ainda assim totalmente distintas.

Entre elas estava a mais clara, acinzentada, que Luce vira antes. Não tinha mais o formato de agulha; agora quase parecia a chama de um fósforo. Ela ondulava acima deles no corredor. Luce realmente afastara aquela escuridão amorfa que tentara tocar na cabeça de Penn? A lembrança fazia suas palmas coçarem e ela contorceu os dedos do pé.

Todd começou a bater nas paredes, como se o corredor estivesse se encolhendo em volta deles. Luce sabia que não estavam nem perto da porta, então agarrou a mão dele, mas as palmas suadas escorregaram, se soltando. Ela apertou o pulso dele com toda a força. Todd estava branco como um fantasma, abaixado perto do chão, quase encolhido. Um gemido apavorado escapou de seus lábios.

Foi porque agora a fumaça estava enchendo o corredor também?

Ou porque ele também sentia a presença das sombras? Impossível.

E, ainda assim, seu rosto estava retorcido e horrorizado. Muito mais agora que as sombras estavam sobre suas cabeças.

— Luce? — Sua voz tremia.

Outra horda de sombras se ergueu diretamente no caminho que deveriam seguir. Um cobertor preto profundo de escuridão se espalhou pelas paredes e fez com que ficasse impossível para Luce enxergar a porta. Ela olhou Todd — ele conseguia vê-la?

— Corra! — gritou Luce.

Será que ele conseguiria correr? Seu rosto estava branco como giz e suas pálpebras pesavam. Ele estava prestes a desmaiar. Mas então, subitamente pareceu que ele a estava carregando.

Ou *alguma coisa* estava carregando os dois.

— Mas o que é isso? — gritou Todd.

Seus pés tocaram o chão só por um momento. Parecia que estavam pegando uma onda no oceano, uma crista que a levantava cada vez mais alto, enchendo seu corpo de ar. Luce não sabia para onde estava indo — não conseguia nem ver a porta, apenas um redemoinho de sombras escuras como tinta em volta de tudo. Rondando, mas sem a tocar. Ela devia estar aterrorizada, mas não estava. De alguma maneira, se sentia protegida das sombras, como se alguma coisa a estivesse guardando — alguma coisa fluida mas impenetrável. Alguma coisa inquietantemente familiar. Uma coisa forte, mas também gentil. Uma coisa...

Quase rápido demais, ela e Todd chegaram à porta. Seus pés tocaram novamente o chão, e ela se jogou contra a barra de emergência da porta de saída.

Então ela suspirou. Sufocou. Arfou. Engasgou.

Outro alarme estava soando, mas parecia distante.

O vento chicoteou seu pescoço. Estavam do lado de fora! Estavam parados num pequeno monte. Um lance de escadas descia até o gramado, e mesmo que tudo em sua cabeça parecesse turvo e cheio de fumaça, Luce pensou ter ouvido vozes perto dali.

Ela olhou para trás para tentar entender o que havia acabado de acontecer. Como ela e Todd tinham passado pela sombra mais espessa, mais escura e mais impenetrável de todas? E *o que* era aquilo que os salvara? Luce sentia falta de sua presença.

Ela quase quis voltar para entender melhor.

Mas o corredor estava escuro, seus olhos ainda lacrimejavam e Luce não conseguia mais distinguir as sombras se retorcendo. Talvez tivessem ido embora.

Então surgiu uma luz meio partida, alguma coisa que parecia o tronco de uma árvore e seus galhos — não, parecia um torso, com membros compridos e amplos. Uma coluna de luz pulsante, quase violeta, pairava sobre eles. Fez com que Luce se lembrasse de Daniel mesmo que não fizesse sentido algum. Ela estava vendo coisas. Luce respirou fundo e tentou piscar para expulsar as lágrimas de ardência dos olhos. Mas a luz ainda estava lá. Ela sentiu mais do que a escutou chamando-a, acalmando-a, uma canção de ninar em meio a uma zona de guerra.

Por isso ela não viu a sombra chegando.

A sombra bateu nela e em Todd, separando-os e arremessando Luce no ar.

Ela caiu como uma trouxa de roupas nos pés das escadas. Um grunhido agonizante escapou de seus lábios.

Por um longo momento, sua cabeça latejou. Ela nunca senti-ra uma dor tão profunda e aguda como essa. Ela gritou para a noite, para a batalha de luz e sombra acima dela.

Mas foi demais para ela e Luce se rendeu, seus olhos se fechando.

ONZE

DESPERTAR CRUEL

— Está com medo? — Daniel perguntou. Sua cabeça ainda estava inclinada, o cabelo loiro balançando na brisa suave. Ele a segurava, e apesar de seu toque ser firme em volta da cintura de Luce, era também macio e leve como seda. Os dedos dela estavam entrelaçados atrás do seu pescoço nu.

Se estava com medo? Certamente não. Estava com Daniel. Finalmente. Em seus braços. A questão mais importante no fundo de sua mente era: ela *devia* estar com medo? Não podia ter certeza. Ela não sabia nem onde estava.

Luce sentia o cheiro de chuva no ar, por perto. Mas tanto ela quanto Daniel estavam secos. Ela sentia um longo vestido branco que descia até seus tornozelos. Restava apenas um pouco de luz do sol. Luce sentiu um arrependimento esmagador por ter perdido o pôr do sol, como se houvesse alguma coisa que pudesse fazer para impedi-lo. De alguma maneira, ela sabia que esses raios de luz finais eram tão preciosos quanto as últimas gotas de mel num pote.

— Vai ficar comigo? — ela perguntou. Sua voz era um sussurro fraco, quase abafada pelo trovão que roncou alto. Uma rajada de vento rodopiou em volta deles, cobrindo os olhos de Luce com seus cabelos. Daniel apertou os braços em volta dela com mais força, até que respirassem alternadamente um no outro, sentindo o cheiro da pele dele na dela.

— Para sempre — sussurrou ele de volta. O som doce de sua voz a preenchia.

Havia um pequeno arranhão no lado esquerdo da testa de Daniel, mas ela esqueceu aquilo quando ele tocou sua bochecha e trouxe o rosto dela para mais perto. Ela inclinou sua cabeça para trás e sentiu o corpo inteiro ficar paralisado pela expectativa.

Finalmente, finalmente — os lábios dele tocaram os dela, com uma urgência de tirar o fôlego. Daniel a beijou como se Luce pertencesse a ele, com a naturalidade de alguém que recupera uma parte de si, há muito perdida.

Então a chuva começou a cair. Encharcou os cabelos, desceu pelo rosto e para dentro da boca dos dois. A chuva era quente e inebriante, como os beijos que trocavam.

Luce abraçou as costas de Daniel para puxá-lo para mais perto, e suas mãos escorregaram por algo que parecia veludo. Ela passou uma das mãos por cima, depois outra, procurando seus limites, e então olhou para o que havia atrás do rosto reluzente de Daniel.

Algo se desenrolava às suas costas.

Asas. Lustrosas e iridescentes, batendo suavemente, sem esforço, brilhando sob a chuva. Ela as vira antes, talvez, ou alguma coisa parecida com elas, em algum lugar.

— Daniel — ela disse arfando. As asas tomaram conta de seus olhos e de sua mente. Elas pareciam um redemoinho de milhões de cores, fazendo sua cabeça doer. Luce tentou olhar para outra coisa, qualquer coisa, mas, de todos os lados, tudo que ela conseguia ver além de Daniel eram os intermináveis tons de rosa e de azul do céu no pôr do sol. Até ela olhar para baixo e ver a última coisa.

O chão.

A milhares de metros abaixo deles.

❊❊

Quando Luce abriu os olhos, estava claro demais, sua pele estava seca demais, e havia uma dor lancinante na parte de trás de sua cabeça. O céu se fora, assim como Daniel.

Outro sonho.

Só que esse a deixara se sentindo quase doente de desejo.

Ela estava num quarto de paredes brancas, deitada numa cama de hospital. À sua esquerda, uma cortina fina como papel tinha sido puxada até a metade do quarto, separando-a do que havia do outro lado, algo inquieto.

Luce cuidadosamente tocou o lugar dolorido na base de seu pescoço e choramingou.

Ela tentou pegar suas coisas. Não sabia onde estava, mas tinha a nítida sensação de que não estava mais na Sword & Cross. Seu esvoaçante vestido branco era — ela sentiu dos lados — uma enorme camisola de hospital. Ela podia sentir cada parte do sonho esvaindo-se — tudo menos aquelas asas. Eram tão reais. O toque delas tão aveludado e fluido. Seu estômago se apertou. Ela abriu e fechou os punhos, sem nada para agarrar.

Alguém segurou e apertou sua mão direita. Luce virou a cabeça rapidamente e estremeceu. Ela achara que estava sozinha.

Gabbe estava na beirada de uma cadeira de rodas azul velha que parecia, pelo incrível que pareça, realçar a cor de seus olhos.

Luce queria puxar sua mão de volta — ou pelo menos *esperava* querer puxar —, mas então Gabbe deu-lhe um sorriso caloroso, um sorriso que fez Luce se sentir, de alguma maneira, segura, percebendo que estava feliz por não estar sozinha.

— O quanto de tudo aquilo foi um sonho? — murmurou.

Gabbe riu. Havia um pote de creme para as cutículas na mesinha ao lado dela, e começou a esfregar a coisa branca com cheiro de limão em volta das unhas de Luce.

— Tudo depende — respondeu, massageando os dedos de Luce. — Mas não se preocupe com sonhos. Eu sei que, toda vez que sinto meu mundo virando de cabeça para baixo, nada me traz de volta tão bem quanto uma manicure.

Luce olhou para baixo. Ela nunca tinha sido muito fã de esmalte, mas as palavras de Gabbe fizeram-na se lembrar de sua mãe, que estava sempre sugerindo que ela fosse à manicure quando tinha um dia ruim. Enquanto as mãos de Gabbe trabalhavam lentamente em suas unhas, Luce se perguntou por que perdera uma coisa tão boa todos esses anos.

— Onde estamos? — perguntou.

— Hospital Lullwater.

Sua primeira viagem para fora do campus, e acabara num hospital a cinco minutos da casa de seus pais. A última vez em que estivera aqui foi para levar três pontos no cotovelo quando caiu da bicicleta. Seu pai não tinha saído do seu lado. Agora ele nem estava por perto.

— Há quanto tempo estou aqui? — perguntou.

Gabbe olhou um relógio branco na parede e disse:

— Acharam você desmaiada por ter inalado fumaça ontem à noite por volta das 23h. É de rotina chamar a emergência quando encontram um aluno de reformatório inconsciente, mas não se preocupe, Randy disse que vão deixar você sair bem rápido. Assim que seus pais derem permissão...

— Meus pais estão aqui?

— E cheios de preocupação com a filha, até as pontas duplas do cabelo com permanente de sua mãe. Estão no corredor, afogados em papelada. Falei a eles que ia ficar de olho em você.

Luce gemeu e apertou o rosto contra o travesseiro, sentindo a dor profunda atrás de sua cabeça de novo.

— Se não quiser vê-los...

Mas Luce não estava gemendo por causa de seus pais. Mal podia esperar para vê-los. Ela estava se lembrando da biblioteca, do incêndio, da nova leva de sombras que ficava cada vez mais aterrorizante. Elas sempre foram escuras e desagradáveis, mas na noite passada quase parecera que as sombras *queriam* alguma coisa dela. E então teve aquela outra coisa, a força levitacional que a libertara.

— Que cara é essa? — Gabbe perguntou, inclinando a cabeça de lado e abanando sua mão no ar na frente do rosto de Luce. — No que está pensando?

Luce não sabia o que pensar da súbita gentileza de Gabbe. Ajudante de enfermeira não parecia exatamente o tipo de trabalho para o qual Gabbe se ofereceria, e até parece que não havia nenhum cara por aí cuja atenção ela não pudesse monopolizar. Gabbe não parecia gostar de Luce. Não apareceria ali por vontade própria, não é?

Mas, mesmo sendo gentil como Gabbe estava sendo, não havia como explicar o que acontecera na noite passada. O encontro macabro e indescritível no corredor. A sensação surreal de ser carregada para a frente em meio àquela escuridão. Aquela estranha e convincente figura de luz.

— Cadê o Todd? — Luce perguntou, lembrando-se dos olhos marejados do garoto. Ela não conseguiu segurá-lo, voando para longe, e então...

A cortina fina foi subitamente aberta, e lá estava Ariane, usando patins e um uniforme listrado de vermelho e branco. Seu cabelo curto preto estava enrolado numa série de pequenos nós em sua cabeça. Ela deslizou, carregando uma bandeja onde estavam três cocos cobertos de canudos de festa com guarda-chuvas em cores neon.

— Agora deixe-me ver se entendi — disse ela numa voz gutural e nasalada. — Você põe o limão no coco e bebe tudo junto... Opa, que caras são essas? Estou interrompendo alguma coisa?

Ariane freou os patins na beirada da cama de Luce e estendeu um coco com um guarda-chuva cor-de-rosa bambo.

Gabbe levantou num pulo e pegou o coco primeiro, cheirando seu conteúdo.

— Ariane, ela acabou de sofrer um *trauma* — repreendeu. — E, para sua informação, o que você interrompeu foi o assunto "Todd".

Ariane esticou as costas.

— Precisamente porque ela precisa de algo especial — argumentou, segurando a bandeja possessivamente enquanto ela e Gabbe começaram uma competição de quem encarava a outra por mais tempo.

— Ótimo — disse Ariane finalmente, desviando os olhos. — Vou dar a ela o *seu* drinque sem graça. — Ela entregou a Luce o coco com canudo azul.

Luce devia estar em algum tipo de delírio pós-traumático. Onde elas tinham arranjado essas coisas? Cocos? Drinques com guarda-chuvinhas? Era como se tivesse sido arrancada do reformatório e acordado no Club Med.

— Onde vocês arranjaram tudo isso? — perguntou. — Quer dizer, eu agradeço, mas...

— Usamos nossos recursos quando é necessário — respondeu Ariane. — Roland ajudou.

As três ficaram sentadas bebendo os drinques gelados e doces por um momento, até Luce não aguentar mais.

— Então, voltando a Todd...?

— Todd — disse Gabbe, limpando a garganta. — O negócio é que... ele inalou muito mais fumaça que você, querida...

— Não foi isso — interrompeu Ariane. — Ele quebrou o pescoço.

Luce arfou, e Gabbe bateu em Ariane com o guarda-chuva de seu drinque.

— O quê? — perguntou Ariane. — Luce aguenta. Ela ia descobrir uma hora ou outra mesmo, então pra que florear?

— As evidências ainda são inconclusivas — disse Gabbe, enfatizando as palavras.

Ariane deu de ombros.

— Luce estava lá, ela deve ter visto...

— Não vi o que aconteceu com ele — disse Luce de uma vez. — Estávamos juntos e de alguma maneira fomos separados. Tive uma sensação ruim, mas não sabia — sussurrou. — Então ele...

— Foi embora desse mundo — Gabbe disse suavemente.

Luce fechou os olhos. O arrepio gelado que subiu por sua espinha não tinha nada a ver com o drinque. Ela se lembrou de Todd batendo freneticamente nas paredes, a mão suada apertando a dela quando as sombras desceram sobre os dois, aquele horrível momento em que foram separados e que ela estava cansada demais para ir até ele.

Ele vira as sombras. Luce tinha certeza agora. E ele morreu.

Depois da morte de Trevor, não se passava uma semana sem que Luce recebesse uma carta furiosa. Seus pais começaram a tentar selecionar o correio para que ela não lesse aquelas coisas venenosas, mas muita coisa ainda chegava em suas mãos. Algumas cartas eram escritas à mão, outras impressas, algumas até vinham com letras cortadas de revistas, no estilo pedido de resgate. *Assassina. Bruxa.* Tinham-na chamado de nomes cruéis em número suficiente para encher um diário, e causado agonia o bastante para mantê-la trancada dentro de casa o verão todo.

Luce achou que se esforçara bastante para superar aquele pesadelo: deixando seu passado para trás ao vir para a Sword & Cross, concentrando-se nas aulas, fazendo amigos... Ah, Deus. Ela segurou o fôlego.

— E Penn? — perguntou, mordendo o lábio.

— Penn está bem — disse Ariane. — Está se achando a testemunha da primeira página do jornal, tendo visto o incêndio pessoalmente. Ela e a Srta. Sophia conseguiram sair, cheirando pior que uma mina do leste da Geórgia, mas sem um arranhão.

Luce expirou. Pelo menos havia algumas notícias boas. Mas sob os lençóis da enfermaria, finos como papel, estava tremendo. O mesmo tipo de gente que tinha tentado atacá-la por causa da morte de Trevor voltaria. Não apenas os que escreveram as cartas furiosas. Mas também o Dr. Stanford. Seu oficial da condicional. A polícia.

Como da outra vez, esperavam que Luce tivesse a história toda pronta para contar. Que se lembrasse de cada pequeno detalhe, mas, obviamente, como da outra vez, ela não conseguiria. Um minuto, Todd estava ao lado dela, só os dois. No seguinte...

— Luce! — Penn entrou no quarto, segurando um grande balão de gás marrom. Era do formato de um band-aid e dizia *Segura firme* em letras cursivas azuis. — O que é isso? — ela perguntou, olhando criticamente para as outras garotas. — Algum tipo de festa do pijama?

Ariane tinha desamarrado os patins e subido na pequena cama ao lado de Luce. Estava mexendo nos drinques e deitara a cabeça no ombro da amiga. Gabbe estava passando esmalte incolor na mão livre de Luce.

— Isso — gargalhou Ariane. — Junte-se a nós, Pennyloafer. Estamos prestes a brincar de "verdade ou consequência". Vamos deixar você ser a primeira.

Gabbe tentou cobrir sua risada com um gracioso espirro falso.

Penn colocou as mãos nos quadris. Luce se sentiu mal por ela e também um pouco assustada. Penn parecia estar muito brava.

— Um dos nossos colegas *morreu* ontem à noite — Penn enunciou as palavras cuidadosamente. — E Luce podia ter se machucado sério. — Ela balançou a cabeça. — Como vocês duas podem brincar numa hora dessas? — Penn fungou. — Isso é álcool?

— Ahhh! — exclamou Ariane, olhando para Penn com o rosto sério. — Você *gostava* dele, não gostava?

Penn pegou um travesseiro da cadeira atrás dela e o jogou em Ariane. A questão era que Penn tinha razão. Era *realmente* estranho que Ariane e Gabbe estivessem falando da morte de Todd... quase levianamente. Como se esse tipo de coisa acontecesse o tempo todo. Como se aquilo não as afetasse do modo que afetava a Luce. Mas elas não tinham como saber o que Luce sabia sobre os últimos momentos de Todd. Não tinham como saber por que se sentia tão enjoada agora. Ela deu um tapinha na beirada da cama para Penn se sentar e entregou a ela o que restava de seu coco gelado.

— Saímos pela porta dos fundos, e então... — Luce não conseguia nem dizer as palavras. — O que aconteceu com você e a Srta. Sophia?

Penn olhou desconfiada para Ariane e Gabbe, mas nenhuma das duas pareceu que falaria algo desagradável. Penn se rendeu e sentou na beirada da cama.

— Só fui lá perguntar a ela sobre — ela olhou para as outras duas garotas de novo, então lançou um olhar cheio de significado para Luce — uma dúvida minha. Ela não sabia a resposta, mas queria me mostrar outro livro.

Luce tinha esquecido tudo sobre a investigação dela e de Penn na noite anterior. Parecia tão distante e tão sem sentido depois do que tinha acontecido.

— Nós nos afastamos dois passos da mesa da Srta. Sophia — continuou Penn —, e de repente houve essa imensa explosão de luz. Quero dizer, já li sobre combustão espontânea, mas isso foi...

A essa altura, as outras três garotas estavam inclinadas para a frente. A história de Penn *era* mesmo digna de capa de jornal.

— Alguma coisa deve ter causado o incêndio — disse Luce, tentando imaginar a mesa da Srta. Sophia. — Mas acho que não tinha mais ninguém na biblioteca.

Penn balançou a cabeça:

— Não, não tinha. A Srta. Sophia disse que deve ter sido um curto-circuito num dos fios das lâmpadas. Seja o que for que tenha acontecido, aquele incêndio tinha muito combustível. Todos os documentos dela foram para o espaço. — Ela estalou os dedos.

— Mas ela está bem? — Luce perguntou, passando os dedos na camisola de papel do hospital.

— Assustada, mas bem — disse Penn. — Depois de um tempo os sprinklers acabaram funcionando, mas acho que ela perdeu muita coisa. Quando contaram o que acontecera com Todd, era quase como se ela estivesse anestesiada demais para entender.

— Talvez estejamos anestesiadas demais para entender — completou Luce. Dessa vez Gabbe e Ariane assentiram, uma de cada lado. — Os... os pais de Todd já sabem? — perguntou, imaginando como é que explicaria a seus próprios pais o que tinha acontecido.

Ela imaginou-os preenchendo formulários no saguão. Será que iriam querer vê-la? Relacionariam a morte de Todd com a de Trevor... e chegariam até ela através das duas terríveis histórias?

— Ouvi Randy no telefone com os pais de Todd — disse Penn. — Acho que estão absorvendo a notícia. Seu corpo está sendo levado de volta para a Flórida mais tarde.

Só isso? Luce engoliu.

— A Sword & Cross vai ter uma cerimônia em homenagem a ele na quinta — disse Gabbe baixinho. — Daniel e eu vamos ajudar a organizar.

— Daniel? — Luce repetiu antes de conseguir se controlar. Ela olhou para Gabbe e, até mesmo em seu estado de tristeza, não conseguiu deixar de rever sua imagem inicial da garota: uma loira sedutora de boca rosada.

— Foi ele que encontrou vocês dois noite passada — disse Gabbe. — Ele a carregou da biblioteca até o escritório de Randy.

Daniel tinha carregado Luce? Tipo... seus braços em volta do corpo dela? Ela se lembrou do sonho e a sensação de voar — não, de *flutuar* — a dominou. Luce se sentiu presa demais àquela cama. Desejava aquele mesmo céu, aquela chuva, sua boca, seus dentes, sua língua tocando a dela novamente. Seu rosto ficou quente, primeiro de desejo, depois com a agonizante impossibilidade de qualquer daquelas coisas acontecerem de verdade. As asas gloriosas e ofuscantes não eram a única coisa impossível naquele sonho. O Daniel do mundo real apenas a carregaria até a enfermaria. Ele nunca a desejaria, nunca a tomaria nos braços, não daquele jeito.

— Hum, Luce, você está bem? — perguntou Penn. Ela estava abanando o rosto corado de Luce com o guarda-chuvinha do seu drinque.

— Ótima — respondeu Luce. Era impossível tirar aquelas asas da cabeça. Esquecer a sensação do rosto dele contra o seu. — Só estou me recuperando ainda, acho.

Gabbe deu um tapinha em sua mão.

— Quando soubemos o que tinha acontecido, ficamos bajulando Randy para nos deixar visitá-la — disse, revirando os olhos. — Não queríamos que você acordasse sozinha.

Houve uma batida na porta. Luce esperava ver os rostos aflitos de seus pais, mas ninguém entrou. Gabbe se levantou e olhou para Ariane, que não fez nenhuma menção de se levantar.

— Fiquem aqui. Eu cuido disso.

Luce ainda estava dominada pelo que lhe haviam contado sobre Daniel. Mesmo que não fizesse sentido nenhum, queria que fosse ele do outro lado da porta.

— Como ela está? — uma voz perguntou num sussurro. Mas Luce ouviu. Era ele. Gabbe murmurou alguma coisa de volta.

— O que é essa reunião toda? — Randy grunhiu do lado de fora do quarto. Luce entendeu com o coração se apertando que isso significava o fim do horário de visitas. — Quem me convenceu a deixar vocês, delinquentes, virem junto vai ficar de castigo. E não, Grigori, não vou aceitar flores como suborno. Todos vocês, voltem para a van.

Ao ouvir a voz de Randy, Ariane e Penn gemeram, depois se apressaram para esconder os drinques embaixo da cama. Penn colocou os guarda-chuvas dos drinques dentro de seu estojo e Ariane borrifou o ar com algum tipo de perfume forte de baunilha. Ela passou a Luce um chiclete de hortelã.

Penn tossiu com a nuvem flutuante de perfume, depois se debruçou rapidamente sobre Luce e cochichou:

— Assim que estiver de volta, vamos achar o livro. Acho que seria bom para nós duas ficarmos ocupadas, manter nossas cabeças longe de... certas coisas.

Luce apertou a mão de Penn em agradecimento e sorriu para Ariane, que parecia ocupada demais amarrando os patins para ter escutado.

Então Randy entrou num rompante pela porta.

— Mais reuniões — gritou. — *Inacreditável.*

— A gente só estava... — Penn começou a dizer.

— Indo embora — completou Randy. Estava com um buquê de peônias brancas na mão. Estranho. Eram as favoritas de Luce. E era tão difícil encontrá-las crescendo por ali.

Randy abriu um armário embaixo da pia e remexeu dentro dele por um minuto, puxando um vaso pequeno e empoeirado. Ela encheu-o com a água turva da torneira, colocou as peônias dentro dele de qualquer jeito e as colocou na mesa ao lado de Luce.

— São dos seus amigos — disse —, que agora vão embora.

A porta estava escancarada, e Luce podia ver Daniel apoiado no batente. Seu queixo estava levantado e os olhos cinzentos pareciam escurecidos de preocupação. Seu olhar encontrou o de Luce e ele deu um pequeno sorriso. Quando tirou o cabelo dos olhos, Luce pôde ver um pequeno corte vermelho-escuro em sua testa.

Randy guiou Penn, Ariane e Gabbe pela porta. Mas Luce não conseguia tirar os olhos de Daniel. Ele levantou uma das mãos no ar e disse em silêncio o que ela achou ser um *Sinto muito*, segundos antes de Randy os enxotar para fora.

— Espero que não a tenham cansado demais — disse Randy, olhando para a porta com o cenho franzido sem piedade.

— Ah, não! — Luce sacudiu a cabeça, percebendo o quanto já gostava da lealdade de Penn e do jeito sarcástico que Ariane tinha de melhorar até mesmo o pior dos humores. Dessa vez, Gabbe também tinha sido verdadeiramente gentil com ela. E Daniel, apesar de ela mal tê-lo visto, tinha feito mais para devolver paz de espírito a ela do que jamais saberia. Viera ver como ela estava. Estava pensando nela.

— Bom — disse Randy. — Porque o horário de visitas ainda não acabou.

Mais uma vez o coração de Luce se acelerou enquanto esperava para ver seus pais. Mas houve apenas umas pegadas leves no piso de linóleo, e logo Luce viu a silhueta pequena da Srta. Sophia. Uma echarpe outonal colorida estava em volta de seus ombros magros, e os lábios estavam pintados de um vermelho intenso para combinar. Atrás dela vinha um homem baixo e careca usando terno e gravata, e dois policiais, um gordo e um magro, ambos com entradas no cabelo e braços cruzados.

O policial gordo era mais jovem. Ele se sentou na cadeira ao lado de Luce, e então — notando que ninguém mais tinha se sentado também —, levantou-se e cruzou novamente os braços.

O homem careca deu um passo à frente e estendeu a mão para Luce:

— Sou o Sr. Schultz, advogado da Sword & Cross. — Luce apertou sua mão, sem graça. — Esses policiais só vão fazer algumas perguntas. Nada que vá ser usado em tribunal, apenas uma tentativa de juntar as peças do acidente...

— E eu insisti estar aqui durante o interrogatório, Lucinda — acrescentou a Srta. Sophia, se aproximando para afagar o cabelo de Luce. — Como você está, meu bem? — sussurrou. — Num estado de amnésia pelo choque?

— Estou bem...

Luce parou quando viu mais duas pessoas na entrada da porta. Ela quase se derramou em lágrimas quando viu a cabeleira escura e cacheada de sua mãe e os grandes óculos de tartaruga de seu pai.

— Mãe — sussurrou, baixo demais para qualquer um ouvir. — Pai.

Eles correram até a cama, jogando braços em volta da filha e apertando suas mãos. Luce queria tanto abraçá-los, mas sentia-se fraca demais para fazer muito mais do que ficar parada e absorver o conforto familiar do toque deles. A expressão dos dois parecia tão assustada quanto ela se sentia.

— Querida, o que aconteceu? — sua mãe perguntou.

Ela não podia dizer nem uma palavra.

— Eu disse a eles que você era inocente — disse a Srta. Sophia, virando-se para lembrar os policiais. — Que se danem as coincidências estranhas.

É óbvio que tinham os registros do acidente de Trevor, e é óbvio que a polícia acharia aquilo... *digno de nota,* considerando a morte de Todd. Luce tinha experiência suficiente com policiais para saber que isso só os deixaria frustrados e irritados.

O policial magro tinha costeletas compridas que estavam ficando grisalhas. A ficha dela, aberta em suas mãos, parecia estar absorvendo toda sua atenção, porque nenhuma vez ele levantou os olhos para Luce.

— Srta. Price — disse com um sotaque arrastado do sul. — Por que você e o Sr. Hammond estavam sozinhos na biblioteca tão tarde quando todos os outros alunos estavam numa festa?

Luce olhou para seus pais. Sua mãe estava mordiscando os lábios. O rosto do seu pai estava tão branco quanto os lençóis.

— Eu não estava lá com Todd — respondeu, sem entender o motivo da pergunta. — Estava com Penn, minha amiga. E a Srta. Sophia estava lá também. Todd estava estudando sozinho e, quando o fogo começou, perdi Penn de vista e Todd foi a única pessoa que consegui encontrar.

— O único que conseguiu encontrar... para fazer o quê?

— Espere um minuto. — O Sr. Schultz deu um passo à frente para interromper o policial. — Isso foi um acidente, deixe-me lembrá-los. Não está interrogando uma suspeita.

— Não, eu quero responder — disse Luce. Tinha tanta gente no quartinho minúsculo que ela não sabia para onde olhar. Concentrou-se no policial. — O que quer dizer?

— Você é uma pessoa nervosa, Srta. Price? — Ele segurou a pasta com força. — Poderia se descrever como solitária?

— Já chega — interrompeu seu pai.

— Sim, Lucinda é uma aluna séria — acrescentou a Srta. Sophia. — Não tinha nada contra Todd Hammond. O que aconteceu foi um acidente, nada mais.

O policial olhou para a porta aberta, como se desejando que a Srta. Sophia saísse e não se metesse.

— Sim, senhora. Bem, com esses casos de reformatório, dar o benefício da dúvida nem sempre é a coisa mais responsável...

— Vou dizer tudo que sei — disse Luce, amassando o lençol com as mãos. — Não tenho nada a esconder.

Ela descreveu os acontecimentos o melhor que pôde, falando lenta e claramente para que não surgissem novas perguntas para seus pais, e para os policiais anotarem tudo. Ela não se permitiu chorar, o que parecia ser exatamente o que todos estavam esperando. E — deixando de fora as aparições das sombras —, a história fazia muito sentido.

Tinham corrido até a porta dos fundos. Acharam a saída no final de um longo corredor. As escadas eram muito próximas e íngremes, e eles não conseguiram parar a tempo, antes de tropeçar nos degraus. Ela perdeu-o de vista, bateu a cabeça com força o suficiente para acordar ali, doze horas depois. Era tudo de que se lembrava.

Ela deixou muito pouco que pudesse manter uma discussão. Havia apenas suas verdadeiras lembranças da noite com que lidar — sozinha.

Quando acabou, o Sr. Schultz deu aos policiais um aceno de cabeça significando *estão-satisfeitos-agora?*, e a Srta. Sophia sorriu para Luce, como se as duas juntas tivessem sido bem-sucedidas em alguma missão quase impossível. A mãe de Luce soltou um longo suspiro.

— Vamos analisar tudo isso na delegacia — disse o policial magro, fechando o arquivo de Luce com tanta resignação que parecia querer receber louros por seus serviços.

Então os quatro saíram do quarto e ela ficou sozinha com seus pais.

Luce deu a eles seu melhor olhar pidão. Os lábios de sua mãe tremeram, mas o pai apenas engoliu em seco.

— Randy vai levá-la de volta para a Sword & Cross essa tarde — disse. — Não pareça tão chocada, querida. O médico disse que você está bem.

— Mais do que bem — acrescentou a mãe, mas ela não parecia muito convencida.

Seu pai bateu de leve em seu braço.

— Veremos você no sábado. São apenas mais alguns dias.

Sábado. Ela fechou os olhos. Dia dos Pais. Ela estava ansiando por isso desde o momento em que pisara na Sword & Cross, mas agora tudo estava contaminado pela morte de Todd. Seus pais pareciam quase ansiosos para irem embora. Tinham um jeito especial de não querer realmente lidar com a realidade de ter uma filha no reformatório. Eram tão normais. Luce não podia culpá-los, na realidade.

— Descanse um pouco, Luce — disse seu pai, se debruçando para beijá-la na testa. — Teve uma noite longa e difícil.

— Mas...

Ela *estava* exausta. Mal fechou os olhos e, quando os reabriu, seus pais já estavam acenando da porta.

Tirou uma carnuda flor branca do vaso e a levou lentamente até o rosto, admirando as folhas profundamente lobuladas e as pétalas frágeis, ainda úmidas com gotas de néctar no interior. Ela inspirou o cheiro suave e picante da flor.

Ela tentou imaginar como as flores deviam ficar nas mãos de Daniel. Tentou imaginar onde ele as arranjara, e no que estava pensando.

Era uma escolha tão inusitada para flores. Peônias não cresciam nas terras úmidas da Geórgia. Não aguentavam nem o solo do jardim de seu pai em Thunderbolt. E, além disso, essas nem pareciam as peônias que Luce já vira antes. As flores eram grandes como mãos em concha, e o cheiro a fazia se lembrar de alguma coisa que ela não conseguia identificar.

Sinto muito, Daniel tinha dito. Luce só não conseguia entender por quê.

DOZE

AO PÓ

No anoitecer nublado que cobria o cemitério, um vulto circulava. Dois dias tinham se passado desde a morte de Todd, e Luce ainda não tinha conseguido comer nem dormir. Ela estava de pé, usando um vestido preto sem mangas no centro do cemitério, onde os alunos e funcionários da Sword & Cross haviam se reunido para prestar as últimas homenagens a Todd. Como se uma cerimônia de uma hora e sem o menor sentimento fosse o suficiente. Isso, somado ao fato de que a única capela da escola tinha sido transformada num ginásio com piscina, fez com que a cerimônia tivesse que ser feita no sombrio terreno pantanoso do cemitério.

Desde o acidente, as aulas estavam suspensas, e os funcionários tinham sido a perfeita definição de discrição. Luce tinha passado os últimos dois dias evitando os olhares dos outros alunos, que, sem exceção, a fitavam com diferentes níveis de suspeita. Os que ela não conhecia muito bem pareciam olhá-la até com uma pequena dose de medo. Outros, como Roland e Molly, a olhavam de soslaio, como se houvesse alguma coisa misteriosamente sombria no fato de ela ter sobrevivido. Luce suportava os olhares curiosos o melhor que conseguia durante as aulas, e ficava feliz quando Penn passava em seu quarto à noite para levar uma xícara de chá de gengibre, ou quando Ariane enfiava um bilhetinho malicioso por baixo de sua porta.

Ela estava desesperada para encontrar alguma coisa que tirasse da sua cabeça aquela sensação incômoda, de que outra coisa ruim viria em seguida. Porque ela sabia que estava a caminho: uma segunda visita, ou da polícia, ou das sombras — ou ambas.

Naquela manhã, o alto-falante da escola tinha informado a todos que a Social daquela noite seria cancelada em respeito ao falecimento de Todd, e que as aulas terminariam uma hora antes para que os alunos tivessem tempo de se trocar e chegar ao cemitério às 15h. Como se a escola inteira já não ficasse vestida para um velório o tempo todo.

Luce nunca tinha visto tantas pessoas reunidas no mesmo lugar do campus. Randy estava parada no meio do grupo numa saia cinza na altura das canelas e sapatos pretos de solas grossas de borracha. A Srta. Sophia, de olhos marejados, e o Sr. Cole, que segurava um lencinho, estavam atrás dela em roupas de luto. A Srta. Tross e a treinadora Dante estavam num grupo com outros funcionários da escola e administradores, todos de preto, que Luce nunca tinha visto.

Os alunos estavam sentados em fileiras por ordem alfabética. Na frente, Luce podia ver Joel Bland, o garoto que ganhara a corrida de natação semana passada, assoando o nariz num lenço sujo. Luce estava na terra de ninguém que eram os sobrenomes começados por P, mas podia ver Daniel, para sua irritação, colocado na fila G bem ao lado de Gabbe, duas fileiras à frente. Ele estava impecável num blazer preto de risca de giz, mas a cabeça parecia estar mais baixa que a de todos à sua volta. Mesmo de costas, Daniel conseguia parecer devastadoramente sério.

Luce pensou nas peônias brancas que ele lhe dera. Randy não a deixara levar o vaso ao sair da enfermaria, então Luce levou somente as flores até seu quarto e foi bem criativa, cortando a parte de cima de uma garrafa de água mineral com uma tesoura de manicure.

As flores eram perfumadas e calmantes, mas a mensagem que transmitiam era confusa. Geralmente quando um cara lhe dá flores não é necessário duvidar de seus sentimentos. Mas, com Daniel, esse tipo de presunção era sempre uma má ideia. Era bem menos arriscado presumir que ele levara as flores porque é o que se faz quando alguém sofre algum acidente.

Mas, ainda assim: ele tinha lhe dado flores! Se ela se inclinasse para a frente agora em sua cadeira e olhasse para o alto, em direção aos dormitórios, atrás das barras de metal na terceira janela à esquerda, quase conseguia vê-las.

— "Do suor do teu rosto comerás o teu pão" — um pastor pago por hora gorjeou na frente da multidão. — "Até que tornes à terra, porque dela foste tomado; porquanto és pó, e ao pó tornarás."

Ele era um homem magro de cerca de 70 anos, perdido dentro de um grande terno preto. Os tênis gastos estavam com os cadarços esfarrapados e seu rosto era enrugado e queimado de sol. Ele falava num microfone ligado a uma velha caixa de som de plástico que parecia ter vindo dos anos 1980. O som que emitia era distorcido e cheio de estática, e mal chegava até os que estavam nos fundos da multidão.

Tudo naquela cerimônia era inadequado e completamente errado.

Ninguém estava mostrando respeito a Todd por estar ali. O serviço fúnebre inteiro mais parecia uma tentativa de ensinar aos alunos como a vida podia ser injusta. O fato de o corpo de Todd não estar presente dizia muita coisa sobre a relação da escola com o rapaz — ou a completa falta dela. Nenhum deles o conhecia; ninguém nunca conheceria. Havia algo de falso em estar presente ali, o que só piorava com as poucas pessoas que estavam chorando. Tudo aquilo fez Luce sentir que Todd era um estranho para ela mais do que ele havia sido na verdade.

Deixem Todd descansar em paz. Deixem quem continua aqui apenas seguir em frente.

Uma coruja piou em um galho alto do carvalho acima de suas cabeças. Luce sabia que havia um ninho por perto, com um grupo de filhotinhos de coruja. Ela ouvira o canto medroso da mãe todas as noites naquela semana, seguido pelo bater de asas frenético do pai voltando de sua caçada noturna.

E então acabou. Luce se levantou de sua cadeira, sentindo-se fraca com a injustiça daquilo tudo. Todd era tão inocente quanto ela era culpada, apesar de ela não saber de quê.

Enquanto seguia os outros alunos numa fila única até a recepção, alguém abraçou sua cintura e a puxou para trás.

Daniel?

Mas não, era Cam.

Seus olhos verdes procuraram os dela e pareceram perceber seu desapontamento, o que apenas fez Luce se sentir ainda pior. Ela mordeu o lábio para evitar cair no choro. Ver Cam não devia fazê-la ter vontade de chorar — mas estava simplesmente tão exausta emocionalmente, à beira de um colapso. Mordeu o lábio com tanta força que sentiu o gosto de sangue, então limpou a boca em sua mão.

— Ei — disse Cam, afagando seu cabelo. Ela se retraiu; ainda tinha um galo na cabeça de quando caíra. — Quer ir a algum lugar e conversar?

Eles estavam andando junto com os outros pela grama em direção à recepção, embaixo da sombra de um dos carvalhos. Um grupo de cadeiras tinha sido armado, praticamente uma em cima da outra. Em uma mesa de dobrar ali perto havia pilhas de biscoitos parecendo amolecidos, tirados de caixas variadas, mas ainda dentro dos sacos plásticos internos. Uma tigela barata de plástico estava cheia de ponche vermelho e xaroposo, o que tinha atraído várias moscas, como um cadáver. Era uma recepção tão patética que poucos dos outros alunos sequer se deram ao trabalho de comparecer. Luce viu Penn num conjunto de saia preta, cumprimentando o pastor. Daniel estava olhando ao longe, sussurrando alguma coisa para Gabbe.

Quando Luce se voltou, Cam passou o dedo levemente pela clavícula dela, então pararam na base de seu pescoço. Ela inspirou e sentiu sua pele se arrepiando.

— Se não gostou do colar — disse ele, inclinando-se —, posso comprar outra coisa.

Seus lábios estavam tão perto de tocar o pescoço dela que Luce apertou o ombro dele com uma das mãos e deu um passo para trás.

— Eu gostei — respondeu, pensando na caixa que estava em cima de sua escrivaninha. Acabara ao lado das flores de Daniel, e passara metade da noite anterior olhando de um presente para outro, pesando as intenções de cada um. Cam era tão mais transparente, fácil de entender. Como se ele fosse álgebra e Daniel fosse cálculo. E ela sempre amara cálculo, mesmo que às vezes demorasse uma hora para resolver uma única questão. — Achei o colar lindo. Só não tive oportunidade de usar ainda.

— Sinto muito — disse ele, franzindo os lábios. — Não devia pressionar você.

O cabelo escuro de Cam estava penteado para trás e mostrava mais seu rosto do que normalmente. Aquele penteado o deixava mais velho, mais maduro. E o jeito como ele a olhava era tão intenso, seus grandes olhos verdes explorando-a, como se aprovassem tudo que ela tinha por dentro.

— A Srta. Sophia não parou de dizer que deveríamos dar espaço para você nesses últimos dias. Sei que ela está certa, você passou por tanta coisa... Mas queria que soubesse o quanto pensei em você. O tempo todo. Queria vê-la.

Ele acariciou sua bochecha com as costas da mão e Luce sentiu lágrimas se acumulando. Passara *mesmo* por muita coisa, e sentia-se terrível por estar ali, prestes a chorar, não por causa de Todd — cuja morte importava, e devia importar mais —, mas por motivos egoístas. Porque os últimos dois dias trouxeram de volta do passado tanta dor por Trevor e por sua antiga vida, antes da Sword & Cross, coisas com as quais ela não queria lidar e nunca poderia explicar a ninguém. Eram mais sombras para afastar.

Era como se Cam sentisse isso, pelo menos em parte, porque a segurou nos braços, apertou sua cabeça contra o peito forte e largo, e a ninou de um lado para o outro.

— Está tudo bem — disse. — Vai ficar tudo bem.

E talvez Luce não precisasse explicar nada a ele. Parecia que, quanto mais perturbada se sentia por dentro, mais presente Cam se tornava. E se fosse simplesmente o bastante ficar nos braços de alguém que se importava com ela, deixar esse simples carinho a estabilizar por um tempo?

Aquele abraço era tão *bom*.

Luce não sabia como se afastar de Cam. Ele sempre fora tão gentil, e ela gostava dele, mas, no entanto, por razões que a faziam se sentir culpada, ele meio que estava começando a irritá-la. Ele era tão perfeito, tão prestativo, e era exatamente daquilo que ela precisava no momento. Mas... ele não era Daniel.

Um cupcake branco apareceu por cima de seu ombro. Ela reconheceu as unhas benfeitas segurando-o.

— Tem ponche ali, e alguém precisa tomá-lo — disse Gabbe, entregando um cupcake a Cam também. Ele olhou feio para a cobertura de glacê. — Tudo bem? — Gabbe perguntou a Luce.

Luce assentiu. Pela primeira vez, Gabbe aparecera exatamente quando Luce queria ser salva. Trocaram sorrisos e Luce ergueu seu cupcake em agradecimento, dando uma pequena mordida no doce.

— Ponche parece ótimo — Cam falou entredentes. — Por que não vai buscar dois copos para gente, Gabbe?

Gabbe revirou os olhos para Luce.

— Você faz um favor a um homem e ele começa a tratar você como escrava.

Luce riu. Cam estava meio abusado, mas era óbvio para Luce o que ele estava tentando fazer.

— Eu vou buscar a bebida — disse Luce, querendo respirar um pouco. Ela foi até a mesa com a tigela de ponche. Estava afastando uma mosca da superfície da bebida quando alguém cochichou em seu ouvido.

— Quer dar o fora daqui?

Luce se virou, pronta para inventar alguma desculpa para Cam dizendo que não, ela não podia dar o fora — não agora, e não com ele. Mas não era Cam que tinha estendido a mão e tocado seu pulso com o polegar.

Era Daniel.

Ela derreteu um pouco. Em dez minutos teria a chance da semana de falar no telefone e ela queria desesperadamente escutar a voz de Callie ou de seus pais. Falar sobre alguma coisa que estava acontecendo do lado de fora daquelas grades de ferro, outra coisa que não fosse a tristeza de seus dois últimos dias.

Mas sair dali? Com Daniel? Ela se viu concordando.

Cam ia odiá-la se a visse indo embora, e ele com certeza veria. Estava observando-a. Luce quase podia sentir seus olhos verdes atrás de sua cabeça. Mas sem dúvida ela precisava ir. Colocou sua mão dentro da de Daniel.

— Por favor.

Todas as outras vezes em que haviam se tocado, tinha sido ou por acidente, ou um deles tinha se afastado — geralmente Daniel — antes que o choque quente que Luce sempre sentia pudesse evoluir para um calor crescente. Dessa vez, não. Luce olhou para a mão de Daniel, segurando a dela com ansiedade, e todo o seu corpo quis mais. Mais do calor, mais do formigamento, mais de Daniel. Era quase — mas não exatamente — tão bom quanto ela sentira em seu sonho. Ela mal podia sentir seus pés se movendo, apenas a intensidade do toque dele tomando conta.

Era como se ela tivesse apenas piscado, e eles já tinham chegado aos portões do cemitério. Além deles, bem longe, o resto da cerimônia saía de foco enquanto os dois deixavam tudo para trás.

Daniel parou subitamente e, sem avisar, largou sua mão. Ela estremeceu, com frio novamente.

— Você e Cam — disse ele, deixando as palavras suspensas no ar como uma pergunta. — Vocês passam muito tempo juntos?

— Parece que não gosta muito da ideia — respondeu ela, se sentindo instantaneamente boba por dar uma de coquete. Ela só queria provocá-lo por ter soado ciumento, mas seu rosto e tom de voz eram sérios.

— Ele não... — Daniel começou a dizer. Observou um falcão de rabo vermelho pousando num carvalho, acima de suas cabeças. — Ele não é bom o bastante para você.

Luce já tinha escutado aquela mesma frase mil vezes. Era o que todos sempre diziam. *Não é bom o bastante*. Mas quando as palavras saíram da boca de Daniel, pareceram importantes, até de alguma maneira verdadeiras e relevantes, e não vagas e sem consideração como aquela frase sempre soara aos seus ouvidos no passado.

— Bem, então — perguntou em voz baixa —, quem é?

Daniel pôs as mãos nos quadris e riu sozinho por um tempo.

— Eu não sei — disse finalmente. — É uma excelente pergunta.

Não exatamente a resposta que Luce estava procurando.

— Não é *tão* difícil assim — falou, enfiando as mãos nos bolsos porque tinha vontade de tocá-lo. — Ser bom o bastante para *mim*.

Os olhos de Daniel pareciam estar escurecendo, todo o violeta que havia neles um momento antes transformando-se num cinza escuro e profundo.

— É — disse ele. — É, sim.

Ele esfregou a testa e, quando o fez, seu cabelo foi para trás por apenas um segundo. Tempo suficiente. Luce viu o machucado em sua testa. Estava cicatrizando, mas Luce podia perceber que era recente.

— O que aconteceu com sua testa? — ela perguntou, estendendo a mão em sua direção.

— Não sei — vociferou ele, afastando a mão com tanta força que ela tropeçou para trás. — Não sei de onde veio.

Ele parecia mais incomodado com aquilo do que Luce, o que a surpreendeu. Era apenas um pequeno arranhão.

Ouviram passos no cascalho atrás deles. Os dois se viraram para olhar.

— Já disse que não vi onde ela está — Molly estava dizendo, afastando as mãos de Cam enquanto subiam pela colina do cemitério.

— Vamos embora — disse Daniel, sentindo tudo que ela sentia. Luce tinha quase certeza de que ele era capaz, antes mesmo de olhar para ele, nervosa.

Ela sabia onde estavam indo assim que começou a segui-lo. Atrás do ginásio/igreja, para a floresta. Assim como sabia que ele pulava corda de um jeito, antes de vê-lo fazendo isso. Assim como ela soubera daquele machucado antes de descobrir que estava lá.

Eles andaram no mesmo ritmo, com passos do mesmo tamanho. Seus pés pisavam na grama ao mesmo tempo, todas as vezes, até chegarem à floresta.

— Se você vai a um lugar mais de uma vez com a mesma pessoa — disse Daniel, quase para si mesmo —, acho que não é mais exclusivamente seu.

Luce sorriu honrada quando percebeu o que Daniel queria dizer: que ele nunca havia ido ao lago com outra pessoa antes. Apenas com ela.

Enquanto trilhavam a floresta, ela sentiu o frio que as sombras das árvores projetavam em seus ombros nus. Tinha o mesmo cheiro de sempre, como a maioria das florestas litorâneas da Geórgia: um odor de folhas de carvalho que Luce costumava associar às sombras, mas que agora a fazia se lembrar de Daniel. Ela não devia mais se sentir segura em lugar nenhum depois do que acontecera com Todd, mas, ao lado de Daniel, Luce sentia que estava respirando com facilidade pela primeira vez em dias.

Ela teve que acreditar que Daniel a estava levando para cá de novo por causa da maneira como tinha fugido tão subitamente da última vez. Como se precisassem de uma segunda tentativa para acertar. O que tinha começado no primeiro meio encontro deles terminara com Luce se sentindo miseravelmente abandonada. Daniel devia saber disso e se sentia mal por sua saída repentina.

Os dois chegaram à árvore de magnólia que marcava o lugar de onde se via o lago. O sol deixava uma trilha dourada na água à medida que descia para trás da floresta, a oeste. Tudo parecia tão diferente no começo da noite. O mundo todo parecia brilhar.

Daniel se apoiou na árvore e observou-a olhando a água. Ela se moveu para ficar ao lado dele, sob as folhas cerosas e as flores, que já deviam ter sumido nessa época do ano, mas que pareciam puras e frescas como na primavera. Luce sentiu o cheiro almiscarado e lhe pareceu que estava mais próxima de Daniel do que tinha razões para se sentir — e amou o fato de que aquela sensação parecia vir do nada.

— Não estamos exatamente vestidos para nadar dessa vez — disse ele, apontando para o vestido de Luce.

Ela passou os dedos pela delicada barra de renda sobre seus joelhos, imaginando o choque de sua mãe se Luce arruinasse um bom vestido porque ela e um garoto queriam mergulhar.

— Talvez a gente possa só molhar os pés?

Daniel indicou a íngreme rocha avermelhada que levava até a água. Eles passaram pelos juncos espessos e amarelados e pela grama usando os galhos retorcidos dos carvalhos para se equilibrar. Ali, a margem do lago se tornava pedregosa. A água estava tão parada que parecia ser possível andar sobre ela.

Luce tirou as sapatilhas pretas e tocou a superfície cheia de lírios com os dedos do pé. A água estava mais fria do que no outro dia. Daniel pegou um comprido pedaço de grama e começou a trançar sua haste grossa.

Ele olhou para Luce:

— Às vezes pensa em sair daqui...

— O tempo todo — interrompeu ela com um gemido, presumindo que ele queria dizer que pensava nisso também. É lógico que ela queria ir para o mais longe possível da Sword & Cross. Qualquer um quereria. Mas pelo menos dessa vez evitar que começasse a perder o controle sobre sua imaginação, fantasiando ela e Daniel planejando uma fuga.

— Não — disse Daniel. — Quero dizer, você já considerou ir para outro lugar? Pedir uma transferência para os seus pais? É só que... a Sword & Cross não parece o melhor lugar para você.

Luce se sentou numa rocha do lado oposto de Daniel e abraçou os joelhos. Se ele estava sugerindo que ela era inadequada no meio de grupo de alunos cheios de problemas, não podia evitar se sentir um pouco insultada.

Ela limpou a garganta.

— Não posso me dar ao luxo de considerar outro lugar, na verdade. A Sword & Cross é — ela pausou —, basicamente, minha última chance.

— Qual é — duvidou Daniel.

— Você não sabe...

— Sei. — Ele suspirou. — Há sempre mais uma chance, Luce.

— Isso é muito profético, Daniel — disse ela. Podia sentir sua voz se elevando. — Mas se está tão interessado em se livrar de mim, o que estamos fazendo? Ninguém mandou você me trazer até aqui.

— Não — disse ele. — Está certa. Quis dizer que você não é como as pessoas daqui. Com certeza há um lugar melhor para você.

O coração de Luce estava acelerado, o que geralmente acontecia perto de Daniel. Mas isso era diferente. Toda aquela conversa estava fazendo-a suar.

— Quando cheguei aqui — disse ela —, fiz uma promessa a mim mesma de que nunca deixaria ninguém saber sobre meu passado, ou sobre o que eu tinha feito para vir parar nesse lugar.

Daniel baixou a cabeça entre suas mãos.

— O que estou falando não tem nada a ver com o que aconteceu com aquele cara...

— Você sabe sobre ele? — O rosto de Luce ficou tenso. Não. Como Daniel poderia saber? — O que quer que Molly tenha contado...

Mas ela sabia que era tarde demais. Daniel a encontrara com Todd. Se Molly tivesse contado a ele qualquer coisa sobre como Luce já tinha estado envolvida em *outra* morte misteriosa em um incêndio, não podia nem começar a imaginar como explicar a coincidência.

— Escute — interrompeu ele, agarrando suas mãos. — O que estou dizendo não tem nada a ver com aquela parte de seu passado.

Luce achou difícil de acreditar.

— Então tem a ver com Todd?

Ele balançou a cabeça.

— Tem a ver com esse lugar. Tem a ver com coisas...

O toque de Daniel despertou alguma coisa em sua mente. Ela começou a pensar nas sombras selvagens que vira aquela noite. Em como haviam mudado tanto desde que chegara naquela escola — de uma ameaça distante e irritante para um terror intenso, quase onipresentes.

Uma desequilibrada — devia ser isso que Daniel sentia a respeito dela. Talvez a achasse bonita, mas no fundo sabia que era profundamente perturbada. Era por isso que queria que ela fosse embora, para não ficar tentado a se envolver com alguém como ela. Se era isso que Daniel achava, não sabia nem da metade.

— Talvez tenha a ver com as estranhas sombras que vi na noite em que Todd morreu? — ela disse, esperando chocá-lo. Mas, assim que terminou de dizer as palavras, soube que sua intenção não era assustar Daniel ainda mais... era a de finalmente se abrir com alguém. Afinal, não tinha muito a perder.

— O que você disse? — ele perguntou lentamente.

— Ah, sabe — continuou ela, dando de ombros, tentando diminuir a importância do que acabara de dizer. — Mais ou menos uma vez por dia, recebo *visitas* de umas coisas escuras que chamo de sombras.

— Não seja engraçadinha — Daniel disse, seco. E, mesmo que o tom de voz dele a tivesse magoado, Luce sabia que ele tinha razão. Odiava como parecera falsamente indiferente quando, na realidade, estava muito assustada. Mas deveria contar a ele? Poderia? Ele estava assentindo para que continuasse. Seus olhos pareciam tocá-la e puxar as palavras de dentro dela.

— Começou há doze anos — ela finalmente admitiu, com um grande arrepio. — Costumava ser apenas à noite, quando eu estava perto da água ou de árvores, mas agora... — Suas mãos estavam tremendo. — Acontece praticamente o tempo todo.

— O que elas fazem?

Luce poderia pensar que ele só estava zombando dela, ou tentando fazer com que continuasse para rir à sua custa, mas a voz de Daniel tinha ficado profunda e seu rosto tinha perdido a cor.

— Geralmente, elas começam rondando bem aqui. — Ela tocou a nuca de Daniel e fez cócegas nele para demonstrar. Pela primeira vez, não estava apenas tentando se aproximar fisicamente dele; essa realmente era a única maneira que conseguia pensar para explicar. Especialmente ao lembrar que as sombras tinham começado a infringir seu espaço de uma maneira tão palpável e física.

Daniel não se mexeu, então ela continuou:

— Então às vezes elas ficam realmente ousadas — disse, ficando de joelhos e colocando as mãos em seu peito. — E me empurram com força para trás. — Agora Luce estava bem na frente dele. Seus lábios tremeram; ela não conseguia acreditar que estava se abrindo de verdade com alguém, muito menos com Daniel, sobre as coisas horríveis que via. Sua voz diminuiu até um sussurro e continuou: — Recentemente, elas não parecem satisfeitas até terem... — ela engoliu — tirado a vida de alguém e me derrubado no chão.

Ela deu um pequeno empurrão nos ombros dele, sem pretender machucá-lo, mas o toque mais leve da ponta de seus dedos foi o bastante para derrubar Daniel.

Sua queda a pegou de surpresa; acidentalmente Luce perdeu seu próprio equilíbrio e caiu embolada sobre ele. Daniel estava deitado de costas, fitando-a com olhos assustados.

Ela não devia ter contado aquilo. Ali estava ela, em cima dele, e acabara de contar seu maior segredo, a coisa que *realmente* a definia como desequilibrada.

Como ainda podia querer beijá-lo tanto numa hora dessas?

Seu coração estava palpitando impossivelmente rápido. Então Luce percebeu: estava sentindo os dois corações, disputando um com o outro. Um tipo de conversa desesperada, que não poderiam ter com palavras.

— Você vê isso mesmo? — sussurrou ele.

— Sim — cochichou ela, querendo se recompor e retirar tudo o que dissera. E, ainda assim, era incapaz de se afastar do peito de Daniel. Ela tentou imaginar seus pensamentos, o que qualquer pessoa normal pensaria com uma confissão dessas. — Deixe-me adivinhar — disse, melancólica. — Agora você tem certeza de que preciso me transferir. Para uma clínica psiquiátrica.

Ele saiu de debaixo dela, deixando-a praticamente de cara na rocha. Seus olhos se moveram para os pés dele, seu torso, seu rosto. Daniel estava olhando para a floresta.

— Isso nunca aconteceu antes — ele disse.

Luce se levantou; era humilhante ficar deitada ali sozinha. Além disso, parecia que Daniel nem escutara nada do que ela dissera.

— O que nunca aconteceu? Antes do quê?

Ele se virou e segurou o rosto dela entre as mãos. Luce prendeu a respiração. Daniel estava tão perto. Seus lábios estavam tão perto. Luce deu um beliscão em sua própria coxa para ter certeza de que dessa vez não estava sonhando. Ela estava bem acordada.

Então pareceu que Daniel forçou-se a se afastar. Ficou parado na frente dela, respirando rapidamente, os braços rígidos ao lado do corpo.

— Conte-me de novo o que viu.

Luce se virou para olhar o lago. A água azul-clara batia suavemente na margem, e ela pensou em mergulhar. Daniel fizera isso da última vez que as coisas ficaram intensas demais para ele. Por que ela não podia fazer também?

— Pode surpreender você saber disso — disse ela. — Mas não é muito legal para mim sentar e falar sobre como sou completamente insana. — *Especialmente para você.*

Daniel não respondeu, mas ela podia sentir seu olhar. Quando finalmente teve coragem de olhar para ele, Daniel estava olhando-a de forma estranha, perturbadora, *pesarosa* — seus olhos estavam com os cantos caídos e num tom de cinza especial que era a coisa mais triste que Luce já tinha visto. Ela sentiu como se o tivesse decepcionado de alguma maneira. Mas essa confissão horrível era *dela*. Por que Daniel parecia tão abalado?

Ele deu um passo em sua direção e se inclinou até seus olhos estarem presos fixamente nos dela. Luce quase não conseguia aguentar, mas tampouco podia se afastar. O que quer que fosse preciso acontecer para interromper aquele transe estava a cargo de Daniel — que ainda estava chegando mais perto, inclinando sua cabeça em direção à dela e fechando os olhos. Seus lábios se abriram. A respiração de Luce ficou presa na garganta.

Ela fechou seus olhos e inclinou a cabeça em direção à dele. Abriu os lábios da mesma maneira.

E esperou.

O beijo que tanto queria não veio. Ela abriu os olhos porque nada tinha acontecido, exceto pelo farfalhar de um galho de árvore. Daniel não estava mais lá. Ela suspirou, cabisbaixa, mas não surpresa.

O estranho era que ela praticamente podia *ver* o caminho que ele tinha usado de volta para a floresta. Como se fosse algum tipo de caçadora que distinguia pela direção de uma folha o caminho até Daniel. Exceto que ela não era nada disso, e o tipo de rastro que Daniel deixara atrás de si era de alguma maneira maior, mais claro e, ao mesmo tempo, mais esquivo. Era como se um brilho violeta iluminasse seu caminho de volta até a floresta.

Como o brilho violeta que vira no incêndio da biblioteca. Estava vendo coisas. Ela se equilibrou na rocha e olhou para longe por um momento, esfregando os olhos. Mas, quando ela olhou de volta, era a mesma coisa: apenas partes do que via — como se estivesse olhando por óculos bifocais de grau alto —, os carvalhos e a folhagem abaixo deles, e até as cantorias dos pássaros de cima dos galhos; tudo aquilo parecia oscilar, fora de foco. E não apenas oscilava, banhado na mais suave luz lilás, mas também parecia emanar um murmúrio quase imperceptível.

Ela se virou de volta, aterrorizada por encarar, aterrorizada pelo que poderia significar. Alguma coisa estava acontecendo com ela, e não podia contar a ninguém. Tentou focalizar a visão no lago, mas até mesmo ele estava ficando mais escuro e difícil de enxergar.

Estava sozinha. Daniel a tinha abandonado. E no lugar dele, esse caminho que ela não sabia como — nem queria — navegar. Quando o sol mergulhou atrás das montanhas e o lago se tornou cinza carvão, Luce ousou dar mais uma olhada na floresta. Prendeu a respiração, sem saber se devia ficar desapontada ou aliviada. Era uma floresta como outra qualquer, sem luz oscilante violeta ou murmúrios. Nem sinal de Daniel algum dia ter estado lá.

TREZE

RAÍZES

Luce podia escutar os tênis All Star batendo com força contra o chão. Podia sentir o vento úmido puxando sua camiseta preta. Praticamente podia sentir o gosto de piche quente de uma parte do estacionamento recentemente pavimentada. Mas, quando ela abriu os braços em volta das duas criaturas que se apertavam perto da entrada da Sword & Cross no sábado de manhã, tudo aquilo foi esquecido.

Ela nunca ficou tão feliz em abraçar seus pais antes.

Durante dias ela havia se arrependido de como as coisas tinham sido frias e distantes no hospital, e não ia repetir o mesmo erro.

Os dois tropeçaram para trás quando ela se jogou sobre eles. Sua mãe começou a rir e seu pai deu tapinhas em suas costas, meio desconfortável, com sua enorme câmera pendurada no pescoço. Eles se endireitaram e afastaram a filha a um braço de distância. Pareciam querer dar uma boa olhada no rosto dela, mas, assim que o viram, seus próprios rostos desabaram. Luce estava chorando.

— Querida, o que houve? — seu pai perguntou, pousando a mão na cabeça dela.

Sua mãe remexeu em sua bolsa azul gigantesca procurando por lenços de papel. Com os olhos arregalados, ela balançou um na frente do nariz de Luce e perguntou:

— Estamos aqui agora. Está tudo bem, não está?

Não, não estava tudo bem.

— Por que não me levaram para casa no outro dia? — Luce perguntou, sentindo-se zangada e magoada de novo. — Por que me deixaram voltar para cá?

Seu pai empalideceu.

— Toda vez que falávamos com o diretor, ele dizia que você estava indo muito bem, de volta às aulas, como a guerreira que criamos. Uma dor de garganta por causa da fumaça e um galo na cabeça. Achamos que tinha sido só isso. — Ele lambeu os lábios.

— Aconteceu mais alguma coisa? — sua mãe perguntou.

Uma olhada para seus pais mostrava que eles já haviam tido essa discussão. Sua mãe deve ter implorado para visitar mais cedo. Seu pai, durão, tinha batido o pé.

Não havia como explicar a eles o que acontecera naquela noite ou pelo que passara desde então. Ela *estava* de volta às aulas, não que pudesse evitar. E fisicamente *estava* bem. Era só que, todo o resto — emocionalmente, psicologicamente, romanticamente —, não poderia estar pior.

— Só estamos tentando seguir ar regras — explicou o pai de Luce, movendo sua mão grande para apertar seu pescoço. O peso fez toda a sua postura mudar e deixou-a desconfortável, mas havia tanto tempo que ela não ficava tão perto das pessoas que amava que não ousou se afastar. — Porque só queremos o melhor para você — acrescentou. — Temos que acreditar que essas pessoas — ele gesticulou para os prédios formidáveis em volta do campus, como se representassem Randy, o diretor Udell e os outros — sabem do que estão falando.

— Elas não sabem — disse Luce, olhando os prédios feios e os campos vazios. Até agora, nada naquela escola fazia sentido para ela.

Por exemplo, o que eles chamavam de Dia dos Pais. Tinham falado tanto sobre como os alunos eram sortudos por ter o privilégio de ver as famílias. E, no entanto, faltavam dez minutos para a hora do almoço e o carro dos pais de Luce era o único no estacionamento.

— Este lugar é uma piada completa — disse, parecendo tão cínica que seus pais se entreolharam, preocupados.

— Luce, querida — sua mãe disse, passando as mãos no seu cabelo. Luce podia perceber que ela não havia se acostumado com ele tão curto. Seus dedos tinham um instinto maternal de seguir o fantasma dos fios de Luce até as costas. — Só queremos ter um dia bom com você. Seu pai trouxe todas as suas comidas favoritas.

Acanhado, seu pai segurou no alto uma colcha de retalhos colorida e uma cesta de vime grande que Luce nunca vira antes. Geralmente, quando faziam piqueniques, era um evento muito mais informal, com sacolas de papel do mercado e um velho lençol rasgado jogado sobre a grama na trilha do lado de fora de sua casa.

— Picles? — Luce perguntou, numa voz que parecia muito com a Lucy-menininha. Ninguém podia dizer que seus pais não estavam tentando.

Seu pai assentiu.

— E chá doce e biscoitos com cobertura. Pedaços de queijo cheddar com muita pimenta jalapenho, do jeito que você gosta. Ah — disse ele —, e mais uma coisa.

A mãe de Luce tirou de sua bolsa um envelope vermelho grosso e selado e o entregou a Luce. Por um breve momento, uma dor se espalhou pelo estômago de Luce quando se lembrou das correspondências que costumava receber. *Psicopata assassina. Garota da Morte.*

Mas, quando Luce olhou a letra que estava no envelope, um enorme sorriso se espalhou por seu rosto.

Callie.

Ela rasgou o envelope e tirou um cartão com uma foto em preto e branco na frente de duas velhinhas no cabeleireiro. Dentro, cada centímetro do cartão estava ocupado pela letra grande e redonda de Callie. E havia vários pedaços de papéis soltos rabiscados porque faltara espaço no cartão.

Querida Luce,

Como nosso tempo no telefone é ridiculamente insuficiente (pode, por favor, pedir por mais um pouco? É simplesmente injusto), por você, vou voltar à moda antiga e me dedicar a uma épica carta escrita à mão. Anexado vai encontrar cada minúsculo acontecimento da minha vida durante as últimas duas semanas... Quer você queira saber ou não...

Luce segurou o envelope contra o peito, ainda sorrindo, ansiosa em devorar a carta assim que seus pais fossem embora. Callie não tinha desistido dela e seus pais estavam sentados bem a seu lado. Havia muito tempo que Luce não se sentia tão amada. Ela estendeu o braço e apertou a mão de seu pai.

Um apito estridente fez os dois se sobressaltarem.

— É só a campainha do refeitório — explicou ela, fazendo os pais respirarem aliviados. — Vamos, quero que conheçam alguém.

Enquanto andavam do quente e nebuloso estacionamento em direção ao pátio onde os eventos de abertura do Dia dos Pais estavam acontecendo, Luce começou a ver o campus pelos olhos de seus pais. Ela observou outra vez o teto descascado do escritório principal, o cheiro do pessegueiro apodrecido perto do ginásio. O jeito como o ferro torcido dos portões do cemitério estava cheio de ferrugem alaranjada. Ela percebeu que, em apenas duas semanas, tinha se acostumado completamente com os muitos defeitos da Sword & Cross.

Mas seus pais pareciam bastante horrorizados. Seu pai apontou um vinhedo morto balançando de maneira decrépita entre a cerca quebrada na entrada para o pátio.

— São uvas chardonnay — lamentou porque quando uma planta sofre, ele sofre junto.

Sua mãe estava usando as mãos para segurar a bolsa contra o peito, com os cotovelos para fora — a pose que assumia quando estava numa região em que achava que podia ser assaltada. E nem tinham notado os vermelhos ainda... Seus pais, que eram terminantemente contra pequenas coisas, como Luce comprar uma webcam, odiariam a ideia de vigilância constante nessa escola.

Luce queria protegê-los de todas as atrocidades da Sword & Cross, porque estava descobrindo como conviver — e às vezes até enganar — o sistema. Alguns dias antes, Ariane tinha levado a novata para uma corrida com obstáculos pelo campus para apontar todos os "vermelhos mortos", cujas baterias haviam acabado ou sido espertamente "trocadas", criando com eficiência pontos sem vigilância na escola. Seus pais não precisavam saber disso tudo; precisavam apenas ter um dia agradável com ela.

Penn estava balançando as pernas nas arquibancadas, onde combinaram de se encontrar ao meio-dia. Ela estava segurando uma planta num vaso.

— Penn, esses são meus pais, Harry e Doreen Price — disse Luce, gesticulando. — Mãe, pai, essa é...

— Pennyweather van Syckle-Lockwood — disse Penn com formalidade, oferecendo a planta em suas mãos. — Obrigada por deixarem que eu me juntasse ao almoço de vocês.

Sempre educados, os pais de Luce arrulharam e sorriram, sem fazer nenhuma pergunta sobre o paradeiro da família de Penny, algo que Luce não tinha tido tempo de explicar.

Era mais um dia quente e claro. Os salgueiros verdes na frente da biblioteca agitavam-se gentilmente com a brisa, e Luce levou seus pais a um lugar onde a vegetação escondia a maior parte das manchas de fuligem e janelas quebradas pelo incêndio. Enquanto estendiam a colcha de retalhos num pedaço de gramado seco, Luce puxou Penn de lado.

— Como você está? — perguntou Luce, sabendo que, se fosse ela que tivesse que passar um dia inteiro homenageando os pais de todos menos os dela, precisaria de muito apoio.

Para sua surpresa, a cabeça de Penn balançou afirmativamente com alegria.

— Já está tão melhor que no ano passado! — disse. — E tudo por sua causa. Eu ficaria sozinha hoje se você não tivesse aparecido.

O elogio pegou Luce de surpresa e a fez olhar em volta para ver como o resto do pessoal estava aproveitando o evento. Apesar do estacionamento ainda metade vazio, o Dia dos Pais parecia estar enchendo aos poucos.

Molly estava sentada num cobertor ali perto, entre um homem e uma mulher com cara de cachorro, mastigando avidamente um pedaço de peru. Ariane estava agachada na arquibancada, cochichando com uma menina punk mais velha, que tinha um cabelo rosa-shocking hipnotizante, provavelmente sua irmã mais velha. As duas viram Luce olhando e Ariane sorriu e acenou, então se virou para a outra garota e sussurrou alguma coisa.

Roland estava com um grupo grande de pessoas, preparando um piquenique sobre uma grande colcha. Estavam rindo e brincando, e alguns garotos mais novos estavam atirando comida uns nos outros. Pareciam estar se divertindo muito até uma granada de espiga de milho sair voando e quase atingir Gabbe, que estava atravessando o pátio. Ela repreendeu Roland enquanto guiava um homem que parecia ter idade para ser seu avô, afagando seu cotovelo enquanto andavam até uma fileira de cadeiras de jardim dispostas em torno do campo.

Ela notou que Daniel e Cam estavam ausentes — e Luce não podia imaginar como deviam ser as famílias de nenhum dos dois. Por mais furiosa e envergonhada que estivesse se sentindo com Daniel depois de largá-la sozinha no lago pela segunda vez, ela continuava querendo ver qualquer pessoa da família dele. Mas então, lembrando-se do arquivo mínimo de Daniel na sala de registros, Luce se perguntou se ele ainda mantinha contato com alguém de sua família.

A mãe de Luce distribuiu pedaços de cheddar em quatro pratos, e seu pai cobriu-os com pimentas jalapenho recém-cortadas. Depois de uma mordida, a boca de Luce estava pegando fogo, bem do jeito que gostava. Penn não parecia ter muita familiaridade com a típica comida da Geórgia com que Luce havia crescido. Ela parecera particularmente aterrorizada pelo picles, mas assim que provou um pedaço abriu um sorriso de aprovação, surpresa.

O pai e a mãe de Luce haviam trazido cada uma das comidas favoritas de Luce, até mesmo as nozes caramelizadas do mercado preferido da família, perto de casa. Seus pais comiam alegremente, sentados ao lado dela, parecendo felizes em ter algo na boca além daquelas conversas sobre morte.

Luce devia estar aproveitando seu tempo com eles, e saboreando tudo com seu amado chá doce da Geórgia, mas se sentia uma impostora ao fingir que aquele almoço paradisíaco era normal na Sword & Cross. O dia inteiro era uma enorme enganação.

Ouvindo o barulho de uma curta e fraca salva de palmas, Luce olhou para as arquibancadas, onde Randy estava ao lado do diretor Udell, que Luce nunca vira pessoalmente. Ela o reconheceu do estranhamente apagado retrato que ficava pendurado no saguão principal da escola, mas agora via que o artista havia sido bastante generoso. Penn já havia contado a ela que o diretor aparecia no campus apenas uma vez por ano — no Dia dos Pais —, sem exceções. Tirando isso, era um recluso que não saía da sua mansão em Tybee Island, nem mesmo quando um dos alunos da escola morria. A papada do homem estava engolindo seu queixo e seus olhos bovinos observavam a multidão, não parecendo prestar atenção em nada.

A seu lado estava Randy, com as pernas de fora e meias brancas. Estava com um sorriso fino emplastrado no rosto, e o diretor estava secando a testa larga com um guardanapo. Os dois estavam com suas melhores expressões hoje, mas isso parecia estar exigindo bastante deles.

— Bem-vindos ao centésimo quinquagésimo nono Dia dos Pais da Sword & Cross — disse o diretor Udell no microfone.

— Ele está de brincadeira, né? — Luce cochichou para Penn. Era difícil imaginar o Dia dos Pais durante o período pré-guerra.

Penn revirou os olhos:

— Certamente é um erro de digitação. Já disse a ele para comprar óculos novos.

— Temos um dia longo e divertido em família programado para vocês, começando com esse agradável piquenique no almoço...

— Geralmente só temos dezenove minutos — interrompeu Penn para os pais de Luce, que enrijeceram.

Luce sorriu por cima da cabeça de Penn e disse:

— Ela só está brincando.

— Em seguida, vocês escolherão suas atividades. Nossa própria bióloga, Srta. Yolanda Tross, vai dar uma fascinante palestra na biblioteca sobre a flora encontrada no campus. A treinadora Dante vai supervisionar uma série de corridas para a família aqui no gramado. E o Sr. Stanley Cole vai oferecer um tour guiado pela história do cemitério de nossos prezados heróis. Vai ser um dia bem movimentado. E sim — disse o diretor Udell com um sorriso idiota e cheio de dentes —, vão ter que fazer uma prova sobre isso depois.

Era exatamente o tipo de piada boba e ensaiada para ganhar algumas risadas falsas do grupo de familiares que visitavam. Luce revirou os olhos para Penn. Essa deprimente tentativa de risadinhas e simpatia deixava mais claro que todos, na verdade, estavam ali para se sentirem melhor sobre deixar seus filhos nas mãos dos funcionários da Sword & Cross. Os Price riram, também, mas ficavam o tempo todo olhando para Luce em busca de mais pistas sobre como deviam se comportar.

Depois do almoço, as outras famílias que estavam no pátio guardaram os restos de seus piqueniques e se retiraram para diversos cantos. Luce teve a impressão de que muito pouca gente estava realmente participando dos eventos planejados pela escola. Ninguém tinha seguido a Srta. Tross até a biblioteca, e até então apenas Gabbe e seu avô tinham entrado num saco de batatas para a corrida do saco do outro lado do gramado.

Luce não sabia onde Molly, Ariane ou Roland tinham ido com suas famílias, e ainda não tinha visto Daniel. Mas sabia que seus pais ficariam desapontados se não vissem nada do campus e não participassem de nenhum dos eventos planejados. Considerando que o tour oferecido pelo Sr. Cole parecia o menos pior, Luce sugeriu que embrulhassem o que sobrou da comida e se juntassem a ele nos portões do cemitério.

Enquanto iam até lá, Ariane se pendurou da arquibancada mais alta como uma ginasta pulando de uma barra de ginástica olímpica. Ela aterrissou bem na frente dos pais de Luce.

— Oláaaa — cantarolou, em sua melhor performance de maluquinha.

— Mamãe, papai — Luce disse, apertando seus ombros —, essa é minha amiga Ariane.

— E essa — Ariane apontou a garota alta de cabelo rosa-shocking que lentamente estava descendo as escadas das arquibancadas — é minha irmã, Annabelle.

Annabelle ignorou a mão estendida de Luce e em vez disso a puxou para um abraço demorado e íntimo. Luce podia sentir seus ossos sendo esmigalhados. O abraço intenso durou por tempo o bastante para Luce se perguntar qual era o motivo daquilo, mas, justo quando estava começando a se sentir desconfortável, Annabelle a soltou.

— É tão bom conhecer você — disse ela, pegando a mão de Luce.

— Você também — disse Luce, olhando confusa para Ariane.

— Estão indo para o tour do Sr. Cole? — perguntou a Ariane, que também encarava a irmã, confusa.

Annabelle abriu a boca, mas Ariane rapidamente a interrompeu:

— Deus me livre — disse. — Essas atividades são para otários. — Ela olhou para os pais de Luce. — Sem ofensa.

Annabelle deu de ombros:

— Talvez tenhamos uma chance de conversar mais tarde! — gritou para Luce antes de Ariane puxá-la para longe.

— Elas pareciam legais — disse a mãe de Luce na voz que usava quando queria que Luce explicasse alguma coisa.

— Hum, por que aquela garota gosta tanto de você? — perguntou Penn.

Luce olhou para a amiga, depois para seus pais. Ela realmente ia ter que explicar, na frente deles, o fato de que alguém pudesse gostar dela?

— Lucinda! — gritou o Sr. Cole, acenando do ponto de encontro nos portões do cemitério, onde o professor esperava sozinho. — Aqui!

O Sr. Cole cumprimentou os pais de Luce calorosamente, e até deu um apertão no ombro de Penn. Luce estava tentando decidir se devia ficar irritada com a participação do Sr. Cole no Dia dos Pais ou impressionada pela sua falsa demonstração de entusiasmo. Mas, quando ele começou a falar, ela se surpreendeu.

— Pratico para esse dia o ano todo — sussurrou ele. — É uma chance de levar os estudantes ao ar livre e explicar as muitas maravilhas desse lugar. Ah, fico tão feliz. É a coisa mais parecida com uma excursão que um professor de reformatório consegue ter. Quer dizer, ninguém nunca apareceu para meus tours até hoje, o que faz de vocês os integrantes de meu tour inaugural...

— Bem, estamos honrados — disse o pai de Luce, entusiasmado, dando um grande sorriso para o Sr. Cole. Imediatamente Luce percebeu que não era apenas o lado fanático pela Guerra

Civil de seu pai falando. Ele claramente sentia que o Sr. Cole era sincero, e seu pai era o melhor juiz de caráter que Luce conhecia.

Os dois já haviam começado a descer o terreno íngreme em direção à entrada do cemitério. A mãe de Luce deixara a cesta de piquenique junto aos portões e deu a Luce e Penn um de seus sorrisos cansados.

O Sr. Cole acenou para chamar a atenção do grupo:

— Primeiro, algumas curiosidades. Qual — ele ergueu as sobrancelhas — vocês acham que é o elemento mais antigo desse cemitério?

Enquanto Luce e Penn olhavam para baixo — evitando os olhos do professor como faziam nas aulas —, o pai de Luce ficou na ponta dos pés para observar melhor algumas das estátuas maiores.

— Pegadinha! — gritou o Sr. Cole, batendo nos portões de ferro esculpido. — Essa parte dos portões foi construída pelo proprietário original, em 1831. Dizem que sua esposa, Ellamena, tinha um jardim adorável, e queria alguma coisa para manter suas galinhas-d'angola longe dos tomates. — Ele riu baixinho. — Isso foi antes da guerra. E antes do escoadouro. Vamos em frente!

Enquanto caminhavam, o Sr. Cole tagarelava contando fato após fato sobre a construção do cemitério, o pano de fundo histórico da construção, e o "artista" — até mesmo o professor admitia as aspas — que tinha trabalhado na escultura de besta alada em cima do monólito no centro do terreno. O pai de Luce encheu o Sr. Cole de perguntas enquanto a mãe passava as mãos sobre algumas das lápides mais bonitas, soltando um murmúrio de "Minha nossa" toda vez que parava para ler uma inscrição. Penn seguiu atrás da mãe de Luce, provavelmente desejando ter escolhido outra família para passar o dia. Luce ia no fim da fila, pensando como seria se fosse ela dando a seus pais seu próprio tour pessoal pelo cemitério.

Aqui foi onde cumpri meu primeiro castigo...

E aqui foi onde um anjo de mármore caiu e quase me deca-
pitou...

E aqui foi onde um garoto de reformatório que vocês nunca
aprovariam me levou ao piquenique mais estranho da minha
vida.

— Cam — chamou o Sr. Cole enquanto dava a volta no monólito com o grupo.

O garoto estava parado com um homem alto de cabelos escuros num terno preto bem cortado. Eles não ouviram o Sr.
Cole ou viram o grupo que ele estava trazendo em seu tour. Estavam falando baixo e gesticulando bastante sob o carvalho, do
jeito que Luce via seu professor de teatro gesticular quando estavam impedindo uma cena numa peça.

— Você e seus pais chegaram atrasados para o nosso tour?
— o Sr. Cole perguntou a Cam, mais alto dessa vez. — Perderam
a maior parte, mas ainda tem um ou outro fato interessante que
estou certo que posso contar.

Cam lentamente virou sua cabeça na direção deles, depois de
volta para seu companheiro, que parecia estar achando aquilo divertido. Luce não achou que o homem, classudo, alto, marrom-claro e
bonito, com um enorme relógio de ouro, pudesse ter idade para ser
pai de Cam, mas talvez tivesse envelhecido bem. Cam olhou rapidamente o pescoço nu de Luce, e pareceu brevemente desapontado.
Ela corou, porque podia sentir sua mãe assistindo a toda a cena e se
perguntando o que exatamente estava acontecendo.

Cam ignorou o Sr. Cole e se aproximou da mãe de Luce, levando a mão dela até seus lábios antes de qualquer um poder
sequer apresentá-los.

— Deve ser a irmã mais velha de Luce — disse, jovialmente.

À sua esquerda, Penn cobriu a boca e cochichou para apenas
Luce ouvir:

— Por favor, me diga que mais alguém ficou enjoado.

Mas a mãe de Luce parecia ligeiramente encantada, numa maneira que deixou Luce — e seu pai, obviamente — desconfortável.

— Não, não vamos poder ficar para o tour — anunciou Cam, piscando para Luce e se afastando assim que o pai dela se aproximou. — Mas foi muito bom — ele olhou para os três, deixando apenas Penn de fora — encontrá-los aqui. Vamos, *pai*.

— Quem era esse? — A mãe de Luce sussurrou quando Cam e seu pai, ou seja lá quem fosse, desapareceram na direção de um dos lados do cemitério.

— Ah, só um dos admiradores de Luce — disse Penn, tentando melhorar o clima e fazendo exatamente o contrário.

— *Um* dos? — O pai de Luce olhou para Penn.

Na luz do fim de tarde, Luce pôde ver pela primeira vez alguns fios grisalhos na barba de seu pai. Ela não queria passar os últimos momentos do dia convencendo seu pai a não se preocupar com os garotos do reformatório.

— Não é nada, pai. Penn está brincando.

— Queremos que tenha cuidado, Lucinda — avisou ele.

Luce pensou no que Daniel tinha sugerido — com bastante convicção — no outro dia, que talvez ela não devesse estar na Sword & Cross. E subitamente ela queria tanto tocar no assunto com os pais, implorar e pleitear para que a levassem para longe dali.

Mas foi a mesma lembrança de Daniel que fez Luce se segurar. O toque excitante da pele dele quando ela o empurrara no lago, o jeito como seus olhos às vezes eram as coisas mais tristes que ela já vira. Parecia ao mesmo tempo completamente absurdo e completamente verdadeiro que talvez valesse a pena viver esse inferno na Sword & Cross apenas para passar um pouco mais de tempo com Daniel. Só para ver se daria em alguma coisa.

— Odeio despedidas — sussurrou a mãe de Luce, interrompendo os pensamentos da filha para puxá-la para um abraço apressado. Luce olhou para o relógio e seu rosto ganhou uma expressão triste. Ela não sabia como aquela tarde passara tão rápido, como já podia estar na hora de eles irem embora.

— Vai nos ligar na quarta? — seu pai perguntou, beijando suas bochechas do jeito que o lado francês de sua família sempre fazia.

Enquanto todos andavam de volta até o estacionamento, os pais de Luce a seguraram pela mão. Cada um lhe deu mais um abraço forte e uma série de beijos. Quando apertaram a mão de Penn e desejaram felicidades, Luce viu uma câmera de vídeo presa no posto de tijolos na saída que abrigava um telefone de emergência quebrado. Devia haver um detector de movimentos ligado aos vermelhos, porque a câmera estava se mexendo, seguindo seus passos. Essa não estava no tour de Ariane e certamente não era um vermelho morto. Os pais de Luce não perceberam nada, e talvez fosse melhor assim.

E então foram se afastando, olhando para trás duas vezes para acenar para as garotas paradas na entrada do saguão principal. O pai de Luce ligou seu velho Chrysler New Yorker preto e desceu as janelas.

— Nós amamos você! — ele gritou tão alto que Luce teria ficado envergonhada se não estivesse tão triste por vê-los partir.

Luce acenou de volta.

— Obrigada — ela sussurrou. *Pelas nozes e pelo picles. Por passar o dia todo aqui. Por aceitar Penn sem perguntas. Por ainda me amarem apesar de eu assustá-los.*

Quando os faróis desapareceram virando a curva, Penn cutucou as costas de Luce:

— Estava pensando em ir ver meu pai. — Ela chutou o solo com a ponta de sua bota e levantou os olhos timidamente para

Luce. — Quer vir, talvez? Se não quiser, eu entendo, considerando que envolve mais um tour por lá. — Ela apontou com o polegar as profundezas do cemitério.

— É claro que vou — disse Luce.

Elas deram a volta na área do cemitério, ficando no alto até atingirem o canto mais a leste, onde Penn parou na frente de um túmulo.

Era simples, branco, e estava coberto por uma camada marrom de agulhas de pinheiro. Penn ficou de joelhos e começou a limpá-lo com as mãos.

STANFORD LOCKWOOD, a simples lápide dizia, O MELHOR PAI DO MUNDO.

Luce podia ouvir a voz pungente de Penn por trás da inscrição, e sentiu as lágrimas inundando seus olhos. Ela não queria que Penn a visse — afinal, Luce ainda tinha seus pais. Se alguém devia estar chorando agora, devia ser... Penn *estava* chorando. Estava tentando esconder, fungando discretamente e secando algumas lágrimas na manga rasgada de seu suéter. Luce ficou de joelhos também, e começou a ajudá-la a retirar as agulhas. Ela colocou os braços em volta da amiga e a abraçou o mais forte que podia.

Quando Penn se afastou e agradeceu a Luce, ela enfiou a mão no bolso e tirou uma carta.

— Eu geralmente escrevo alguma coisa para ele — explicou.

Luce queria dar a Penn um momento sozinha com seu pai, então se levantou, deu um passo para trás e fez meia-volta, descendo o declive até o meio do cemitério. Seus olhos ainda estavam um pouco embaçados, mas Luce pensou ter visto alguém sentado sozinho em cima do monólito. Sim. Um garoto, com os braços em volta dos joelhos. Ela não podia imaginar como ele tinha subido ali, mas estava lá.

Ele parecia duro e solitário, como se estivesse lá o dia todo. Não viu Luce nem Penn; não parecia ver nada. Mas Luce não precisava se aproximar até ver aqueles olhos cinza e violeta para saber quem era.

Esse tempo todo Luce estivera procurando explicações para o fato de a ficha de Daniel ser tão escassa, que segredos o livro desaparecido de seu antepassado guardava na biblioteca, para onde sua mente tinha viajado naquele dia em que ela perguntara sobre sua família. Por que ele era tão instável com ela... sempre.

Depois de um dia tão emotivo com seus próprios pais, pensar aquilo quase a fez cair de tanta tristeza. Daniel estava sozinho no mundo.

CATORZE

MÃOS OCIOSAS

Na quinta-feira, choveu o dia todo. Nuvens escuras como breu rolavam do oeste e se agitavam acima do campus, não ajudando em nada a clarear os pensamentos de Luce. A tempestade veio em ondas desiguais — chuvisco, depois chuva forte e em seguida veio o granizo —, diminuindo para logo depois começar tudo de novo. Os alunos não tinham nem tido permissão de sair nos intervalos, e, no final da aula de cálculo, Luce já estava ficando de saco cheio.

Ela percebeu isso quando suas anotações começaram a se desviar para longe do teorema do valor médio e começaram a ficar assim:

15 de setembro: fora introdutório de D

*16 de setembro: queda da estátua, mão na cabeça para me
  proteger (alternativa: apenas tateando para conseguir
  sair); fuga imediata de D*

*17 de setembro: possível mal-entendido do aceno de cabeça
  de D como uma sugestão para eu ir à festa de Cam. Perturbadora descoberta da relação entre D & G (engano?)*

Descrito dessa maneira, era o começo de uma lista bem cons-
trangedora. Daniel simplesmente era tão instável! Era possível
que ele se sentisse da mesma maneira em relação a ela — apesar
de que, se pressionada, Luce insistiria que qualquer esquisitice
da parte *dela* fora apenas uma resposta à esquisitice extrema da
parte *dele*.

Não. Esse era *precisamente* o tipo de discussão interminável
que não queria ter. Luce não queria fazer joguinhos, ela só queria estar com ele. Mas não fazia ideia do porquê. Ou de como
fazer isso. Ou, na verdade, o que estar com ele realmente significava. Tudo que sabia era que, apesar de tudo, era nele que ela
pensava. Com ele que se importava.

Luce achou que se conseguisse se lembrar de todas as vezes
em que tiveram contato e todas as vezes em que ele se afastara,
poderia encontrar algum motivo que justificasse o comportamento excêntrico de Daniel. Mas a lista até agora só a estava
deixando deprimida. Ela amassou a página com força.

Quando o sinal finalmente tocou dispensando-os até o dia
seguinte, Luce saiu correndo da sala de aula. Geralmente ela
esperava para andar ou com Ariane ou com Penn, temendo o
momento em que se separariam, porque então Luce ficaria sozinha com seus pensamentos. Mas hoje, para variar, ela não estava
com vontade de ver ninguém. Queria um tempo sozinha. E ti-

nha apenas uma ideia para tirar Daniel da cabeça: uma sessão demorada, difícil e solitária de natação.

Enquanto os outros alunos começavam a andar de volta até seus quartos, Luce levantou o capuz de seu suéter preto e se atirou à chuva, ansiosa para chegar à piscina.

Enquanto descia os degraus do Augustine, deu de cara em alguma coisa alta e escura. Cam. Quando os dois trombaram, uma torre de livros oscilou nos braços do garoto, depois caíram no chão molhado com uma série de baques. Ele também estava com o capuz preto cobrindo a cabeça e seus fones de ouvido estavam no volume máximo. Provavelmente também não tinha visto Luce chegando — os dois estavam em seus mundinhos particulares.

— Tudo bem? — ele perguntou, colocando uma das mãos em suas costas.

— Estou bem — respondeu Luce. Ela mal havia tropeçado, foram os livros de Cam que haviam se dado mal.

— Bem, agora que derrubamos os livros um do outro, o próximo passo não seria nossas mãos acidentalmente se tocando enquanto nos abaixamos para apanhá-los?

Luce riu. Quando entregou a ele um dos livros, Cam segurou sua mão e a apertou. A chuva tinha ensopado seus cabelos escuros, e grandes gotas estavam reunidas nos cílios compridos e espessos dele. Ele estava bem bonito.

— Como se diz "envergonhado" em francês? — ele perguntou.

— Hum... *gêné.* — Luce começou a dizer, subitamente se sentindo ela mesma um pouco *gênée.* Cam ainda estava segurando sua mão. — Espera, não foi você quem tirou A na prova de francês ontem?

— Você soube? — ele perguntou. Sua voz parecia estranha.

— Cam — disse ela. — Está tudo bem?

Ele se inclinou na sua direção e enxugou uma gota de chuva que estava descendo pelo seu nariz. O simples toque da ponta de seu dedo fez Luce se arrepiar, e subitamente não conseguiu parar de imaginar como seria bom e quentinho se ele a apertasse em seus braços como havia feito na cerimônia para Todd.

— Tenho pensado em você — disse Cam. — Querendo ver você. Esperei por você na cerimônia, mas alguém me disse que tinha ido embora.

Luce teve a impressão de que ele sabia com quem ela fora embora. E que Cam queria que Luce soubesse que ele sabia.

— Desculpe — disse ela, tendo que gritar para ser ouvida por cima do estrondo de um trovão. A essa altura, os dois já estavam ensopados do temporal.

— Vamos nessa, vamos sair dessa chuva. — Cam a puxou de volta até a entrada coberta do Augustine.

Luce olhou por cima do ombro dele em direção ao ginásio, querendo estar lá, não ali ou em qualquer outro lugar com Cam. Pelo menos, não agora. Sua cabeça estava confusa demais, e ela precisava de tempo e espaço — de todo mundo — para resolver as coisas.

— Não posso — disse.

— Que tal mais tarde? Que tal hoje à noite?

— É, mais tarde, tudo bem.

Cam sorriu.

— Eu passo no seu quarto.

Ele a surpreendeu puxando-a por um breve momento, e beijando-a na testa gentilmente. No mesmo instante, Luce se sentiu calma, quase como se tivesse levado algum tipo de injeção. E, antes de ter chance de sentir mais alguma coisa, ele a soltara e já estava andando rapidamente de volta aos dormitórios.

Luce sacudiu a cabeça e foi andando lentamente até o ginásio. Era óbvio que havia mais para entender do que apenas Daniel.

Era possível que fosse bom, até divertido, passar algum tempo com Cam aquela noite. Se a chuva parasse, ele provavelmente a levaria a alguma parte secreta do campus e seria todo carinhoso e lindo daquele jeito tranquilo dele que a deixara nervosa. Ele a faria se sentir especial. Luce sorriu.

Desde a última vez em que ela pisara na Nossa Senhora da Boa Forma (conforme Ariane batizara a academia), a equipe de manutenção da escola tinha começado a limpar as trepadeiras. Eles tinham tirado o cobertor verde da maior parte da fachada do prédio, mas ainda faltava metade para terminar, e videiras verdes penduravam-se como tentáculos na frente das portas. Luce inclusive teve que se abaixar sob algumas gavinhas compridas para conseguir entrar.

O ginásio estava vazio, e tão quieto que se escutaria um alfinete caindo comparado à tempestade lá fora. A maioria das luzes estava apagada. Ela não sabia se tinha permissão para usar a academia depois do horário, mas a porta estava destrancada, e, bem, ninguém estava lá para impedi-la.

No corredor mal-iluminado, Luce passou pelos velhos pergaminhos em latim, e pela miniatura em mármore reproduzindo a *Pietà*. Ela parou na frente da porta da sala de musculação, onde tinha visto Daniel pulando corda. Suspirou. Aquele seria um ótimo acréscimo à sua lista:

18 de setembro: D me acusa de persegui-lo.
E dois dias depois:
20 de setembro: Penn me convence a realmente começar a
    persegui-lo. Eu concordo.

Argh. Ela estava num buraco negro de nojo de si mesma. E ainda assim não conseguia se segurar. No meio do corredor, congelou. De repente, ela entendeu por que, durante todo o dia, estava se sentindo mais consumida por Daniel que normalmente, e até mais confusa sobre Cam. Tinha sonhado com os dois na noite passada.

Ela estava andando por uma neblina poeirenta, e alguém segurava sua mão. Ela se virara, achando que seria Daniel, mas por mais que os lábios pressionados contra os seus fossem confortáveis e ternos, não eram os dele. Eram de Cam, que lhe deu incontáveis beijos suaves e, toda vez que Luce olhava para ele, seus intensos olhos verdes estavam abertos também, perfurando-a, questionando-a sobre alguma coisa que ela não podia responder.

Depois Cam tinha sumido, assim como a neblina, e Luce estava nos braços de Daniel, exatamente onde queria estar. Ele a inclinou para trás e a beijou ferozmente, como se estivesse com raiva, e cada vez que seus lábios deixavam os dela, até mesmo por meio segundo, a sede mais abrasadora a invadia, fazendo-a ter vontade de gritar. Dessa vez, Luce sabia que eram asas, e ela deixou que a envolvessem como um cobertor. Queria tocá-las, envolver a si mesma e a Daniel completamente com elas, mas logo aquele toque aveludado estava se afastando, dobrando-se sobre si mesmo. Daniel parou de beijá-la, olhou para seu rosto, esperou uma reação. Ela não entendia o medo estranho e quente crescendo do fundo de seu estômago. Mas lá estava, deixando-a desconfortavelmente morna, depois quente, de uma forma sufocante — até ela não aguentar mais. Foi quando acordou sobressaltada: no último momento do sonho, Luce tinha queimado e estilhaçado, e então fora reduzida a cinzas.

Acordara encharcada de suor — o cabelo, o travesseiro, os pijamas, tudo molhado e subitamente deixando-a muito, muito gelada. Luce tinha ficado deitada ali, tremendo e sozinha até surgir a primeira luz da manhã.

Luce esfregou as mangas encharcadas de chuva para se aquecer. É óbvio. O sonho a tinha deixado com um fogo no coração e um frio na espinha dos quais não havia conseguido se livrar o dia todo. E era o motivo pelo qual ela viera nadar, precisava tentar superar aquilo.

Dessa vez, o maiô preto até servia, e ela se lembrara de trazer um par de óculos de natação. Luce empurrou a porta para a piscina e ficou sob a plataforma de mergulho sozinha, inspirando o ar úmido com seu entorpecente cheiro de cloro. Sem os outros alunos para distraí-la, ou os sustos do apito da treinadora Dante, Luce conseguia sentir a presença de mais alguma coisa na igreja. Alguma coisa quase sagrada. Talvez fosse apenas por ser um espaço tão esplêndido, mesmo com a chuva se infiltrando pelos vitrais rachados. Mesmo com nenhuma das velas acesas nos altares laterais, Luce tentou imaginar como devia ser esse lugar antes de a piscina ter substituído os bancos de igreja, e sorriu. Ela gostou da ideia de nadar sob todas aquelas cabeças rezando.

Ela colocou os óculos e pulou. A água estava quente, muito mais que a chuva lá fora, e o barulho do trovão parecia inofensivo e distante quando ela enfiou a cabeça debaixo d'água.

Luce pegou impulso e começou um lento nado crawl para se aquecer.

Seu corpo rapidamente se soltou e, alguma voltas depois, Luce aumentou a velocidade e começou o nado borboleta. Ela podia sentir seus membros queimando, e se esforçou mais ainda. Era exatamente a sensação que estava querendo. Totalmente concentrada.

Se pudesse ao menos conversar com Daniel. Conversar de verdade, sem que ele a interrompesse ou dissesse para ela se transferir de escola ou fugisse antes de ela poder se explicar. Aquilo poderia ajudar. Também talvez exigisse que ela o amarrasse e amordaçasse apenas para fazer com que ele a escutasse.

Mas o que ela diria? Tudo que tinha para se basear era essa *sensação* que tinha quando estava perto dele, que, se parasse para pensar, não tinha nada a ver com as interações entre os dois.

E se ela conseguisse levá-lo de novo para o lago? Foi Daniel quem dera a entender que havia se tornado o lugar *deles*. Dessa vez, podia levá-lo até lá, e seria supercuidadosa para não tocar em nenhum assunto que pudesse fazê-lo perder a cabeça...

Não estava dando certo.

Droga. Lá estava ela de novo. Devia estar nadando. Só nadando. Ela nadaria até ficar cansada demais para pensar em qualquer outra coisa, especialmente Daniel. Ia nadar até...

— Luce!

Até ser interrompida. Por Penn, que estava parada na beira da piscina.

— O que você está fazendo aqui? — Luce perguntou, cuspindo água.

— O que *você* está fazendo aqui? — Penn devolveu. — Desde quando se exercita por vontade própria? Não gostei desse seu novo lado.

— Como foi que me achou? — Só depois de dizê-las, Luce percebeu que suas palavras podiam soar rudes, como se estivesse tentando evitar Penn.

— Cam me contou — disse Penn. — Tivemos uma longa conversa. Foi estranho. Ele queria saber se você estava bem.

— Isso é estranho — concordou Luce.

— Não — disse Penn —, o estranho é que ele me procurou e tivemos uma conversinha. O Senhor Popular... e *eu*. Preciso explicar ainda mais minha surpresa? O negócio é que ele até que foi bem legal.

— Bem, ele *é* legal. — Luce tirou os óculos pela cabeça.

— Com você — disse Penn. — Ele é tão legal com você que fugiu do colégio para comprar aquele colar... que você nunca usa.

— Eu usei uma vez — disse Luce, e era verdade. Cinco noites atrás, depois da segunda vez em que Daniel a deixara plantada sozinha no lago, com seu rastro brilhando na floresta. Ela não conseguira esquecer aquela imagem e não conseguia dormir, então experimentara o colar. Tinha pegado no sono segurando-o perto do pescoço, e acordado com o pingente quente em sua mão.

Penn estava estalando os dedos para Luce, como se para dizer, *Alô? E isso quer dizer que...?*

— Quero dizer que — Luce finalmente completou — não sou superficial a ponto de dizer que procuro um cara que me compre coisas.

— Não é superficial, né? — Penn perguntou. — Então desafio você a fazer uma lista de motivos profundos para gostar tanto do Daniel. Ou seja, nada de *Ele tem os olhos cinzentos mais lindos do mundo* ou *Ooh, o jeito que seus músculos aparecem sob o sol*.

Luce teve que gargalhar ouvindo o falsete agudo de Penn e o jeito que ela estava com as mãos em cima do coração.

— Ele simplesmente me entende — disse ela, evitando os olhos de Penn. — Não posso explicar.

— Ele entende que você merece ser ignorada? — Penn sacudiu a cabeça.

Luce nunca contara a Penn sobre as vezes em que ficara sozinha com Daniel, sobre as vezes em que vira um sinal de que ele gostava dela também. Então Penn realmente não poderia entender o que Luce sentia. E eram coisas particulares e complicadas demais para explicar.

Penn se agachou na frente de Luce:

— Olha, o motivo pelo qual vim procurar você em primeiro lugar foi para arrastá-la até a biblioteca para uma missão relacionada a Daniel.

— Achou o livro?

— Não exatamente — disse Penn, estendendo uma das mãos para ajudar Luce a sair da piscina. — A obra-prima do Sr. Grigori ainda está misteriosamente desaparecida, mas eu talvez meio que tenha hackeado a ferramenta de busca literária da Srta. Sophia, e algumas coisas apareceram. Achei que podia achá-las interessantes.

— Obrigada — disse Luce, erguendo-se para fora com a ajuda de Penn. — Vou tentar não ser tão irritantemente melosa em relação a Daniel.

— Tanto faz — disse Penn. — Apenas se apresse e se seque logo. A chuva deu uma trégua, e não quero ser pega sem guarda-chuva.

※ ※

Praticamente seca e de volta ao seu uniforme escolar, Luce seguiu Penn até a biblioteca. Parte da parede frontal tinha sido bloqueada pela fita amarela da polícia, então as garotas tiveram que se esgueirar pelo espaço estreito entre o catálogo de fichas e a seção de referências. Ainda cheirava a queimado, e agora, graças aos sprinklers e à chuva, ganhara um novo odor de mofo.

Luce olhou primeiro para onde a mesa da Srta. Sophia tinha estado, agora um círculo queimado quase perfeito no velho piso de ladrilhos no meio da biblioteca. Tudo num raio de quatro metros tinha sido removido. Tudo mais além daquilo estava estranhamente intacto.

A bibliotecária não estava em seu posto, mas uma mesa dobrável tinha sido armada para ela ao lado do lugar destruído. A mesa estava tristemente vazia, com somente uma nova luminária, um porta-lápis e um bloco de anotações cinza.

Luce e Penn trocaram uma careta antes de continuarem até os computadores nos fundos. Quando passaram pela sessão de estudos onde tinham visto Todd pela última vez, Luce olhou para a amiga. Penn manteve o rosto para a frente, mas quando Luce se aproximou e apertou sua mão, ela apertou bem forte de volta.

Elas puxaram duas cadeiras para um dos terminais de computadores, e Penn digitou seu login. Luce olhou em volta para ter certeza de que não tinha mais ninguém por perto.

Uma mensagem de erro em vermelho apareceu na tela.

Penn grunhiu.

— O quê? — Luce perguntou.

— Depois das 16h, preciso de permissão especial para entrar na internet.

— *Por isso* esse lugar é tão vazio à noite.

Penn estava remexendo em sua mochila.

— Onde foi que coloquei aquela senha criptografada? — murmurou.

— Lá está a Srta. Sophia — disse Luce, acenando para a bibliotecária, que estava atravessando o corredor numa blusa preta justa e calças curtas verdes. Os brincos brilhantes roçavam em seus ombros, e ela tinha um lápis prendendo um lado do cabelo.

— Por aqui — Luce sussurrou alto.

A Srta. Sophia apertou os olhos para elas. Seus óculos bifocais tinham escorregado pelo nariz e, com uma pilha de livros debaixo de cada um dos braços, ela não tinha mão livre para empurrá-los de volta para o lugar.

— Quem é? — gritou ela, andando até lá. — Ah, Lucinda. Pennyweather — disse, soando cansada. — Olá.

— Queríamos saber se a senhorita podia nos dar a senha para usar o computador. — Luce perguntou, apontando a mensagem de erro na tela.

— Não vão entrar naqueles sites de relacionamento, vão? Aqueles sites são coisa do diabo.

— Não, não, é uma pesquisa séria — disse Penn. — Você aprovaria.

A Srta. Sophia se inclinou sobre as garotas para desbloquear o computador. Com os dedos voando, ela digitou a senha mais longa que Luce já vira.

— Vocês têm vinte minutos — disse secamente, e foi se afastando.

— Deve bastar — cochichou Penn. — Achei uma dissertação crítica sobre os Guardiões, então até acharmos o livro podemos pelo menos saber do que se trata.

Luce sentiu alguém atrás dela e se virou para ver que a Srta. Sophia tinha voltado. Luce deu um pulo.

— Desculpe — disse ela. — Não sei por que você me assustou.

— Não, eu é que peço desculpas — disse a Srta. Sophia. Seu sorriso praticamente fazia seus olhos sumirem. — É só que tem sido tão difícil ultimamente, desde o incêndio. Mas não há motivo para eu despejar minhas mágoas nas minhas duas alunas mais promissoras.

Nem Luce nem Penn sabiam exatamente o que dizer. Uma coisa era se reconfortar mutuamente após o incêndio. A bibliotecária da escola meio que estava fora de sua alçada.

— Tenho tentado me manter ocupada, mas... — A Srta. Sophia não terminou.

Penn olhou nervosamente para Luce.

— Bem, podíamos ter alguma ajuda em nossa pesquisa, se, isto é, você...

— Posso ajudar! — A Srta. Sophia puxou uma terceira cadeira. — Vejo que estão pesquisando sobre os Guardiões — disse, lendo por cima de seus ombros. — Os Grigori eram um clã muito influente. E por acaso conheço um banco de dados papal. Deixe-me ver o que consigo descobrir.

Luce quase engasgou com o lápis que estivera mastigando.

— Desculpe, você disse Grigori?

— Ah sim, os historiadores rastrearam a família até a Idade Média. Eles eram... — Ela parou, procurando pelas palavras. — Um tipo de grupo de investigação e pesquisa, para explicar em termos leigos e modernos. Eles se especializavam num certo tipo de folclore de anjos caídos.

Ela se debruçou entre as garotas de novo e Luce se maravilhou com o jeito como seus dedos eram rápidos no teclado. A ferramenta de busca se esforçava para acompanhá-la, puxando artigo após artigo, fonte após fonte, tudo sobre os Grigori. O nome da família de Daniel estava em toda parte, enchendo a tela. Luce se sentiu meio tonta.

A imagem de seu sonho voltou até ela: asas se desenrolando, seu corpo esquentando até ela arder e virar um monte de cinzas.

— Existem diferentes tipos de anjos para se especializar? — Penn perguntou.

— Ah, é óbvio... É um campo amplo da literatura — disse a Srta. Sophia enquanto digitava. — Existem os que viraram demônios. E os que ficaram ao lado de Deus. E até mesmo os que se ligaram a mulheres mortais. — Finalmente seus dedos pararam. — Hábito muito perigoso.

Penn disse:

— E esses tais de Guardiões têm alguma coisa a ver com o nosso Daniel Grigori?

A Srta. Sophia tocou em seus lábios pintados de lilás.

— É bem possível. Eu mesma já me perguntei isso, mas não é da nossa conta ficar fuxicando nos assuntos dos outros alunos, não concordam? — Seu rosto pálido se enrugou quando ela olhou para seu relógio. — Bem, espero que tenha lhes dado o bastante para começarem o projeto. Não vou roubar mais do tempo de vocês. — Ela apontou um relógio na tela do computador. — Só têm mais nove minutos.

Enquanto ela andava de volta para a frente da biblioteca, Luce observou a postura perfeita da Srta. Sophia; ela poderia ter equilibrado um livro sobre a cabeça. Parecia tê-la animado um pouco poder ajudar as garotas com a pesquisa, mas, ao mesmo tempo, Luce não sabia o que fazer com toda aquela informação que tinha conseguido sobre Daniel.

Penn sabia. Ela já havia começado a rabiscar furiosamente suas anotações.

— Oito minutos e meio — informou a Luce, entregando-lhe uma caneta e um pedaço de papel. — Tem coisa demais aqui para entender em oito minutos e meio. Comece a escrever.

Luce suspirou e fez o que a amiga dizia. Era um website acadêmico e chato com uma moldura azul fina em volta de um fundo bege. Em cima, um cabeçalho numa fonte severamente quadrada dizia: O CLÃ GRIGORI.

Só de ler o nome, Luce sentia sua pele esquentar.

Penn bateu no monitor com a caneta, chamando a atenção de Luce de volta para sua tarefa.

Os Grigori não dormem. Parecia possível; Daniel sempre parecia mesmo cansado. *Geralmente são calados.* Em cheio. Às vezes falar com ele era tão difícil quanto extrair um dente. *Num decreto do século dezoito...*

A tela ficou preta. O tempo acabara.

— Quanto conseguiu anotar?

Luce levantou seu pedaço de papel. Patético. Mas havia uma coisa da qual nem se lembrava de ter rabiscado: as bordas do papel estavam cheias de penas de asas.

Penn lhe lançou um olhar de esguelha:

— É, já estou vendo que vai ser uma excelente ajudante na pesquisa — disse ela, rindo. — Talvez mais tarde possamos interpretar seus rabiscos. — Ela mostrou suas anotações, bem mais relevantes. — Tudo bem, tenho o suficiente para nos levar a outras fontes.

Luce enfiou o papel no bolso junto com a lista amassada que tinha começado a fazer sobre seus encontros com Daniel. Estava começando a ficar igual a seu pai, que não gostava de ficar muito longe de sua trituradora de papel. Ela se abaixou para procurar uma lata de reciclagem e viu as pernas de alguém, que andava pelo corredor em direção a elas.

O andar era tão familiar quanto o dela mesma. Ela se endireitou de volta na cadeira — ou tentou se endireitar de volta — e bateu com a cabeça no tampo da mesa do computador.

— Ai — gemeu, esfregando o lugar onde tinha batido a cabeça no incêndio da biblioteca.

Daniel parou a alguns centímetros de distância. Sua expressão mostrava que a última coisa que ele queria no mundo agora era dar de cara com Luce. Pelo menos ele tinha aparecido depois do computador desligar; não precisava descobrir que ela estava investigando sua vida ainda mais do que já achava.

Mas Daniel parecia estar olhando através dela; seus olhos violeta-acinzentados estavam fixos em seu ombro, em alguma coisa — em outra pessoa.

Penn bateu no ombro de Luce, então apontou com o polegar em direção à pessoa parada atrás dela. Cam estava inclinado sobre a cadeira de Luce e sorrindo para ela. Um raio súbito na tempestade lá fora mandou Luce praticamente para os braços de Penn em um pulo.

— Só uma tempestade — disse Cam, inclinando a cabeça. — Vai passar logo. Uma pena, porque você fica bonitinha quando está com medo.

Cam estendeu a mão. Ele começou em seu ombro, então tracejou o contorno de seu braço com os dedos até descer para sua mão. Luce piscou, aquilo era tão bom, e, quando ela abriu os olhos, havia uma pequena caixa de veludo vermelho-rubi em sua mão. Cam a abriu, só por um segundo, e Luce viu de relance algo dourado.

— Abra mais tarde — disse ele. — Quando estiver sozinha.

— Cam...

— Passei pelo seu quarto.

— Podemos... — Luce olhou para Penn, que estava fitando-os descaradamente com a atenção cativa de uma espectadora na primeira fila do cinema.

Finalmente saindo de seu transe, Penn abanou as mãos.

— Querem que eu vá embora. Entendi.

— Não, fique. — Cam disse, parecendo mais doce do que Luce esperava. Ele se virou para Luce. — Estou indo. Mas mais tarde... Promete?

— Prometo. — Ela sentiu-se corando.

Cam pegou sua mão e levou-a junto com a caixinha para dentro do bolso da frente de seu jeans. Ela mal coube, e ela estremeceu quando sentiu os dedos de Cam tocarem seus quadris. Então ele piscou e foi embora.

Antes mesmo de ela ter tido chance de recuperar o fôlego, Cam estava de volta.

— Só mais uma coisa — disse, deslizando o braço atrás da cabeça dela e se aproximando.

Sua cabeça se inclinou para trás e a dele para a frente, e suas bocas se tocaram. Os lábios de Cam eram macios como sempre pareceram todas as vezes que Luce reparara neles.

Não foi um beijo longo, apenas um selinho, mas Luce sentiu como se tivesse sido muito mais. Ela não conseguia respirar com o choque e a emoção e porque todos poderiam ver esse muito longo, muito inesperado...

— Mas que...!

A cabeça de Cam tinha girado, e então ele estava dobrado ao meio, segurando o queixo, e Daniel estava parado atrás dele, esfregando o pulso.

— Fique com as mãos longe dela.

— Não ouvi — disse Cam, levantando-se lentamente.

Ah. Meu. Deus. Estavam brigando. Na biblioteca. Por causa dela.

Então, num único movimento, Cam precipitou-se na direção de Luce. Ela gritou enquanto seus braços começaram a se fechar à sua volta.

Mas as mãos de Daniel foram mais rápidas. Ele afastou Cam com força e o empurrou contra a mesa do computador. Cam grunhiu enquanto Daniel agarrava uma mecha de seu cabelo e batia sua cabeça na mesa.

— Eu disse para ficar com suas mãos imundas longe dela, seu merdinha babaca.

Penn guinchou, pegou seu estojo e andou nas pontas dos pés até a parede. Luce assistia enquanto ela balançava o estojo amarelo no ar uma, duas, três vezes. Da quarta vez, ele voou alto o suficiente para bater na pequena câmera preta aparafusada na parede. O golpe mandou a lente da câmera voando para a esquerda, em direção a uma pilha de livros de não ficção.

A essa altura, Cam tinha empurrado Daniel para trás e estavam se encarando enquanto andavam em círculos, os sapatos fazendo barulho no chão polido.

Daniel começou a se abaixar antes de Luce sequer perceber que Cam estava atacando. Mas ainda assim Daniel não fora rápido o suficiente. Cam acertou um soco que nocautearia qualquer um bem embaixo do olho de Daniel, que recuou com a força do soco, atropelando Luce e Penn contra a mesa do computador. Ele se virou e murmurou desculpas embaralhadas antes de se virar de volta.

— Ah, meu Deus, parem! — Luce gritou, bem antes de ele lançar-se contra a cabeça de Cam.

Daniel segurou Cam, acertando um monte de socos rápidos em seus ombros e nos lados de seu rosto.

— Que delícia — grunhiu Cam, virando o pescoço de um lado para o outro como um boxeador. Ainda o segurando, Daniel colocou suas mãos em volta do pescoço de Cam e apertou.

Cam revidou atirando Daniel contra uma estante alta de livros. O impacto ecoou como uma bomba dentro da biblioteca, mais alto do que os trovões lá fora.

Daniel grunhiu e o soltou. Ele caiu no chão com um baque.

— O que mais tem para mostrar, Grigori?

Luce cambaleou, achando que ele talvez não conseguisse levantar. Mas Daniel se pôs de pé rapidamente.

— Vou mostrar — sibilou ele. — Lá fora. — Ele deu um passo em direção a Luce, e depois se afastou. — Você fica aqui.

Então os dois saíram da biblioteca, pela saída dos fundos que Luce tinha usado na noite do incêndio. Ela e Penn ficaram paralisadas em seus lugares, se encarando, de queixo caído.

— Vamos — disse Penn, arrastando Luce até uma janela que dava para o pátio. Elas pressionaram os rostos contra o vidro, esfregando o embaçado que se formava ao respirarem.

A chuva estava caindo com muita força. O campo lá fora estava escuro, e a única luz era a que vinha das janelas da biblioteca. Estava tão lamacento e escorregadio que, na verdade, era difícil ver qualquer coisa.

Então as duas figuras correram para o meio do pátio comum. Os dois ficaram instantaneamente ensopados. Eles discutiram por um momento, então começaram a andar em círculos um atrás do outro, com os punhos erguidos novamente.

Luce agarrou o peitoril e observou quando Cam deu o primeiro passo, correndo até Daniel e batendo nele com o ombro. Depois um chute rápido nas costelas.

Daniel se ajoelhou, segurando um lado do corpo. *Levante*, Luce implorou para que ele reagisse. Sentia como se ela mesma tivesse levado um chute. Toda vez que Cam atacava Daniel, ela sentia a dor em seus próprios ossos.

Ela não suportava olhar.

— Daniel bobeou por um momento ali — anunciou Penn logo depois de Luce ter se virado de costas. — Mas ele reagiu e atingiu com tudo a cara de Cam. *Boa!*

— Está gostando disso? — Luce perguntou, horrorizada.

— Meu pai e eu costumávamos assistir às lutas da UFC — disse Penn. — Parece que esses dois andaram acompanhando alguns treinamentos em artes marciais. Cruzado perfeito, Daniel! — Ela gemeu. — Ah, que droga.

— O quê? — Luce olhou de novo. — Ele se machucou?

— Relaxa — disse Penn. — Alguém está indo lá separar a briga. Logo quando Daniel estava reagindo.

Penn estava certa. Parecia o Sr. Cole atravessando o pátio. Quando ele chegou onde os dois estavam brigando, ficou parado e os observou por um momento, quase hipnotizado pela intensidade que estavam mostrando.

— Faça alguma coisa — sussurrou Luce, se sentindo enjoada.

Finalmente, o Sr. Cole segurou cada um pela nuca. Os três debateram-se por um momento até finalmente Daniel se afastar. Ele sacudiu a mão direita, então andou em círculos e cuspiu algumas vezes na lama.

— Muito bonito, Daniel — disse Luce, querendo, sem muito sucesso, ser sarcástica.

Agora estavam levando uma bronca do Sr. Cole. Brusco, ele agitou as mãos para os dois, que o ouviram com as cabeças abaixadas. Cam foi o primeiro a ser dispensado. Ele correu pelo campo até os dormitórios e desapareceu.

O Sr. Cole colocou uma das mãos no ombro de Daniel. Luce estava desesperada para saber sobre o que eles estavam falando, e se Daniel seria punido. Ela queria ir até ele, mas Penn a impediu.

— Tudo isso por causa de uma joia. Qual foi o presente, afinal?

O Sr. Cole foi embora e Daniel ficou sozinho, parado debaixo da luz de um poste, olhando para o alto, para a chuva.

— Eu não sei — respondeu Luce, saindo da janela. — O que quer que seja, não quero. Especialmente não depois disso. — Ela voltou até a mesa do computador e tirou a caixa do bolso.

— Se você não quer, eu quero — disse Penn. Ela abriu a caixa, e depois olhou para Luce, confusa.

O objeto dourado que viram não era uma joia. Havia apenas duas coisas dentro da caixa: outra das palhetas verdes de guitarra de Cam, e um pedaço de papel dourado.

Me encontre amanhã depois da aula. Estarei esperando nos portões.
— C.

QUINZE

A TOCA DO LEÃO

Havia muito tempo desde que Luce dera uma boa olhada no espelho. Ela nunca se incomodara com sua aparência — seus olhos castanho-claros, dentes certinhos, cílios grossos; e a abundante cascata de cabelos pretos. Isso era antes. Antes do verão passado.

Depois que sua mãe cortara todo o seu cabelo, Luce começou a evitar espelhos. Não era só por causa do cabelo curto; Luce achava que não gostava mais de quem era, então não queria ver nenhuma evidência disso. Ela começou a olhar para as mãos enquanto estava no banheiro. Mantinha a cabeça reta quando passava por janelas coloridas e evitava os estojos de pó compacto com espelhos.

Mas, vinte minutos antes de supostamente ter que encontrar Cam, Luce ficou na frente do espelho do banheiro feminino do Augustine, vazio. Ela achava que estava bonitinha. Seu cabelo finalmente estava crescendo, e o peso começava a alargar algumas das ondas. Ela verificou seus dentes, então endireitou os ombros e encarou o espelho como se estivesse olhando Cam nos olhos. Precisava dizer algo a ele, algo importante, e ela queria ter certeza de que conseguiria fazer uma expressão que exigisse que ele a levasse a sério.

Cam não tinha ido à aula hoje, assim como Daniel, então Luce presumiu que o Sr. Cole havia colocado os dois em algum tipo de castigo, ou estavam simplesmente curando suas feridas. Mas Luce não tinha dúvidas de que Cam estaria esperando por ela hoje.

Ela não queria vê-lo. Nem um pouco. Pensar em seus punhos socando Daniel fazia seu estômago se revirar. Mas eles terem brigado era culpa dela em primeiro lugar. Luce dera esperanças a Cam — e se tinha feito isso por estar confusa ou lisonjeada ou ligeiramente interessada não importava mais. O que importava era que ela precisava ser direta com ele hoje: não havia nada entre eles.

Respirou profundamente, ajeitou a camisa até os quadris e abriu a porta do banheiro.

Aproximando-se dos portões, ela não conseguia vê-lo, mas, no entanto, era difícil ver qualquer coisa além das construções no estacionamento. Luce não voltara à entrada da escola desde que começaram as reformas, e ficou surpresa em ver como era complicado andar pelo estacionamento esburacado agora. Luce desviou de buracos abertos e tentou se esconder dos operários, abanando os vapores do asfalto que nunca pareciam diminuir.

Não havia sinal de Cam. Por um segundo, ela se sentiu boba, quase como se tivesse caído em algum tipo de pegadinha. Os altos portões de metal estavam cobertos de poeira vermelha.

Luce olhou através deles para o denso bosque de antigos olmos do outro lado da rua. Ela estalou os dedos, lembrando-se da vez em que Daniel lhe dissera que odiava quando fazia isso. Mas ele não estava ali para vê-la estalando os dedos; ninguém estava. Então Luce notou um pedaço de papel dobrado com seu nome escrito. Estava espetado na magnólia grossa de troncos acinzentados ao lado do posto com o telefone quebrado.

Estou salvando você da Noite Social. Enquanto o resto dos alunos está organizando uma reencenação da Guerra Civil — triste, mas verdadeiro —, você e eu vamos aprontar na cidade. Um sedã preto com uma placa dourada vai levá-la até mim. Achei que nós dois podíamos tomar um pouco de ar puro.
— C.

Luce tossiu. Ar puro era uma coisa, mas um sedã preto apanhando-a no campus? Para levá-la até ele, como se ele fosse algum tipo de xeque que podia simplesmente arranjar mulheres quando tivesse vontade? Onde estava Cam, afinal?

Nada disso fazia parte de seu plano. Luce tinha concordado em encontrar Cam só para dizer a ele que estava sendo indiscreto demais e que ela realmente não conseguia se ver envolvida com ele. Porque — apesar de não ter dito a ele — toda vez que seu punho atingia Daniel na noite anterior, alguma coisa dentro dela recuava e começava a ferver. Claramente, ela precisava cortar essa relação com Cam pela raiz. Estava com o colar de ouro com a serpente em seu bolso. Era hora de devolvê-lo.

Exceto que agora ela se sentia idiota por achar que Cam só queria conversar. É óbvio que tinha algum truque escondido na manga. Ele era esse tipo de cara.

O som de pneus desacelerando fez Luce virar a cabeça. Um sedã preto parou na frente dos portões. O vidro fumê do lado do motorista desceu e uma mão cabeluda saiu e tirou do gancho o telefone da cabine que ficava do lado de fora dos portões. Depois de um momento, o telefone foi recolocado no gancho com um estrondo e o motorista simplesmente tocou a buzina.

Finalmente, as grandes e ruidosas grades de metal se abriram e o carro entrou, parando na frente dela. As portas se destrancaram. Ela ia mesmo entrar naquele carro e ir sabe-se-lá-aonde para encontrá-lo?

Da última vez em que estivera parada naqueles portões tinha sido para se despedir de seus pais. Sentindo saudades antes mesmo de eles terem partido, ela acenara daquele mesmo lugar, ao lado da cabine do telefone quebrado — e lembrou-se, havia notado uma das câmeras de segurança mais modernas. Do tipo com detector de movimento, dando zoom em cada passo seu. Cam não poderia ter escolhido lugar pior para o carro apanhá-la.

Subitamente, ela teve visões de uma solitária num porão qualquer. Paredes de cimento molhadas e baratas subindo por suas pernas. Sem luz. Os rumores ainda estavam se espalhando pelo campus sobre aquele casal, Jules e Phillip, que não tinham mais sido vistos desde que saíram escondidos. Cam achava que Luce queria tanto vê-lo a ponto de arriscar simplesmente sair da escola bem na frente dos vermelhos?

O carro ainda estava zumbindo na entrada na frente dela. Depois de um momento, o motorista — um homem usando óculos de sol, de pescoço grosso e cabelo ralo — estendeu a mão. Nela havia um pequeno envelope branco. Luce hesitou um segundo antes de se aproximar para pegá-lo de seus dedos.

Era de Cam. Um cartão pesado cor de marfim com seu nome impresso num dourado decadente no canto inferior esquerdo.

Devia ter dito antes: o vermelho foi coberto com fita isolante. Veja você mesma. Cuidei de tudo, como vou cuidar de você. Vejo-a em breve, espero.

Fita? Ele estava dizendo...? Luce ousou olhar para o vermelho. Era verdade. A fita isolante preta circulava perfeitamente a câmera cobrindo sua lente. Luce não sabia como essas coisas funcionavam, mas, estranhamente, ficou aliviada que Cam tivesse pensado em cuidar daquilo. Ela não conseguia imaginar Daniel planejando nada assim.

Tanto Callie quanto seus pais estavam esperando telefonemas aquela noite. Luce tinha lido a carta de dez páginas de Callie três vezes, e decorara todos os detalhes engraçados das viagens de fim de semana de sua amiga até Nantucket, mas ainda não saberia como ia responder nenhuma das perguntas de Callie sobre sua vida na Sword & Cross. Se ela se virasse e voltasse lá para dentro para pegar o telefone, não sabia como começaria a atualizar Callie ou seus pais sobre os acontecimentos estranhos e sombrios dos últimos dias. Era mais fácil não contar nada a eles, pelo menos não até que ela tivesse encerrado as coisas de um jeito ou de outro.

Ela escorregou no couro bege e macio do banco de trás do sedã e apertou o cinto. O motorista mudou a marcha sem uma palavra.

— Para onde estamos indo? — ela perguntou.

— Para um lugarzinho perto do rio. O Sr. Briel gosta das cores de lá. Apenas sente-se e relaxe, querida. Vai ver.

Sr. Briel? Quem era esse cara? Luce nunca gostava quando a mandavam relaxar, especialmente quando parecia um aviso para não perguntar mais nada. No entanto, cruzou os braços, olhou pela janela, e tentou esquecer o tom do motorista quando ele a chamou de "querida".

Pelas janelas escuras, as árvores lá fora e a rua pavimentada pareciam marrons. Na curva cuja pista a oeste levava até Thunderbolt, o sedã preto virou para leste. Estavam seguindo o rio em direção à costa. De vez em quando, quando seu caminho e o do rio convergiam, Luce podia ver a água marrom e repugnante se agitando ao lado deles. Vinte minutos depois, o carro diminuiu até parar na frente de um bar decadente à beira do rio.

Era feito de madeira cinzenta e apodrecida, e uma placa encharcada na porta da frente dizia STYX em letras chanfradas pintadas à mão em vermelho. Um cordão de bandeirinhas de plástico anunciando uma marca de cerveja tinha sido pregado à viga de madeira embaixo do teto de zinco, uma tentativa medíocre de alegrar o lugar. Luce examinou as imagens impressas nos triângulos de plástico — palmeiras e garotas bronzeadas de sol em biquínis com garrafas de cerveja encostadas em seus lábios sorridentes — e se perguntou quando teria sido a última vez que uma garota de verdade tinha colocado os pés ali.

Dois punks mais velhos estavam fumando sentados num banco de frente para a água. Moicanos cansados caíam sobre suas testas enrugadas e as jaquetas de couro que usavam eram feias e sujas como se as tivessem desde que ser punk era novidade. As expressões vazias em seus rostos indolentes e queimados de sol fazia a cena toda parecer ainda mais desoladora.

O pântano margeava a avenida de duas pistas e tinha começado a inundar o asfalto; a rua simplesmente parecia dar lugar à grama pantanosa e à lama. Luce nunca tinha vindo tão longe nos pântanos do rio.

Enquanto estava ali sentada, incerta do que fazer depois que saísse do carro, ou mesmo se fazer isso seria uma boa ideia, a porta da frente do Styx se abriu abruptamente e Cam saiu andando calmamente. Ele se apoiou de maneira despreocupada contra a porta de tela, uma perna cruzada sobre a outra. Ela sabia que ele não podia vê-la pelas janelas escuras do carro, mas Cam levantou a mão como se pudesse e a chamou até ele.

— Seja o que Deus quiser — murmurou Luce antes de agradecer ao motorista. Abriu a porta e foi recebida por uma rajada de vento salgado enquanto subia os degraus para a varanda de madeira do bar.

O cabelo repicado de Cam estava emoldurando seu rosto, e os olhos verdes pareciam tranquilos. Uma manga de sua camiseta preta estava levantada sobre o ombro, e Luce podia ver o contorno benfeito de seu bíceps. Ela tocou com os dedos a corrente de ouro em seu bolso. *Lembre-se de por que está aqui.*

O rosto de Cam não mostrava indícios da briga na noite anterior, o que a fez pensar imediatamente se o de Daniel mostrava.

Cam deu a ela um olhar inquisitivo, umedecendo o lábio inferior:

— Só estava calculando quantos drinques de consolação precisaria tomar se você me desse um bolo hoje — disse, abrindo os braços para um abraço. Luce aceitou. Era muito difícil dizer não a Cam, mesmo quando ela não tinha completa certeza do que ele estava pedindo.

— Eu não daria um bolo em você — disse Luce, sentindo-se imediatamente culpada, sabendo que suas palavras eram mera formalidade, não românticas como Cam teria preferido. Ela só estava lá porque precisava dizer que não queria se envolver com ele. — Então, que lugar é esse? E desde quando você tem serviço de motorista?

— Fique comigo, garota — brincou ele, parecendo interpretar as perguntas como elogios, como se ela gostasse de ser levada para bares que tinham cheiro de ralo de pia.

Ela era péssima nesse tipo de coisa. Callie sempre dizia que Luce era incapaz de honestidade brutal e era por isso que se enfiava em tantas situações chatas com caras a quem simplesmente devia ter dito *não*. Luce estava tremendo. Ela precisava tirar isso do peito. Enfiou a mão no bolso e tirou o pingente.

— Cam.

— Ah, que bom, você trouxe. — Ele pegou o colar de suas mãos e a virou de costas. — Deixe-me ajudar a colocá-lo.

— Não, espere...

— Pronto — anunciou Cam. — Combina muito com você. Dê uma olhada. — Ele a levou pelo piso de madeira que rangia até a janela do bar, onde um número de bandas tinha grudado panfletos de shows. THE OLD BABIES. DRIPPING WITH HATE. HOUSE CRACKERS. Luce teria preferido ficar examinando qualquer um deles a olhar para seu reflexo. — Viu?

Ela não podia exatamente ver seu rosto no painel de vidro sujo, mas o pingente de ouro brilhava sobre sua pele quente. Luce apertou-o. Era *mesmo* lindo, e tão diferente, com a pequena serpente esculpida a mão subindo pelo meio. Não era algo que você pudesse achar nos mercados de calçada, onde os moradores locais vendiam artesanato supervalorizado para os turistas, suvenires do estado da Geórgia fabricados nas Filipinas. Atrás de seu reflexo na janela, o céu tinha uma cor exuberante alaranjada, interrompido por pequenos riscos de nuvens cor-de-rosa.

— Sobre a noite passada... — Cam começou a dizer. Ela podia ver vagamente seus lábios rosados se movendo no vidro por trás de seu ombro.

— Queria falar com você sobre a noite passada também — disse Luce, parada ao seu lado. Ela podia ver as pontas da tatuagem de sol atrás do pescoço dele.

— Vamos entrar — disse ele, guiando-a de volta para a porta de tela presa pela metade. — Podemos conversar lá.

O interior do bar era forrado de painéis de madeira, com algumas fracas lâmpadas alaranjadas providenciando os únicos focos de luz. Todos os tamanhos e tipos de galhadas estavam pregados na parede, e um leopardo empalhado estava posando sobre o bar, parecendo pronto para atacar a qualquer momento. Uma foto apagada com as palavras DIRIGENTES DO CLUBE DOS ALCES DO CONDADO DE PULASKI 1964-65 era a outra única decoração na parede, mostrando uma centena de rostos ovais, sorrindo modestamente sobre gravatas-borboleta de cor pastel. O jukebox estava tocando "Ziggy Stardust", e um homem mais velho de cabeça raspada e calças de couro estava cantarolando, dançando sozinho no meio de um pequeno palco elevado. Além de Luce e Cam, ele era a única pessoa no lugar.

Cam apontou para dois bancos. As almofadas gastas de couro verde estavam rachadas ao meio, a espuma bege explodindo de dentro como grandes pedaços de pipoca. Já havia um copo pela metade na cadeira que Cam escolheu. A bebida era marrom clara, aguada pelo gelo, as gotas de suor envolvendo o copo.

— O que é isso? — Luce perguntou.

— Moonshine da Geórgia — respondeu Cam, tomando um gole. — Não recomendo a você começar com ela. — Quando Luce apertou os olhos, ele disse: — Estou aqui o dia todo.

— Encantador — disse Luce, tocando o cordão de ouro. — Quantos anos você tem, 70? Sentado num bar sozinho o dia todo?

Ele não parecia bêbado, mas Luce não gostava da ideia de ir até ali para terminar tudo com ele, só para encontrá-lo alterado demais para entender. Ela também estava começando a pensar em como ia voltar para a escola. Nem sabia onde aquele lugar ficava.

— Ai. — Cam tocou o próprio peito. — A beleza em ser suspenso das aulas, Luce, é que ninguém *sente a sua falta* durante as aulas. Achei que merecia um tempinho para me recuperar. — Ele inclinou a cabeça de lado. — O que está incomodando você? É esse lugar? Ou a briga na noite passada? Ou o fato de que não tem ninguém *servindo a gente*? — Ele elevou a voz nas últimas palavras, alto o bastante para fazer um imenso e corpulento barman sair pelas portas da cozinha atrás do bar. O barman tinha cabelo longo e em camadas com franja, e tatuagens que pareciam cabelo humano trançado subindo e descendo por seus braços. Ele era só músculos e devia pesar uns 140kg.

Cam se virou para ela e sorriu:

— Qual o veneno de sua preferência?

— Não me importo — disse Luce. — Eu na verdade não tenho um veneno.

— Você estava bebendo champanhe na minha festa — disse Cam. — Viu quem estava prestando atenção? — Ele a cutucou com o ombro. — Seu melhor champanhe para cá — disse ele ao barman, que jogou a cabeça para trás e soltou uma gargalhada seca e entrecortada.

Sem a mínima intenção de pedir a identidade dela ou ao menos olhá-la por tempo suficiente para tentar adivinhar sua idade, o barman se abaixou até uma pequena geladeira com uma porta de vidro de correr. As garrafas batiam enquanto ele procurava no fundo. Depois do que pareceu um bom tempo, ele reapareceu com uma pequena garrafa de Freixenet. Parecia ter alguma coisa laranja em volta de sua base.

— Não me responsabilizo por isso — disse ele, entregando-a.

Cam estourou a rolha e ergueu as sobrancelhas para Luce. Ele derramou o Freixenet cerimoniosamente numa taça de vinho.

— Eu queria me desculpar — disse ele. — Sei que tenho sido um pouco agressivo nas minhas investidas. E noite passada, sobre o que aconteceu com Daniel... não sinto orgulho daquilo. — Cam esperou Luce assentir para continuar. — Em vez de ter ficado com raiva, devia apenas ter escutado. É você que me interessa, não ele.

Luce observou as bolhas subindo em seu espumante, pensando que, se ia ser honesta, deveria dizer que estava interessada em Daniel, não em Cam. Ela *tinha* que contar a Cam. Se ele já se arrependia de não a ter escutado na noite passada, talvez agora pudesse começar. Ela ergueu a taça para tomar um gole antes de começar.

— Ah, espere. — Cam pôs uma das mãos em seu braço. — Não pode beber até brindarmos. — Ele levantou seu copo e sustentou o olhar. — O que vai ser? Você escolhe.

A porta de tela bateu e os dois caras que estavam fumando na varanda entraram. O mais alto, com cabelo preto oleoso, nariz arrebitado e unhas muito sujas, olhou uma vez para Luce e começou a andar na direção deles.

— O que estamos celebrando? — Ele olhou vesgo para ela, cutucando a taça dela com seu copo de vidro. Ele se inclinou para perto, e ela podia sentir a carne de seus quadris pressionando-a na camisa de flanela. — Primeira noite fora da menininha? Que horas é o toque de recolher?

— Estamos celebrando você sair daqui agora mesmo — Cam disse num tom agradável, como se estivesse anunciando que era aniversário de Luce. Ele fixou seus olhos verdes no homem, que mostrou seus dentes pequenos e pontudos e a boca cheia de chicletes.

— Sair, hein? Só se ela for junto.

Ele agarrou a mão de Luce. E, do jeito que a briga com Daniel tinha começado, Luce achava que Cam precisaria de pouco para perder o controle de novo. Especialmente se ele realmente estivera bebendo o dia todo. Mas Cam ficou notavelmente calmo.

Tudo que fez foi afastar a mão do cara com a rapidez, graça e força bruta de um leão afastando um camundongo.

Cam observou o homem tropeçar várias vezes para trás. Cam sacudiu sua mão com um olhar entediado no rosto, e então afagou o pulso de Luce onde o cara tinha tentado agarrá-lo.

— Sinto muito sobre isso. O que você estava dizendo, sobre a noite passada?

— Eu estava dizendo... — Luce sentiu o sangue esvaindo-se de seu rosto. Logo acima da cabeça de Cam, um enorme pedaço de escuridão densa tinha se aberto, alongando-se para a frente e se desdobrando até virar a maior e mais escura sombra que ela jamais vira. Uma rajada de ar glacial soprou, e Luce sentiu o gelo da sombra até mesmo nos dedos de Cam, que ainda tocavam sua pele.

— Ah. Meu. Deus — sussurrou ela.

Houve um barulho de vidro quebrando quando o cara atirou o copo na cabeça de Cam.

Lentamente, Cam se levantou da cadeira e tirou alguns cacos de vidro de seu cabelo. Ele se virou para encarar o homem, que tinha pelo menos o dobro da sua idade e vários centímetros a mais de altura.

Luce se encolheu no banco do bar, se afastando do que sentia que estava prestes a acontecer entre Cam e o outro cara. E o que ela temia que *pudesse* acontecer com a sombra preta como a noite que se alastrava acima deles.

— Podem parar com isso — disse secamente o imenso barman, nem se dando ao trabalho de levantar os olhos de sua revista *Fight*.

Imediatamente, o cara começou a socar Cam a esmo, os socos o atingiam como se fossem tapinhas de uma criança.

Luce não era a única impressionada pela compostura de Cam: o dançarino de calças de couro estava se escondendo atrás do jukebox. E depois do cara de cabelo seboso ter socado Cam algumas vezes, até ele se afastou e ficou parado ali, confuso.

Enquanto isso, a sombra estava grudando-se contra o teto, tentáculos escuros crescendo como ervas daninhas e caindo para cada vez mais perto de suas cabeças. Luce estremeceu e se abaixou exatamente quando Cam se afastou de um último soco do cara nojento.

E então resolveu reagir.

Foi só um simples agito de seus dedos, como se Cam estivesse varrendo para longe uma folha morta. Num minuto, o cara estava em cima de Cam, mas quando os dedos deste tocaram o peito de seu oponente, o cara saiu voando — caindo com os pés para o ar, as garrafas de cerveja largadas quebrando enquanto ele passava, até suas costas baterem na parede oposta perto do jukebox.

Ele esfregou sua cabeça e, gemendo, começou a se afastar.

— Como é que você fez isso? — Os olhos de Luce estavam arregalados.

Cam a ignorou, virou para o amigo mais baixo e forte, e disse:

— Você é o próximo?

O segundo cara levantou as mãos.

— Essa briga não é minha, cara — respondeu, se afastando.

Cam deu de ombros, andou até o primeiro cara e o levantou do chão pelas costas de sua camiseta. Seus membros balançaram-se indefesos no ar, como um boneco. Então, com uma virada fácil de seu pulso, Cam atirou-o mais uma vez contra a parede. Ele quase pareceu ter grudado nela depois que Cam o soltou, socando o cara e dizendo repetidamente:

— Eu *disse* para sair!

— Chega! — Luce gritou, mas nenhum dos dois ouviu ou ligou. Luce sentiu-se enjoada. Ela queria tirar os olhos do nariz sangrando e chicletes do cara grudados contra a parede, pela força quase sobre-humana de Cam. Queria dizer a ele para deixar para lá, que ela mesma acharia uma maneira de voltar para a escola. Queria, principalmente, sair de perto da macabra sombra agora cobrindo todo o teto e escorrendo pelas paredes. Ela pegou sua bolsa e saiu correndo noite afora...

E direto para os braços de alguém.

— Você está bem?

Era Daniel.

— Como me encontrou aqui? — ela perguntou, ousadamente enterrando seu rosto no ombro dele. Lágrimas com as quais não queria lidar estavam acumulando-se dentro dela.

— Vamos — disse Daniel. — Vamos embora daqui.

Sem olhar para trás, ela segurou a mão dele. Um calor subiu pelo seu braço e pelo seu corpo, e então as lágrimas começaram a rolar. Não era justo se sentir tão segura quando as sombras ainda estavam tão perto.

Até Daniel parecia nervoso. Ele estava puxando-a com rapidez pelo lugar e Luce quase teve que correr para acompanhá-lo.

Ela não queria olhar para trás, pois ainda sentia as sombras derramando-se para fora das portas do bar e enchendo o ar, mas não era preciso. Elas flutuavam numa velocidade constante acima de sua cabeça, absorvendo toda a luz do caminho. Era como se o mundo todo estivesse sendo rasgado em pedacinhos bem diante de seus olhos. Um cheiro de enxofre podre ficou entranhado em seu nariz, pior do que qualquer coisa que ela já sentira.

Daniel olhou para cima, também, e franziu as sobrancelhas, parecendo que simplesmente tentava se lembrar onde estacionara. Mas então aconteceu a coisa mais estranha: as sombras se encolheram, evaporaram em gotas escuras que se agruparam para se separarem em seguida.

Luce estreitou os olhos, sem acreditar. Como Daniel fez aquilo? *Ele não tinha* feito aquilo, tinha?

— O quê? — Daniel perguntou, distraído. Ele destrancou a porta do carona de um Ford Taurus branco. — Algo errado?

— Não temos tempo para eu enumerar todas as muitas coisas que estão erradas — Luce disse, afundando no banco do carro. — Olhe. — Ela apontou para a entrada do bar. Cam havia aberto a porta. Ele devia ter nocauteado o outro cara, mas não parecia cansado de brigar. Seus punhos estavam cerrados.

Daniel deu um meio sorriso e balançou a cabeça. Luce estava tentando encaixar o cinto de segurança sem resultados até que ele se debruçou e afastou as mãos dela. Luce prendeu a respiração enquanto os dedos dele roçavam em sua barriga.

— Tem um truque — sussurrou ele, prendendo a aba na base.

Ele ligou o carro, depois deu ré lentamente, não se apressando enquanto passavam pela porta do bar. Luce não podia pensar numa única coisa para dizer a Cam, mas parecia perfeito Daniel abaixar o vidro e simplesmente dizer:

— Boa noite, Cam.

— Luce — chamou Cam, andando até o carro. — Não faça isso. Não vá embora com ele. Vai acabar mal. — Ela não conseguia olhar nos olhos dele, que sabia que estariam implorando para voltar. — Sinto muito.

Daniel ignorou Cam completamente e continuou dirigindo. O pântano parecia nebuloso na penumbra, e a floresta na frente deles parecia ainda mais turva.

— Ainda não me contou como me achou aqui — disse Luce. — Ou como sabia que eu tinha ido encontrar Cam. Ou onde arranjou esse carro.

— É da Srta. Sophia — explicou Daniel, ligando os faróis quando as árvores se juntavam no alto e criavam uma sombra densa na estrada.

— A Srta. Sophia deixou que você pegasse seu carro emprestado?

— Depois de anos vivendo nas ruas de L.A. — disse ele, dando de ombros —, pode-se dizer que tenho um talento mágico para pegar carros "emprestados".

— Você *roubou* o carro da Srta. Sophia? — Luce zombou, imaginando como a bibliotecária anotaria esse acontecimento em seus arquivos.

— Vamos devolver — disse Daniel. — Além disso, ela estava bem ocupada com a encenação da Guerra Civil de hoje à noite. Alguma coisa me diz que ela não vai nem notar que sumiu.

Foi só então que Luce notou as roupas de Daniel. Ela examinou o uniforme azul de soldado da União com sua ridícula tira de couro pendurada diagonalmente sobre o peito. Ela estava tão apavorada pelas sombras, por Cam, por toda aquela cena assustadora, que nem tinha parado para olhar Daniel.

— Não ouse rir — disse Daniel, ele mesmo tentando conter o riso. — Você provavelmente se livrou da pior Social do ano.

Luce não conseguiu evitar: inclinou-se para a frente e mexeu num dos botões de Daniel.

— Que pena — disse ela, usando um sotaque sulista. — Acabaram de passar meu vestido de rainha do baile.

Os lábios de Daniel se curvaram num sorriso, mas em seguida ele suspirou.

— Luce. O que você fez hoje à noite... As coisas podiam ter acabado bem mal. Você sabia disso?

Luce olhou a estrada, irritada pelo clima ter voltado a ficar sério tão subitamente. Uma coruja olhava de cima de uma árvore.

— Eu não queria vir até *aqui* — explicou, o que parecia verdade. Era quase como se Cam a tivesse enganado. — Queria não ter vindo — acrescentou em voz baixa, imaginando onde estaria a sombra agora.

Daniel bateu o punho no volante e ela se assustou. Ele estava cerrando os dentes, e Luce odiava ser a culpada por deixá-lo tão zangado.

— Só não consigo acreditar que está envolvida com ele — disse Daniel.

— Não estou — insistiu ela. — O único motivo pelo qual vim foi para dizer a ele... — Não fazia sentido. Envolvida com Cam! Se Daniel ao menos soubesse que ela e Penn passavam a maior parte do tempo livre pesquisando sobre a família *dele*... bem, provavelmente ficaria irritado de qualquer jeito.

— Não precisa explicar — disse Daniel, dispensando-a. — É culpa minha, de qualquer maneira.

— Culpa sua?

Nesse momento, Daniel tinha saído da estrada e parado o carro no fim de uma estradinha de areia. Ele desligou os faróis e os dois olharam o oceano. O céu escuro tinha uma tonalidade profunda de ameixa, e as cristas das ondas pareciam quase prateadas, cintilando. A grama da praia chicoteava com o vento, fazendo um barulho alto e desolado de assovio. Um bando de gaivotas estava sentado em fileira ao longo do corrimão do calçadão, cuidando de suas penas.

— Estamos perdidos? — ela perguntou.

Daniel a ignorou. Ele saiu do carro, bateu a porta e começou a andar em direção à água. Luce esperou por dez segundos nervosos, observando a silhueta dele ficar cada vez menor no crepúsculo arroxeado, antes de sair do carro e segui-lo.

O vento batia seu cabelo contra o rosto. Ondas batiam nas margens, puxando conchas e algas marinhas ao recuarem. O ar estava mais fresco perto da água. Tudo tinha um cheiro fortemente salgado.

— O que está havendo, Daniel? — perguntou, correndo ao longo da duna. Ela se sentia mais pesada andando na areia. — Onde estamos? E o que quer dizer com "a culpa é sua"?

Ele se virou para ela. Parecia tão derrotado, seu uniforme de mentira todo amassado, os olhos cinzentos caídos. O rugido das ondas quase abafava sua voz.

— Só preciso de tempo para pensar.

Luce sentiu um nó na garganta de novo. Ela finalmente tinha parado de chorar, mas Daniel estava tornando a conversa tão difícil.

— Por que vir me salvar então? Por que vir até tão longe me buscar, para depois gritar comigo e me ignorar? — Ela secou os olhos na barra de sua camiseta preta, e o sal marinho em seus dedos fez com que ardessem. — Não que isso seja muito diferente da maneira como você me trata na maior parte do tempo, mas...

Daniel se virou e bateu com as mãos na própria testa.

— Você não entende, Luce. — Ele balançou a cabeça. — Esse é o problema: você nunca entende.

Não havia nada de cruel em sua voz; na verdade, era quase gentil *demais*. Como se Luce fosse tola demais para entender o que quer que fosse tão óbvio para Daniel. Isso a deixava totalmente furiosa.

— Eu não entendo? — ela perguntou. — *Eu* não entendo? Deixe-me dizer uma coisa que entendo. Você se acha tão esperto, não é? Passei três anos com uma bolsa acadêmica integral na melhor escola preparatória do país inteiro. E, quando me expulsaram, tive que implorar — implorar! — para não apagarem meus registros de notas máximas.

Daniel se afastou, mas Luce foi atrás dele, dando um passo à frente para todo passo para trás que ele dava, com os olhos arregalados. Provavelmente o estava assustando, mas e daí? Ele pedia isso, toda vez que era condescendente com ela.

— Sei falar latim e francês, e no ginásio, ganhei o prêmio da feira de ciências por três anos seguidos.

Luce já o tinha encurralado contra o corrimão da calçada e estava tentando se segurar para não o cutucar no peito. Ainda não tinha terminado.

— Também faço as palavras cruzadas do jornal de domingo, às vezes em menos de uma hora. Tenho um senso de direção infalível... menos em relação aos garotos.

Ela engoliu e parou um momento para recuperar o fôlego.

— E um dia serei uma psiquiatra que escuta de verdade seus pacientes e ajuda as pessoas. Tá bom? Então *não* fique falando comigo como se eu fosse burra e *não* me diga que não entendo só porque *eu* não consigo decifrar *seu* comportamento errático, instável, oscilante e, francamente — Luce olhou para ele, soltando a respiração —, cruel. — Ela afastou uma lágrima, zangada com si mesma por ficar tão alterada.

— Cale a boca — Daniel disse, mas falou de forma tão suave e terna que Luce surpreendeu a ambos obedecendo. — Não acho que você seja burra. — Ele fechou os olhos. — Acho que é a pessoa mais esperta que conheço. E a mais bondosa. E... — ele engoliu, abrindo os olhos para olhar diretamente para ela — a mais bonita.

— Como?

Ele olhou para o oceano.

— Só estou... tão cansado disso — disse. Ele parecia mesmo exausto.

— Do quê?

Daniel olhou de novo para Luce, com uma expressão triste no rosto, como se tivesse perdido alguma coisa preciosa. Esse era o Daniel que ela conhecia, apesar de ela não conseguir explicar como ou de onde. Esse era o Daniel que ela... amava.

— Pode me mostrar — sussurrou ela.

Ele balançou a cabeça, mas seus lábios ainda estavam tão perto dos dela, e seu olhar era tão encantador. Era quase como se ele quisesse que *ela* mostrasse para ele antes.

Seu corpo se agitou ao ficar na ponta dos pés, inclinando até ele. Luce pousou a mão em seu rosto e Daniel piscou, sem se mover. Ela continuou lentamente, muito lentamente, como se estivesse com medo de assustá-lo, cada segundo sentindo-se mais petrificada. E então, quando estavam perto o bastante para seus olhos se embaralharem, ela baixou as pálpebras e apertou seus lábios contra os dele.

O toque de seus lábios, suave e leve como uma pena, era tudo que os conectava, mas um fogo que Luce nunca sentira antes se espalhou por dentro dela, e ela soube que precisava de mais... de Daniel. Seria demais pedir que ele precisasse dela da mesma maneira, que a prendesse em seus braços como fizera tantas vezes em seus sonhos, para retribuir o beijo com outro ainda mais poderoso.

Mas foi isso que ele fez.

Seus braços musculosos envolveram a cintura de Luce. Ele a puxou para mais perto, e ela sentiu seus corpos se encaixando perfeitamente — pernas entrelaçadas em pernas, quadris pressionados contra quadris, a respiração dos dois na sintonia ideal.

Daniel pressionou suas costas contra o corrimão da calçada, prendendo-a em si até que Luce não conseguisse mais se mexer, até tê-la exatamente onde ela queria estar. Tudo isso, sem interromper o toque apaixonado de seus lábios nem uma vez.

Então ele começou a realmente beijá-la, com delicadeza a princípio, fazendo sons sutis e deliciosos em seu ouvido. Depois longa, doce e ternamente, descendo pelo queixo e para o pescoço, fazendo-a gemer e pender a cabeça para trás. Daniel entrelaçou o cabelo dela nos dedos e Luce abriu os olhos para ver, por um segundo, as primeiras estrelas aparecendo no céu. Ela se sentiu mais próxima do que nunca do Paraíso.

Finalmente, Daniel voltou para seus lábios, beijando-a com intensidade — sugando seu lábio inferior para depois pressionar a língua macia pelos seus dentes. Ela abriu mais a boca, desesperada para deixá-lo entrar mais, finalmente sem medo de mostrar o quanto o queria. Para igualar a intensidade dos beijos dele com os dela.

Havia areia em sua boca e entre seus dedos do pé, o vento salgado arrepiava sua pele, e a sensação mais doce e mágica jorrava de seu coração.

Naquele momento, Luce poderia ter morrido por Daniel.

Ele se afastou e a encarou, como se esperando que ela dissesse alguma coisa. Luce sorriu para ele e o beijou levemente na boca, deixando seus lábios se demorarem nos lábios dele. Não conhecia palavras, nenhum jeito melhor de comunicar o que estava sentindo, o que queria.

— Ainda está aqui — sussurrou ele.

— Ninguém poderia me tirar. — Ela riu.

Daniel deu um passo para trás e, com um olhar sombrio para ela, seu sorriso desapareceu. Ele começou a andar de um lado para o outro, esfregando a testa com a mão.

— O que foi? — ela perguntou com leveza, puxando a manga dele para que voltasse para mais um beijo. Daniel acariciou o rosto dela, seu cabelo, toda a extensão de seu pescoço, como se estivesse tentando ter certeza de que ela não era um sonho.

Aquele era seu primeiro beijo de verdade? Ela achava que não devia contar Trevor, então tecnicamente sim. E tudo parecia tão certo, como se ela tivesse sido feita para Daniel, e ele para ela. Ele tinha um cheiro... delicioso. Sua boca tinha um gosto doce e caro. Ele era alto e forte e...

Estava se afastando dela.

— Aonde está indo? — ela perguntou.

Os joelhos de Daniel se dobraram e ele escorregou alguns centímetros, apoiando-se no corrimão de madeira para olhar o céu. Parecia estar sentindo dor.

— Você disse que nada conseguiria tirá-la de mim — disse ele num sussurro. — Mas eles vão conseguir. Talvez estejam apenas atrasados.

— Eles? Quem? — perguntou Luce, olhando para a praia deserta. — Cam? Acho que o despistamos.

— Não. — Daniel começou a andar pela calçada. Ele estava tremendo. — É impossível.

— Daniel.

— Vai acontecer — repetiu ele, aos sussurros.

— Você está me assustando. — Luce seguiu-o, tentando acompanhá-lo de perto. Porque, subitamente, apesar de não querer, teve uma sensação de que sabia do que Daniel estava falando. Não era sobre Cam, mas sobre outra coisa, outra ameaça.

A cabeça de Luce estava confusa. As palavras dele se repetiam em seu cérebro, soando estranhamente verdadeiras, mas o sentido por trás delas lhe escapava. Como o pedaço de um sonho do qual ela não conseguia se lembrar.

— Fale comigo — disse ela. — Explique o que está acontecendo.

Daniel se virou, o rosto pálido como uma peônia, os braços estendidos e sem esperança:

— Eu não sei como impedi-los — sussurrou. — Não sei o que fazer.

DEZESSEIS

NA BALANÇA

Luce ficou parada no meio do caminho entre o cemitério ao norte do campus e o caminho até o lago, ao sul. Era começo da noite e os trabalhadores da obra já tinham ido para casa. Um pouco de luz infiltrava-se pelos galhos dos carvalhos atrás do ginásio, jogando sombras no gramado que levaria até o lago. Tentando Luce para ir até lá. Ela não tinha certeza sobre qual caminho escolher. Estava segurando duas cartas nas mãos.

A primeira, de Cam, era o pedido de desculpas que ela já esperava, e um convite para encontrá-lo depois das aulas, para conversar. A segunda, de Daniel, não dizia nada além de "Encontre-me no lago". Ela mal podia esperar. Seus lábios ainda formigavam daquele beijo da noite passada. Luce não conseguia tirar da cabeça a sensação dos dedos dele em seus cabelos e dos lábios em seu pescoço.

Outras lembranças da noite eram mais confusas, como o que acontecera depois que ela se sentou ao lado de Daniel na praia. Comparado com o jeito com que suas mãos tinham arrebatado o corpo de Luce menos de dez minutos antes, Daniel parecia quase com medo de tocá-la.

Nada pôde tirá-lo de seu transe. Ele ficava murmurando a mesma coisa sem parar — "Algo deve ter acontecido. Algo mudou" —, e a encarava com um olhar de dor, como se ela tivesse a resposta, como se ela tivesse alguma ideia do que aquelas palavras significavam. Pelo menos, Luce tinha caído no sono encostada em seu ombro, olhando para o mar etéreo.

Quando acordou, horas depois, ele estava carregando-a pelas escadas até seu quarto. Luce levou um susto ao perceber que tinha dormido o caminho todo de volta até a escola — e se assustou ainda mais com o estranho brilho refletido no corredor. Estava de volta. A luz de Daniel, que ela não sabia se ele também enxergava.

Tudo ao redor deles estava banhado naquela suave luz violeta. As portas brancas cheias de adesivos dos outros alunos pareciam pintadas de cores neon. O piso de linóleo sem graça resplandecia. A janela de vidro com vista para o cemitério adicionava um brilho violeta à primeira insinuação da luz matinal amarelada lá fora. Tudo aquilo sob os olhares infalíveis dos vermelhos.

— Estamos tão ferrados — sussurrou ela, nervosa, mas ainda meio dormindo.

— Não estou preocupado com os vermelhos — disse Daniel, calmo, seguindo o olhar dela para as câmeras. Primeiro suas palavras a reconfortaram, mas então Luce começou a se perguntar sobre aquele tom de voz aflito de Daniel: se não estava preocupado com os vermelhos, estava preocupado com alguma outra coisa.

Quando ele a deitou em sua cama, beijou Luce de leve na testa e então respirou fundo:

— Não saia de perto de mim — pediu.

— Sem chance de isso acontecer.

— Estou falando sério. — Ele fechou os olhos por um longo tempo. — Descanse um pouco agora, mas me encontre de manhã antes da aula. Quero falar com você. Promete?

Ela apertou a mão de Daniel para puxá-lo para um último beijo. Luce segurou seu rosto entre as mãos e derreteu nele. Cada vez que seus olhos se abriam, ele a estava observando. E ela adorou aquilo.

Finalmente, ele se afastou e ficou parado na porta, observando, seus olhos ainda fazendo o coração dela disparar da mesma forma que seus lábios haviam feito, um momento antes. Quando Daniel saiu para o corredor e fechou a porta, Luce mergulhou num sono profundo.

Ela dormira, perdendo a hora para as aulas da manhã, e acordou no começo da tarde sentindo-se renascida e cheia de vida. Nem ligou por não ter desculpa nenhuma para ter faltado. Apenas ficou preocupada por ter perdido o encontro com Daniel. Ela o encontraria assim que pudesse; ele entenderia.

Por volta das 14h, quando finalmente lhe ocorreu comer alguma coisa ou talvez assistir à aula de religião da Srta. Sophia, ela saiu da cama de má vontade. Foi então que viu que dois envelopes tinham sido jogados por baixo de sua porta, o que atrasou severamente sua tarefa de deixar o quarto.

Ela precisava dispensar Cam primeiro. Se fosse até o lago antes do cemitério, sabia que nunca conseguiria sair do lado de Daniel para fazê-lo. Se fosse antes ao cemitério, seu desejo de ver Daniel de novo lhe daria coragem suficiente para dizer a Cam as coisas que estivera nervosa demais para dizer antes. Antes de tudo ficar tão assustador e fora de controle na noite passada.

Ignorando seus temores em vê-lo, Luce apressou-se através do pátio em direção ao cemitério. O começo da noite estava quente, e o ar estava pesado com umidade. Ia ser uma daquelas noites abafadas quando a brisa do mar distante nunca ficava forte o suficiente para refrescar as coisas. Não havia ninguém andando pelo campus, e as folhas das árvores estavam imóveis. Luce parecia ser o único ser vivo na Sword & Cross. Todo mundo estava prestes a ser liberado da aula, indo até o refeitório para jantar, e Penn — e possivelmente os outros também — já estaria se perguntando sobre o paradeiro de Luce.

Cam estava apoiado nos portões cheios de líquen do cemitério quando ela chegou. Seus cotovelos descansavam nas barras de ferro esculpidas como videiras, os ombros curvados para a frente. Ele estava chutando um dente-de-leão com a ponta de aço de sua bota preta. Luce não se lembrava de já tê-lo visto tão concentrado em seus pensamentos — na maior parte das vezes, Cam parecia ter um genuíno interesse no mundo à volta dele.

Mas, dessa vez, ele nem a viu até Luce estar diretamente a sua frente. Quando ele ergueu os olhos, seu rosto estava acinzentado. O cabelo estava grudado na cabeça e Luce se surpreendeu ao notar que ele não tinha se barbeado. Seus olhos passearam pelo rosto dela, como se focalizar em algum lugar exigisse muito esforço. Cam parecia destruído, não por causa da briga, mas simplesmente como se não dormisse há dias.

— Você veio. — Sua voz era rouca, mas as palavras terminaram num pequeno sorriso.

Luce estalou os dedos, pensando que ele não ia sorrir por muito mais tempo. Ela assentiu e levantou a carta dele.

Ele tentou pegar sua mão, mas Luce afastou o braço, fingindo que ia usar a mão para tirar o cabelo dos olhos.

— Achei que estaria furiosa por causa da noite passada — disse Cam, afastando-se do portão. Ele deu alguns passos até o cemitério, então se sentou de pernas cruzadas num banco baixo de mármore cinza entre a primeira fileira de túmulos. Ele limpou a terra e as folhas secas do resto do banco, então bateu no lugar vazio ao lado dele.

— Furiosa? — ela perguntou.

— É geralmente por isso que as pessoas saem correndo de bares.

Luce se sentou de frente para ele, também com as pernas cruzadas. Dali, podia ver os galhos de cima do enorme e antigo carvalho no meio do cemitério, onde ela e Cam haviam feito o piquenique naquela tarde que parecia ter sido há tanto tempo.

— Eu não sei — disse Luce. — Fiquei mais perplexa. Confusa, talvez. Desapontada. — Ela estremeceu lembrando-se dos olhos daquele cara nojento quando ele a segurou, a doentia velocidade dos socos de Cam, o teto escuro coberto de sombras... — Por que me levou até lá? Sabe o que aconteceu quando Jules e Philip saíram escondidos.

— Jules e Philip eram imbecis que tinham todos os passos monitorados por pulseiras rastreadoras. É óbvio que seriam pegos. — Cam sorriu sombriamente, mas não para ela. — Não somos nem um pouco como eles, Luce. Acredite em mim. E, além disso, eu não estava tentando entrar em mais uma briga. — Cam apertou as têmporas, e a pele em volta delas ficou vermelha, elástica e fina demais. — Só não aguentei o jeito com que aquele cara falou com você, tocou em você. Você merece ser tratada com mais respeito. — Seus olhos verdes se arregalaram. — Eu quero ser essa pessoa. A única.

Ela enfiou o cabelo atrás das orelhas e respirou fundo.

— Cam, você parece ser um cara ótimo...

— Ah, não. — Ele cobriu o rosto com as mãos. — Não o discurso de não-quero-magoar-você. Espero que não diga que deveríamos ser apenas amigos.

— Não quer ser meu amigo?

— Sabe que quero ser muito mais do que seu amigo — argumentou Cam, cuspindo a palavra "amigo" como se fosse um palavrão. — É o Grigori, não é?

Ela sentiu seu estômago apertar. Achou que não fosse muito difícil de adivinhar, mas estava tão envolvida em seus próprios sentimentos que mal tivera tempo de imaginar o que Cam pensava sobre os dois.

— Você não conhece nem a mim nem a ele de verdade — disse Cam, levantando e se afastando —, mas está pronta para escolher agora, né?

Era presunçoso da parte dele achar que ainda tinha qualquer chance, especialmente depois da noite anterior. Como ele poderia achar que estava havendo algum tipo de competição entre ele e Daniel?

Então Cam se agachou na frente dela no banco. Seu rosto estava diferente — suplicante, sério — enquanto ele segurava as mãos dela nas suas.

Luce ficou surpresa ao vê-lo tão magoado.

— Sinto muito — falou, tirando as mãos. — Simplesmente aconteceu.

— Pois é! *Simplesmente* aconteceu. O que aconteceu, deixeme adivinhar... Ontem à noite ele *olhou* para você de uma maneira tão romântica. Luce, está tomando uma decisão precipitada antes de sequer saber o que está em jogo. Pode haver... *muita coisa* em jogo. — Ele suspirou com uma expressão confusa no rosto de Luce. — Eu poderia fazê-la feliz.

— Daniel me faz feliz.

— Como pode dizer isso? Ele nem toca em você.

Luce fechou os olhos, lembrando-se do beijo da noite passada na praia. Dos braços de Daniel envolvendo-a. O mundo todo parecia tão certo, tão harmonioso, tão seguro. Mas, quando ela abria os olhos agora, Daniel não estava por perto.

Apenas Cam.

Ela limpou a garganta.

— Não, ele tocou. Ele toca em mim.

Seu rosto ficou quente. Luce pressionou uma das mãos geladas na face, mas Cam não percebeu. Suas mãos estavam fechadas em punhos.

— Explique.

— O jeito como Daniel me beija não é da sua conta. — Ela mordeu o lábio furiosa. Cam estava zombando dela.

Cam riu alto.

— Ah, é? Eu posso fazer isso tão bem quanto Grigori — disse ele, pegando a mão dela e beijando-a antes de largá-la abruptamente.

— Não foi nada assim — disse Luce, virando-se.

— Que tal assim então? — Seus lábios acariciaram o rosto dela antes que Luce pudesse afastá-lo.

— Errou.

Cam passou a língua sobre os lábios.

— Está dizendo que Daniel Grigori realmente *beijou* você da maneira que você merece ser beijada? — Alguma coisa em seus olhos escuros estava começando a parecer maligna.

— Sim — respondeu ela —, e foi o melhor beijo da minha vida. — E, apesar de ter sido seu único beijo de verdade até agora, Luce sabia que, se a perguntassem de novo dali a sessenta anos, ou cem anos, diria a mesma coisa.

— E, ainda assim, aqui está você — disse Cam, balançando a cabeça sem acreditar.

Luce não gostou do que ele estava insinuando.

— Só estou aqui para contar a verdade sobre mim e Daniel. Para explicar que você e eu...

Cam explodiu em gargalhadas, um cacarejar alto que ecoava através do cemitério vazio. Ele riu por tanto tempo e tão intensamente que precisou controlar seus espasmos e teve que secar uma lágrima dos olhos.

— O que é tão engraçado? — perguntou Luce.

— Você não faz ideia — disse ele, ainda rindo.

O tom de você-nunca-entenderia de Cam não era muito diferente do de Daniel na noite passada quando, inconsolável, ficou repetindo "É impossível". Mas a reação de Luce a Cam foi completamente diferente. Quando Daniel a afastava, Luce sentia uma atração ainda maior por ele. Mesmo quando discutiam, queria ficar com Daniel mais do que jamais tivera vontade de ficar com Cam. Mas quando Cam a fez se sentir como se estivesse por fora, ela ficou aliviada. Realmente não queria mais ficar perto dele.

Na verdade, naquele momento, sentia-se perto até demais.

Já era o suficiente. Cerrando os dentes, ela se levantou e passou pelos portões, furiosa consigo mesma por ter perdido tempo com ele.

Mas Cam a alcançou, parando na frente dela e bloqueando sua saída. Ele ainda estava rindo dela, mordendo o lábio, tentando parar.

— Não vá — disse, rindo.

— Me deixe em paz.

— Ainda não.

Antes de poder impedi-lo, Cam a pegou nos braços e a inclinou para trás num mergulho de maneira que seus pés até saíram do chão. Luce gritou, debatendo-se por um momento, mas Cam sorria.

— Me larga!

— Grigori e eu tivemos uma luta bem justa até agora, não acha?

Luce olhou feio para ele, empurrando seu peito com as mãos.

— Vá para o inferno.

— Está entendendo errado — disse Cam, aproximando o rosto. Seus olhos verdes a penetraram e ela odiava que uma parte de si ainda se sentisse abalada pelo seu olhar. — Olha, sei que as coisas fugiram um pouco de controle nos últimos dias — disse ele numa voz apressada —, mas eu me importo com você, Luce. Muito. Não escolha ele antes de termos um único beijo.

Luce sentia os braços dele apertando-a, e de repente ficou assustada. Estavam fora da escola, e ninguém sabia onde ela estava.

— Não vai mudar nada — falou para Cam, tentando parecer calma.

— Então faça a minha vontade. Finja que sou um soldado e você está concedendo meu último desejo antes de morrer. Prometo, só um beijo.

A mente de Luce viajou de volta até Daniel. Ela o imaginou esperando no lago, mantendo as mãos ocupadas atirando pedras na água, quando devia estar com ela nos braços. Não queria beijar Cam, mas e se ele realmente não a soltasse? O beijo podia ser algo rápido e insignificante. A maneira mais fácil de se soltar. E então ela estaria livre para voltar para Daniel. Cam prometera.

— Só um beijo — começou ela, mas então seus lábios já estavam nos dela.

Seu segundo beijo em dois dias. Enquanto o beijo de Daniel tinha sido faminto e quase desesperado, o de Cam era gentil e perfeito demais, como se ele tivesse praticado com cem garotas antes dela.

E, ainda assim, ela sentiu algo por dentro se agitando, querendo corresponder, segurando a raiva que estava sentindo apenas alguns segundos antes e transformando aquilo em pó. Cam ainda a estava segurando para trás em seus braços, equilibrando todo o peso dela em seu joelho. Ela se sentiu segura em suas mãos fortes e capazes — e precisava se sentir segura. Era tão diferente de, bem, de todos os momentos em que Luce não estava beijando Cam. Ela sabia que estava esquecendo alguma coisa, alguém — quem? Não conseguia se lembrar. Havia apenas o beijo, e os lábios dele e...

De repente, ela se sentiu caindo. Bateu no chão com tanta força que perdeu o fôlego por um instante. Ao se levantar, ela viu quando, a alguns centímetros de distância, o rosto de Cam também batia no chão. Ela estremeceu contra sua vontade.

O sol de fim de tarde jogava uma luz morna sobre duas figuras no cemitério.

— Quantas vezes vai precisar arruinar essa garota? — Luce ouviu um sotaque sulista triste.

Gabbe? Ela levantou os olhos, ofuscada pelo sol baixo.

Gabbe e Daniel.

Gabbe correu até ela para ajudá-la a se levantar, mas Daniel nem a olhava nos olhos.

Luce se xingou em pensamento. Ela não conseguia decidir o que era pior — Daniel a ter visto beijando Cam, ou — ela estava certa — Daniel brigar com Cam mais uma vez.

Cam se levantou e os encarou, ignorando Luce completamente.

— Tudo bem, qual de vocês dois vai ser dessa vez? — rosnou. Dessa vez?

— Eu — respondeu Gabbe, dando um passo à frente com as mãos nos quadris. — Esse empurrãozinho carinhoso foi todo meu, Cam, querido. O que vai fazer sobre isso?

Luce sacudiu a cabeça. Gabbe só podia estar brincando. Com certeza era algum tipo de jogo. Mas Cam não parecia estar achando nada engraçado. Ele mostrou os dentes e puxou as mangas para cima, erguendo os pulsos e indo para a frente.

— De novo, Cam? — repreendeu Luce. — Já não houve brigas demais nessa semana? — Como se não fosse o suficiente, ele realmente ia bater numa garota.

Cam deu um meio sorriso para ela:

— A terceira vez é a da sorte — falou com a voz cheia de malícia. Ele virou de volta assim que viu Gabbe atacando-o com um chute alto na mandíbula.

Luce correu para trás quando Cam caiu. Seus olhos estavam apertados e estava segurando o rosto. Parada em cima dele, Gabbe parecia inabalada, como se tivesse acabado de tirar uma torta de pêssego perfeita do forno. Ela olhou as unhas e suspirou.

— Vai ser uma pena ter que dar uma surra em você logo depois de ter retocado minha manicure. Ah, bom — disse, chutando Cam repetidamente no estômago em seguida, sentindo prazer com cada chute, como uma criança ganhando num fliperama.

Ele engatinhou para longe. Luce não conseguia mais ver seu rosto — estava enterrado entre seus joelhos —, mas ele estava gemendo de dor e engasgando com sua própria respiração.

Luce se levantou e olhou de Gabbe para Cam e de volta para Gabbe, sem entender o que estava vendo. Cam tinha o dobro de seu tamanho, mas Gabbe parecia estar em vantagem. Ontem mesmo, Luce tinha visto Cam espancar aquele cara imenso no bar. E, na outra noite, do lado de fora da biblioteca, Daniel e Cam pareciam ter empatado. Luce ficou maravilhada com Gabbe, com seu laço de arco-íris puxando o cabelo para trás num rabo de cavalo alto. Agora, ela prendera Cam no chão e estava torcendo seu braço para trás.

— Como é? — provocou ela. — Só diga a palavra mágica, docinho. Eu deixo você ir embora.

— Nunca. — Cam cuspiu no chão.

— Esperava que fosse dizer isso — comentou, e enfiou a cabeça dele no chão com força.

Daniel colocou as mãos no pescoço de Luce, que relaxou e olhou para trás, aterrorizada ao ver sua expressão. Ele devia odiá-la nesse momento.

— Sinto tanto — sussurrou ela. — Cam, ele...

— Por que você viria aqui encontrá-lo? — Daniel parecia magoado e irritado ao mesmo tempo. Ele segurou o queixo de Luce para fazê-la olhar para ele. Seus dedos estavam congelando contra a pele dela. Os olhos estavam completamente violeta, sem traços de cinza.

Os lábios de Luce tremeram:

— Achei que poderia cuidar disso. Ser honesta com Cam, para que eu e você pudéssemos ficar juntos e não termos que nos preocupar com mais nada.

Daniel riu, e Luce percebeu como tinha soado estúpida.

— Aquele beijo... — ela disse, torcendo as mãos. Ela queria cuspi-lo de sua boca. — Foi um grande erro.

Daniel fechou os olhos e se virou. Duas vezes ele abriu a boca para dizer alguma coisa, mas então pensou melhor. Segurou o próprio cabelo e hesitou. Observando-o, Luce temia que ele começasse a chorar. Finalmente, Daniel a abraçou.

— Está com raiva de mim? — Ela enterrou o rosto no peito dele e sentiu o cheiro doce de sua pele.

— Só estou feliz por termos chegado aqui a tempo.

O som dos gemidos de Cam fez os dois olharem em sua direção, depois vieram as caretas. Daniel pegou a mão de Luce e tentou puxá-la dali, mas ela não conseguia tirar os olhos de Gabbe, que tinha imobilizado a cabeça de Cam e não estava nem ofegando. Cam parecia arrasado e patético. Simplesmente não fazia sentido.

— O que está havendo, Daniel? — sussurrou Luce. — Como Gabbe consegue bater tanto em Cam? Por que ele está deixando?

Daniel meio que suspirou, meio que riu.

— Ele não está deixando. O que você está vendo é apenas uma amostra do que essa garota pode fazer.

Luce balançou a cabeça:

— Não entendo. Como...

Daniel afagou seu rosto.

— Vamos dar uma volta? — ele perguntou. — Vou tentar explicar as coisas, mas acho que é melhor você estar sentada.

Luce tinha algumas coisas a explicar para Daniel também. Ou, se não fosse explicar, pelo menos ia tocar no assunto, para ver se ele parecia achá-la desequilibrada. Aquela luz violeta, por exemplo. E os sonhos que não podia — não queria — impedir.

Daniel a levou a uma parte do cemitério que Luce nunca vira antes, um espaço claro e plano onde dois pessegueiros tinham crescido juntos. Seus troncos se inclinavam um em direção ao outro, formando o contorno de um coração entre eles.

Ele a levou para baixo do estranho casal de galhos deformados e pegou suas mãos, tocando-as com a ponta dos dedos.

A noite estava quieta, somente os grilos cantavam. Luce imaginou todos os outros alunos no refeitório, colocando purê de batata em suas bandejas, sugando leite morno por um canudo. Era como se, de repente, ela e Daniel estivessem num plano diferente do resto da escola. Tudo além das mãos entrelaçadas, seu cabelo brilhando com o sol poente, seus olhos calorosos... Tudo além disso parecia tão distante.

— Não sei por onde começar — falou Daniel, apertando com mais força enquanto massageava seus dedos, como se pudesse achar a resposta assim. — Tem tanta coisa para contar, e precisa ser da maneira certa.

Por mais que ela quisesse que as palavras de Daniel fossem uma simples confissão de amor, Luce sabia que não era bem isso. Ele tinha alguma coisa difícil a dizer, uma coisa que poderia explicar muita coisa sobre ele, mas que também podia ser difícil para Luce ouvir.

— Talvez uma daquelas coisas no estilo: "tenho boas e más notícias"? — ela sugeriu.

— Boa ideia. Qual você quer ouvir antes?

— A maioria das pessoas escolhe as boas primeiro.

— Talvez seja verdade — disse ele. — Mas você está longe de ser como a maioria das pessoas.

— OK, então escolho as más notícias.

Ele mordeu o lábio.

— Então promete que não vai embora antes de eu chegar às boas?

Luce não tinha planos de ir embora. Não agora, quando ele não estava mais a afastando dela. Não quando ele estava prestes a oferecer algumas respostas para a longa lista de perguntas que Luce estava organizando obsessivamente durante as últimas semanas.

Daniel colocou as mãos dela em seu peito e as segurou contra seu coração.

— Vou contar a verdade — disse. — Você não vai acreditar em mim, mas merece saber. Mesmo que isso talvez possa matá-la.

— Certo. — Um afiado nó de dor se apossou das entranhas de Luce, e ela podia sentir seus joelhos começando a tremer. Ficou feliz quando Daniel a fez sentar.

Ele andou de um lado para o outro, então respirou fundo:

— Na Bíblia...

Luce gemeu. Não conseguiu evitar; era uma reação incontro-lável quando falavam de religião. Além disso, ela queria discutir sobre eles dois, não algum tipo de parábola moralista. A Bíblia não teria as respostas para qualquer uma das perguntas que Luce tinha sobre Daniel.

— Apenas ouça — disse, olhando sério para ela. — Na Bíblia, sabe como Deus fala tanto de como todos têm que amá-lo com toda a sua alma? Como deve ser incondicional e incomparável?

Luce deu de ombros:

— Acho que sim.

— Bem — Daniel parecia estar procurando as palavras cer-tas. — Esse pedido não se aplica apenas às pessoas.

— O que quer dizer? Quem mais? Animais?

— Às vezes, sim — disse Daniel. — Como a serpente. Ela foi amaldiçoada depois de tentar Eva. Destinada a se arrastar pelo chão para sempre.

Luce tremeu, lembrando-se de Cam. A cobra. O piquenique. Aquele colar. Ela esfregou seu pescoço limpo e nu, feliz por ter se livrado daquilo.

Ele passou os dedos pelo cabelo dela, pelo seu rosto, até che-gar às clavículas. Luce suspirou, num estado de graça.

— Estou tentando dizer... Acho que poderia dizer que sou amaldiçoado também, Luce. Sou amaldiçoado há muito, muito tempo. — Ele falava como se as palavras tivessem um gosto amargo. — Fiz uma escolha certa vez, uma escolha na qual acre-ditava... na qual ainda acredito, apesar de...

— Não entendo — interrompeu Luce, balançando a cabeça.

— É evidente que não — disse ele, sentando ao lado dela. — E não tenho o melhor histórico do mundo quando se trata de expli-car as coisas a você. — Ele coçou a cabeça e abaixou a voz, como se estivesse falando sozinho. — Mas só posso tentar. Aí vai.

— Entendi — disse ela. Ele a estava confundindo, e mal contara alguma coisa. Mas Luce tentou parecer menos perdida do que estava se sentindo.

— Eu me apaixono — explicou ele, pegando suas mãos e apertando-as com força. — De novo e de novo. E todas as vezes, tudo acaba de maneira catastrófica.

— De novo e de novo. — As palavras a deixaram enjoada. Luce fechou os olhos e afastou suas mãos. Ele já contara aquilo a ela. Naquele dia no lago. Tinha terminado. Tinha sido magoado. Por que falar nessas outras garotas agora? Tinha doído no dia e doía ainda mais agora, como uma dor aguda nas costelas. Ele apertou seus dedos.

— Olha pra mim — implorou ele. — Agora é que fica difícil. Luce abriu os olhos.

— A pessoa por quem me apaixono todas as vezes é você.

Ela estava prendendo a respiração, e pretendia soltar, mas saiu uma risada rude e acelerada.

— Certo, Daniel — disse Luce, começando a se levantar. — Uau, você realmente é amaldiçoado. Isso parece ser horrível.

— Escuta. — Ele a sentou de volta com uma força que fez seu ombro latejar. Seus olhos tiveram um lampejo violeta e ela podia perceber que estava ficando zangado. Bem, ela também estava.

Daniel olhou para cima, para os pessegueiros, como se pedindo ajuda.

— Estou implorando, me deixe explicar. — Sua voz tremia. — O problema não é amar você.

Ela respirou fundo.

— Qual é, então? — ela se forçou a ouvir, a ser forte e não se sentir magoada. Daniel já parecia arrasado pelos dois.

— Eu vivo para sempre — completou Daniel.

As árvores farfalhavam em volta deles, e Luce notou um sutil fio de sombra do canto dos olhos. Não a escuridão doentia que consumiu tudo do bar na noite passada, mas um aviso. A sombra estava mantendo distância, observando friamente do canto, mas estava lá, esperando. Por ela. Luce sentiu um arrepio profundo, até os ossos. Ela não podia se livrar da sensação de que algo colossal, sombrio como a noite, algo *final*, estava a caminho.

— Desculpe — disse, trazendo o olhar de volta para Daniel. — Você podia, hum, repetir?

— Eu vivo para sempre — repetiu ele. Luce ainda estava perdida, mas ele continuava falando, as palavras jorrando de sua boca. — Eu vivo, e vejo bebês nascendo, crescendo e se apaixonando. Eu os vejo tendo seus próprios bebês e ficando velhos. Eu os vejo morrer. Estou condenado, Luce, a ver tudo de novo e de novo. Todos, menos você. — Seus olhos estavam embaçados. Sua voz caiu num sussurro. — Você não se apaixona...

— Mas... — ela sussurrou de volta. — Eu... me apaixonei.

— Você não tem a chance de ter bebês e envelhecer, Luce.

— Por que não?

— Você vem a cada dezessete anos.

— Por favor...

— Nós nos conhecemos. Nós *sempre* nos conhecemos, de uma maneira ou de outra, sempre nos aproximamos, não importa para onde eu vá, não importa o quanto tente me distanciar de você. Nunca importa. Você sempre me encontra.

Ele olhava para baixo agora, para seus punhos cerrados, parecendo querer socar alguma coisa, incapaz de erguer os olhos.

— E, todas as vezes que nos encontramos, você se apaixona por mim...

— *Daniel...*

— Eu posso resistir a você ou fugir de você ou tentar ao máximo não corresponder, mas não faz diferença. Você se apaixona por mim, e eu por você.

— Isso é tão horrível?

— E isso acaba matando você.

— Pare! — gritou ela. — O que está tentando fazer? Me assustar para eu ir embora?

— Não. — Ele riu. — Não adiantaria, de qualquer maneira.

— Se não quer estar comigo... — ela disse, esperando que fosse tudo uma grande brincadeira, um discurso de fim de namoro pior do que todos os discursos de fim de namoro, e não a verdade. Não podia ser verdade... — Provavelmente existe uma história menos absurda para se contar.

— Sei que não pode acreditar em mim. É por isso que eu não podia contar até agora, quando *preciso* contar. Porque eu achava que entendia as regras e... agora nos beijamos, e agora não entendo mais nada.

As palavras dele da noite anterior voltaram até ela: *Eu não sei como impedir. Não sei o que fazer.*

— Porque você me beijou.

Ele assentiu.

— Você me beijou e, quando paramos, ficou surpreso.

Daniel assentiu de novo, tendo a educação de parecer um pouco envergonhado.

— Você me beijou — continuou Luce, procurando uma maneira de compreender as coisas —, e achou que eu não ia *sobreviver* a isso?

— Baseado em experiências anteriores — disse ele, rouco, —, sim.

— Isso é um absurdo — disse Luce.

— Não é sobre o beijo dessa vez, é sobre o que significa. Em algumas vidas, podemos nos beijar, mas na maioria não. — Ele acariciou sua bochecha, e ela não acreditou em como era bom. — Tenho que admitir, eu prefiro as vidas em que podemos. — Ele abaixou os olhos. — Apesar de isso tornar sua perda ainda mais dolorosa.

Luce queria ficar com raiva dele. Por inventar uma história tão bizarra quando deviam estar se abraçando. Mas havia alguma coisa ali, como uma vozinha em sua cabeça, dizendo-lhe para não fugir de Daniel agora, e sim para ficar e ouvir o máximo que conseguisse.

— Quando você me *perde* — disse, sentindo pronunciar cada letra. — Como isso acontece? Por quê?

— Depende de você, de quanto consegue ver de nosso passado, de quanto chegou a me conhecer, de quem sou. — Ele levantou as mãos e deu de ombros. — Sei que isso soa incrivelmente...

— Louco?

Daniel sorriu.

— Eu ia dizer vago. Mas estou tentando não esconder nada de você. É só um assunto muito, muito delicado. Às vezes, no passado, só de falar assim você...

Ela observou as palavras se formando nos lábios dele, mas Daniel não conseguiu dizer nada.

— Morri?

— Eu ia dizer: partiu meu coração.

Ele estava obviamente sofrendo, e Luce queria reconfortá-lo. Ela podia se sentir atraída, alguma coisa em seu peito a puxava para a frente. Mas não conseguia. Foi quando ela teve certeza de que Daniel sabia da luz violeta brilhante. Que ele tinha relação com ela.

— O que você é? — ela perguntou. — Algum tipo de...

— Eu perambulo pela Terra sabendo, no fundo, que você está a caminho. Eu costumava procurar por você. Mas então, quando comecei a me esconder de você... Você começou a me procurar. Não demorou muito para eu perceber que você vinha a cada dezessete anos.

O décimo sétimo aniversário de Luce fora no final de agosto, duas semanas antes de ela entrar na Sword & Cross. Tinha sido uma comemoração triste — apenas Luce, seus pais e um bolo de padaria. Não acenderam velas, só por precaução. E a sua família? Eles também voltavam a cada dezessete anos?

— Nunca é o suficiente para mim já ter superado a última vez — disse Daniel. — É apenas tempo o bastante para eu já ter baixado a guarda mais uma vez.

— Então você sabia que eu viria? — ela perguntou em dúvida. Ele parecia sério, mas Luce ainda não conseguia acreditar nele. Não queria.

Daniel balançou a cabeça.

— Não no dia que você apareceu. Não é assim. Não se lembra da minha reação quando vi você? — Ele olhou para o alto, como lembrando a si mesmo. — Pelos primeiros segundos, todas as vezes, fico sempre tão exultante. Eu me obrigo a esquecer. Então eu lembro.

— Sim — disse Luce suavemente. — Você sorriu, e então... foi *por isso* que mostrou o dedo para mim?

Ele franziu o cenho.

— Mas se isso acontece a cada dezessete anos como você diz — ela falou —, ainda assim *sabia* que eu estava vindo. De alguma maneira, sabia.

— É complicado, Luce.

— Eu vi você aquele dia, antes de você me ver. Estava rindo com Roland do lado de fora do Augustine. Estava rindo tanto que senti inveja. Se sabe disso tudo, Daniel, e se é tão esperto que consegue prever quando vou chegar, e quando vou morrer, e como tudo isso vai ser difícil para *você*, como podia estar rindo daquele jeito? Não acredito em você — disse ela, sentindo sua voz tremer. — Não acredito em nada disso.

Daniel pressionou o polegar gentilmente no olho dela para secar uma lágrima.

— É uma pergunta tão bonita, Luce. Eu adoro você por perguntar isso, e queria poder explicar melhor. Tudo que posso dizer é isso: a única maneira de sobreviver à eternidade é poder apreciar cada momento. É só isso que eu estava fazendo.

— Eternidade — repetiu Luce. — Mais uma coisa que não entendo.

— Não importa. Não posso mais rir daquela maneira. Assim que você aparece, tudo muda.

— Isso não está fazendo sentido algum — brigou Luce, querendo ir embora antes das coisas piorarem. Mas a história de Daniel era tão mais que sem sentido. O tempo todo em que ela estivera na Sword & Cross, meio que acreditava que era mesmo louca. Sua loucura em comparação com a de Daniel não era nada.

— Não existe um manual para explicar essa... *coisa* para a garota que você ama. — Ele implorou, penteando os cabelos dela com os dedos. — Estou fazendo o melhor que posso. Quero que acredite em mim, Luce. O que preciso fazer?

— Conte uma história diferente — disse ela, amarga. — Invente uma desculpa mais coerente.

— Você mesma disse que sentia como se me conhecesse. Tentei negar pelo maior tempo possível, porque sabia que isso ia acontecer.

— Eu sentia que conhecia você de algum lugar, é óbvio — disse ela. Agora sua voz estava cheia de medo. — Como do shopping ou de uma colônia de férias ou algo do tipo. Não de alguma *vida passada*. — Ela balançou a cabeça. — Não... Não posso.

Ela cobriu os ouvidos. Daniel os descobriu.

— E ainda assim sabe, no fundo do coração, que é verdade. — Ele tocou os joelhos dela e olhou-a profundamente nos olhos. — Sabia quando a segui até o alto do Corcovado, no Rio, quando queria ver a estátua de perto. Sabia quando a carreguei por três quilômetros suados até o rio Jordão depois que passou mal perto de Jerusalém. Eu disse para não comer tantas tâmaras. Sabia quando foi minha enfermeira naquele hospital italiano durante a Primeira Guerra Mundial, e antes disso quando me escondi no seu porão durante a expurgação do czar em São Petersburgo. Quando escalei a torre de seu castelo na Escócia durante a Reforma, e dancei sem parar com você no baile de coroação do rei em Versalhes. Você era a única mulher vestida de preto. Naquela colônia dos artistas em Quintana Roo, e a marcha de protesto na Cidade do Cabo onde nós dois passamos a noite na penitenciária. A abertura do Globe Theatre em Londres. Tínhamos os melhores assentos na casa. E quando meu navio naufragou no Taiti, você estava lá, como estava quando eu era um preso em Melbourne, e ladrão de carteiras em Nimes no século XVIII, e um monge no Tibete. Você aparece em todos os lugares, sempre, e mais cedo ou mais tarde você sente todas essas coisas que acabei de contar. Mas você não se permite aceitar o que acha que pode ser a verdade.

Daniel parou para recuperar o fôlego e olhou através dela, sem foco. Então se aproximou, pressionando o joelho de Luce e provocando aquele fogo por dentro dela novamente.

Luce fechou os olhos, e quando os reabriu, Daniel estava segurando a mais perfeita peônia branca. Ela praticamente brilhava. Luce se virou para olhar de onde ele a tinha apanhado, como ela não as tinha notado antes. Havia apenas ervas daninhas e frutas caídas podres. Eles seguraram a flor juntos.

— Você sabia quando colheu peônias brancas todos os dias durante um mês aquele verão em Helston. Lembra-se daquilo? — Ele a encarou, como se estivesse tentando enxergar dentro dela. — Não — suspirou ele depois de um momento. — É óbvio que não. Gostaria de ser assim também.

Mas, enquanto ele falava aquilo, a pele de Luce começou a ficar quente, como se estivesse respondendo às palavras que seu cérebro não sabia processar. Parte dela não tinha mais certeza de nada.

— Eu faço todas essas coisas — disse Daniel, inclinando-se para ela de modo que suas testas se tocaram —, porque você é meu amor, Lucinda. Para mim, só existe você.

O lábio inferior de Luce estava tremendo. Suas mãos ficaram moles dentro das dele. As pétalas da flor deslizaram por seus dedos até o chão.

— Então por que você parece tão triste?

Era coisa demais até mesmo para tentar começar a entender. Ela se afastou de Daniel e se levantou, limpando as folhas e a grama de seu jeans. Sua cabeça estava girando. Ela tinha vivido... *antes*?

— Luce.

Ela o fez parar.

— Acho que preciso ir para algum lugar, sozinha, me deitar. — Ela se apoiou no pessegueiro. Sentia-se fraca.

— Você não está bem — disse Daniel, se levantando e pegando sua mão.

— Não.

— Sinto muito. — Daniel suspirou. — Não sei o que eu esperava que acontecesse, quando contasse. Eu não devia...

Ela nunca imaginaria que chegaria um momento em que precisaria de um tempo longe de Daniel, mas ela precisava ficar sozinha. Pelo jeito com que ele estava olhando para ela, Luce percebia que ele queria que dissesse que o procuraria depois, que iriam conversar mais sobre tudo, mas ela não sabia se isso era uma boa ideia. Quanto mais Daniel falava, mais ela sentia alguma coisa acordando dentro de si — uma coisa para a qual ela não tinha certeza se estava pronta. Ela não duvidava mais da própria sanidade — e não achava que Daniel o fizesse, tampouco. Para qualquer outra pessoa, essa explicação teria feito cada vez menos sentido conforme ele continuava. Para Luce... ela não tinha certeza ainda, mas, e se as palavras de Daniel fossem *respostas* que podiam dar sentido a toda sua vida? Ela não sabia. Sentiu mais medo do que jamais sentira antes.

Luce sacudiu suas mãos para se livrar da tensão e começou a andar até seu quarto. A alguns passos de distância, ela parou e lentamente olhou para trás.

Daniel não havia se mexido.

— O que foi? — ele perguntou, levantando o queixo.

Ela ficou onde estava, longe dele.

— Eu prometi que ia ficar até ouvir as boas notícias.

O rosto de Daniel relaxou e ele até se permitiu um pequeno sorriso. Mas havia alguma coisa aborrecida em sua expressão.

— A boa notícia é que — ele parou, cuidadosamente escolhendo as palavras —, eu beijei, e você continua aqui.

DEZESSETE

UM LIVRO ABERTO

Luce desabou na cama, sacudindo as molas enferrujadas. Depois de ter fugido do cemitério — e de Daniel —, ela praticamente voara até seu quarto. Ela não tinha nem se dado ao trabalho de acender a luz, então acabou tropeçando sobre a cadeira da escrivaninha e bateu com força o dedão do pé. Ela se enroscara numa bola e apertou o pé que latejava. Pelo menos a dor era uma coisa real com a qual podia lidar, alguma coisa sensata e desse mundo. Estava tão grata por finalmente estar sozinha.

Alguém bateu à porta.

Não era possível ter *uma* folga?

Luce ignorou a batida. Não queria ver ninguém, e quem quer que fosse ia se tocar. Bateram de novo. Uma respiração profunda e um barulho de pigarro úmido e alérgico.

Penn.

Ela não podia ver Penn agora. Ou *pareceria* ter perdido o juízo se tentasse explicar tudo que tinha acontecido nas últimas vinte e quatro horas, ou *perderia* o juízo se tentasse fingir que estava tudo normal e guardasse aquilo para si.

Finalmente, Luce ouviu os passos de Penn se afastando pelo corredor. Ela deu um suspiro de alívio, que logo virou um longo e solitário soluço.

Luce queria culpar Daniel por despertar essa sensação de descontrole dentro dela, e por um segundo tentou imaginar sua vida sem ele. Mas isso era impossível. Era como tentar se lembrar da primeira impressão de uma casa depois de ter vivido nela durante anos. Ele a tinha afetado a esse ponto. E agora ela precisava descobrir uma maneira de prosseguir em meio a todas as coisas estranhas que ele lhe contara naquela noite.

Mas lá no fundo ela ficava voltando para o que Daniel dissera sobre as vezes em que ficaram juntos no passado. Talvez Luce não pudesse se lembrar exatamente dos momentos que ele descreveu ou dos lugares que mencionou, mas de um jeito estranho as palavras dele não eram nem um pouco chocantes. De alguma maneira, era familiar.

Por exemplo, ela inexplicavelmente sempre odiara tâmaras. Até de olhar para elas já se sentia enjoada. Ela começara a falar que era alérgica para que sua mãe parasse de tentar colocar pedaços escondidos nas coisas que assava. E tinha implorado para que seus pais a levassem para o Brasil durante praticamente a vida toda, apesar de nunca conseguir explicar por que exatamente queria ir. As peônias brancas. Daniel lhe dera um buquê depois do incêndio na biblioteca. Sempre havia tido alguma coisa incomum nelas, e ao mesmo tempo tão familiar.

O céu do lado de fora da janela era de um tom de carvão profundo, com apenas algumas poucas lufadas de nuvens brancas. Seu quarto estava escuro, mas as peônias no parapeito permaneciam frescas e se destacavam na escuridão. Elas estavam em seu vaso há uma semana, e nem uma única pétala tinha secado.

Luce se sentou e inspirou seu cheiro doce.

Ela não podia culpá-lo. Aquilo parecia um absurdo, mas Daniel estava certo — havia sido Luce quem tinha ido atrás dele inúmeras vezes, sugerindo que havia algum tipo de história entre os dois. E não era só isso. Era ela também quem via as sombras, quem estava sempre envolvida nas mortes de gente inocente. Ela tentara não pensar em Trevor e Todd quando Daniel começou a falar com ela sobre as suas próprias *mortes* — como ele tinha a visto morrendo tantas vezes. Se existia uma maneira de aceitar essa ideia, Luce perguntaria então se Daniel alguma vez se sentira responsável. Por perdê-la. Se ele enfrentava uma culpa secreta, terrível e destruidora como a que ela enfrentava todos os dias.

Luce afundou na cadeira da escrivaninha, que de alguma maneira tinha ido parar no meio do quarto. Ai. Quando estendeu o braço para o assento, procurando o objeto no qual tinha sentado, achou um livro grosso.

Luce foi até o interruptor e acendeu a luz, então apertou os olhos sob a agressiva luz fluorescente. Ela nunca vira o livro em suas mãos. Estava forrado com um pano cinza pálido, com cantos desgastados e cola marrom acumulada na ponta da lombada.

Os Guardiões: mito na Europa medieval.

O livro do antepassado de Daniel.

Era pesado e cheirava a fumaça levemente. Ela tirou o bilhete que estava enfiado entre a capa e a primeira página.

*Sim, encontrei uma chave extra e entrei no seu quarto ile-
galmente. Desculpe. Mas isso é URGENTE!!! E não consegui achar você em lugar nenhum. Por onde andou? Você
precisa ver isso, e depois precisamos ter uma reunião. Vou
voltar daqui a uma hora. Tenha cuidado.*
Bjs,
Penn

Luce colocou o bilhete ao lado das flores e levou o livro de
volta para a cama. Ela se sentou na beirada com as pernas balançando. Só de segurar o livro, sentia um zumbido estranho e
quente por baixo da pele. O livro parecia quase vivo em suas
mãos.

Ela o abriu, esperando ter que decodificar algum índice acadêmico chato ou procurar num glossário no final antes de achar
qualquer coisa remotamente relacionada a Daniel.

Mas nem passou da folha de rosto.

Colada dentro da capa interna do livro estava uma fotografia
em sépia. Era uma foto muito velha, em papel amarelado, tipo
um cartão de visita antigo. Alguém rabiscara a caneta embaixo:
Helston, 1854.

Um calor se espalhou por sua pele. Ela arrancou o suéter
preto por cima da cabeça, mas ainda se sentia quente só de camiseta.

A voz de Daniel soava oca em suas lembranças. *Eu vivo para
sempre*, ele dissera. *Você vem a cada dezessete anos. Você se apaixona por mim, e eu por você. E isso acaba matando você.*

Sua cabeça latejava.

Você é meu amor, Lucinda. Para mim, só existe você.

Ela passou o dedo na moldura da foto colada dentro do livro. O pai de Luce, um aspirante a guru da fotografia, teria se maravilhado com a preservação da imagem, e com seu valor por conta disso.

Luce, por outro lado, estava impressionada com as pessoas que apareciam na imagem. Porque, a não ser que todas as palavras de Daniel fossem verdadeiras, aquilo não fazia sentido nenhum.

Um jovem elegante, com cabelos curtos e claros e olhos mais claros ainda, posava num casaco preto justo. O queixo erguido e as maçãs do rosto bem-definidas faziam seu belo traje parecer ainda mais distinto, mas foram os lábios que assustaram Luce. A curva de seu sorriso, combinada à expressão naqueles olhos... era a mesma expressão que Luce vira em todos os seus sonhos nas últimas semanas. E, nos dois últimos dias, pessoalmente.

Aquele homem era idêntico a Daniel. O mesmo Daniel que acabara de dizer que a amava — e que Luce tinha reencarnado dezenas de vezes. O mesmo Daniel que tinha dito tantas outras coisas que Luce não queria ouvir, coisas que a fizeram fugir. O mesmo Daniel que ela abandonara sob os pessegueiros no cemitério.

Podia ser apenas uma semelhança notável. Algum parente distante, o autor do livro talvez, que preservara cada um de seus genes em sua árvore genealógica até chegar a Daniel.

O jovem na foto, porém, estava ao lado de uma moça, que também parecia muito familiar.

Luce segurou o livro a centímetros do rosto e debruçou-se sobre a imagem da garota. Ela usava um vestido de baile de seda preta com babados que apertava sua cintura antes de se espalhar em largas camadas escuras. Luvas de renda preta envolviam suas mãos, deixando os dedos brancos à mostra. Os dentes certinhos apareciam entre seus lábios, abertos num sorriso relaxado. Sua pele era branca, um pouco mais clara que a do rapaz. Olhos profundos cercados por cílios espessos. Uma cascata de cabelos pretos que caíam em ondas largas até a cintura.

Demorou um pouco para Luce recuperar o fôlego e, ainda assim, não conseguia tirar os olhos cansados do livro. A mulher na fotografia...

Era ela.

Ou Luce estava certa, e sua lembrança de Daniel vinha de alguma viagem esquecida até um shopping de Savannah, onde tinham posado fantasiados para aquelas fotos bregas na Ye Old Photo Booth... ou Daniel dissera a verdade.

Luce e Daniel se conheceram antes.

Numa época completamente diferente.

Ela não conseguia respirar. Sua vida inteira balançava em sua mente, como um mar revolto, tudo se transformando em perguntas — as incômodas sombras escuras que a assombravam, a terrível morte de Trevor, os sonhos...

Precisava encontrar Penn. Se alguém podia achar uma explicação para aquela coincidência impossível, seria ela. Com o inescrutável livro velho enfiado debaixo do braço, Luce deixou o quarto e correu de volta até a biblioteca.

A biblioteca estava quente e vazia, mas alguma coisa sobre os tetos altos e as intermináveis fileiras de livros deixava Luce nervosa. Passou rapidamente pela nova mesa da recepção, que ainda parecia estéril e nua. Passou pelo formidável e nunca consultado catálogo de cartões e pela interminável área de referências até chegar às compridas mesas na seção de estudo em grupo.

Em vez de Penn, Luce encontrou Ariane, jogando uma partida de xadrez com Roland. Ela estava com os pés na mesa e usava um chapéu listrado. Seu cabelo estava enfiado embaixo do chapéu, e Luce notou novamente, pela primeira vez desde a manhã em que cortara o cabelo da amiga, a brilhante e marmorizada cicatriz em seu pescoço.

Ariane estava concentrada no jogo. Um charuto de chocolate balançava-se em seus lábios enquanto ela considerava sua próxima jogada. Roland tinha enrolado seus dreads em dois grandes nós atrás da cabeça e observava Ariane como um falcão, batendo em um de seus peões com o dedo mindinho.

— Xeque-mate, babaca — disse Ariane, triunfante, derrubando o rei de Roland justo quando Luce parou na frente da mesa deles. — Lululucinda — cantarolou olhando para cima. — Anda se escondendo de mim.

— Não.

— Andei ouvindo *coisas* sobre você — disse Ariane, fazendo Roland inclinar a cabeça com atenção. — Pode sentar e começar a falar. Agora mesmo.

Luce segurou o livro contra o peito; não queria se sentar, queria procurar Penn pela biblioteca. Não podia ficar de conversa fiada com Ariane — especialmente não na frente de Roland, que estava tirando suas coisas de cima do banco ao lado.

— Junte-se a nós — disse Roland.

Relutante, Luce se sentou na beira da cadeira. Ficaria apenas por alguns minutos. Era verdade que não via Ariane há alguns dias e, em circunstâncias normais, teria realmente sentido falta das maluquices da garota.

Mas as circunstâncias estavam longe de serem normais, e Luce não conseguia pensar em nada além daquela fotografia.

— Como acabei de arrasar com Roland, vamos tentar um novo jogo. Que tal o "quem viu uma foto comprometedora de Luce outro dia?" — disse Ariane, cruzando os braços sobre a mesa.

— O quê? — Luce deu um pulo para trás. Ela apertou o livro com firmeza, tendo certeza de que sua expressão tensa estava entregando tudo. Nunca devia tê-lo levado para lá.

— Vou dar três chances para adivinhar — disse Ariane, revirando os olhos. — Molly tirou uma foto de você entrando num carrão preto depois da aula ontem.

— Ah. — Luce suspirou.

— Ela ia entregar você para Randy — continuou Ariane. — Até eu perguntar a ela pra quê. Huuuum. — Ela estalou os dedos. — Agora, mostre sua gratidão e me conta: estão liberando você para ir a um psiquiatra fora do campus? — Ela abaixou a voz e bateu as unhas na mesa. — Ou você arranjou um amante?

Luce olhou para Roland, que estava encarando-a fixamente.

— Nenhum dos dois — respondeu. — Eu só saí por um tempinho para conversar com Cam. Não foi exatamente...

— A-há! Pode pagar, Ari! — Roland disse, sorrindo. — Está me devendo dez pratas.

O queixo de Luce caiu.

Ariane afagou sua mão.

— Não é nada demais, a gente só fez uma pequena aposta para manter as coisas interessantes. Achei que você tinha saído com Daniel. Roland aqui escolheu Cam. Está me fazendo falir, Luce. Não gostei.

— Eu *estava* com Daniel — disse Luce, sem saber realmente por que precisava corrigi-los. Não tinham nada melhor para fazer do que sentar e ficar imaginando o que Luce fazia no seu tempo livre?

— Uh — disse Roland, parecendo desapontado. — Complicou.

— Roland. — Luce se virou para ele. — Preciso perguntar uma coisa.

— É só falar. — Ele puxou um bloco de anotações e uma caneta de seu blazer de risca de giz preto e branco. Segurou a caneta com pompa sobre o papel, como um garçom esperando o pedido. — O que você quer? Café? Bebida? Só consigo as coisas boas nas sextas. Revistas pornôs?

— Charutos? — Ariane, balbuciou com o de chocolate ainda pendurado nos lábios.

— Não. — Luce balançou a cabeça. — Nada disso.

— Certo, pedido especial. Deixei o catálogo no quarto... — Roland deu de ombros. — Pode passar lá depois...

— Não quero que você me arranje nada. Só preciso saber. — Ela engoliu em seco. — Você é amigo de Daniel, certo?

Roland deu de ombros.

— Ele é OK.

— Mas você confia nele? -– ela perguntou. — Quero dizer, se ele contasse alguma coisa muito absurda, qual seria a probabilidade de você acreditar nele?

Roland apertou os olhos, parecendo momentaneamente sem palavras, mas Ariane logo pulou na mesa e passou as pernas para o lado de Luce.

— Do que exatamente estamos falando aqui?

Luce se levantou.

— Deixa pra lá. — Ela nunca devia ter tocado no assunto. Todos os detalhes confusos voltaram até ela. Luce pegou o livro sobre a mesa. — Tenho que ir — disse. — Desculpe.

Empurrou a cadeira de volta e saiu. Suas pernas pareciam pesadas e lentas, a cabeça sobrecarregada. Uma rajada de vento fez o cabelo voar atrás de seu pescoço e seus olhos analisaram a sala em busca de sombras. Nada. Só uma janela aberta no alto, perto das vigas da biblioteca. Apenas um pequeno ninho de pássaro acomodado no pequeno e estreito canto da janela. Examinando a biblioteca de novo, Luce achou difícil acreditar em seus olhos. Realmente não havia sinal delas, nada de tentáculos pretos ou daquela coisa cinzenta arrepiante rodopiando acima de sua cabeça, mas Luce podia sentir aquela proximidade singular, e quase conseguia sentir o cheiro salgado de enxofre no ar. Onde estavam, se não estavam atrás dela? Luce sempre pensara nas sombras como só dela. Nunca tinha considerado que pudessem ir a outros lugares, fazer outras coisas — atormentar outras pessoas. Daniel as via também?

Virando a esquina até os computadores nos fundos da biblioteca, onde achou que poderia encontrar Penn, Luce deu de cara com a Srta. Sophia. As duas deram uma trombada, e a Srta. Sophia se segurou em Luce para se equilibrar. Ela estava usando jeans modernos e uma blusa branca comprida, com um cardigã vermelho bordado amarrado em volta dos ombros. Seus óculos verdes metálicos estavam pendurados em uma corrente de miçangas multicolorida em volta do pescoço. Luce ficou surpresa com a firmeza de seu toque.

— Sinto muito — murmurou Luce.

— Ora, Lucinda, qual é o problema? — A Srta. Sophia apertou uma das palmas contra a testa de Luce. O cheiro de talco de bebê de suas mãos inundou o nariz de Luce. — Não parece nada bem.

Luce engoliu, implorando a si mesma para não explodir em lágrimas só porque a gentil bibliotecária estava tendo pena dela.

— Eu não *estou* bem.

— Sabia — disse a Srta. Sophia. — Não foi à aula hoje e não estava na Social de ontem à noite. Precisa de um médico? Se meu kit de primeiros socorros não tivesse queimado no incêndio, eu verificaria sua temperatura aqui mesmo.

— Não, quero dizer, eu não sei. — Luce estendeu o livro em sua frente e pensou em contar tudo a Srta. Sophia desde o começo... que foi quando mesmo?

Mas ela não precisou. A Srta. Sophia deu uma olhada no livro, suspirou, e deu a Luce um olhar compreensivo.

— Finalmente descobriu tudo, não foi? Venha, vamos conversar.

Até a bibliotecária sabia mais do que Luce sobre sua própria vida... vidas? Ela não entendia o que nada daquilo significava, ou até mesmo como era possível.

Seguiu a Srta. Sophia até uma mesa de canto no fundo da seção de estudos. Ainda podia ver Ariane e Roland pelo canto do olho, mas pareciam estar muito longe para ouvir alguma coisa.

— Como encontrou isso? — A Srta. Sophia acariciou a mão de Luce e colocou os óculos. Seus pequenos olhos como pérolas negras cintilavam por trás das lentes bifocais. — Não se preocupe. Não está encrencada, querida.

— Não sei. Penn e eu estávamos procurando por ele. Foi uma bobeira. Achávamos que o autor talvez fosse parente de Daniel, mas não tínhamos certeza. Sempre que íamos procurar o livro, parecia ter acabado de ser retirado por alguém. Então, quando cheguei ao meu quarto hoje à noite, Penn tinha deixado isso lá...

— Então Pennyweather também sabe sobre o que ele contém?

— Não tenho certeza — disse Luce, balançando a cabeça. Podia se sentir divagando, mas mesmo assim não conseguia calar a boca. A Srta. Sophia era como a avó tranquila e simples que Luce nunca teve. Para sua verdadeira avó, ir até o mercado era o equivalente a sair para fazer compras. Além disso, era tão bom poder simplesmente conversar com alguém. — Ainda não consegui encontrá-la. Eu estava com Daniel, e ele geralmente é tão estranho, mas noite passada nos beijamos, e ficamos juntos até...

— Desculpe a interrupção, meu bem — disse a Srta. Sophia, um pouco alto demais —, você acabou de dizer que Daniel Grigori beijou você?

Luce cobriu a boca com ambas as mãos. Ela não acreditava que tinha acabado de contar isso à Srta. Sophia. Devia estar mesmo perdendo a sanidade.

— Desculpe, isso é completamente irrelevante, e embaraçoso. Não sei por que falei isso. — Ela abanou o rosto, as bochechas pegando fogo.

Já era tarde demais. Do outro lado da seção de estudos, Ariane gritou para Luce:

— Valeu por *me* contar! — Sua expressão parecia surpresa.

Mas a Srta. Sophia chamou a atenção de Luce de volta quando tirou o livro das mãos de Luce.

— Um beijo entre você e Daniel não é irrelevante, querida, geralmente é impossível. — Apoiou o queixo nas mãos e olhou para o teto. — O que significa... bem, *não poderia* significar...

Os dedos da Srta. Sophia começaram a voar pelo livro, examinando cada página num ritmo magicamente rápido.

— O que quer dizer com "geralmente"? — Luce nunca tinha se sentido tão excluída de sua própria vida.

— Esqueça o beijo. — A Srta. Sophia abanou a mão para Luce, interrompendo-a. — Isso não é nem a metade. O beijo não significa nada a não ser que... — Ela murmurou algo e voltou a revirar as páginas.

O que a Srta. Sophia sabia? O beijo de Daniel significava tudo. Luce observou os dedos rápidos da bibliotecária hesitando a cada página até que alguma coisa chamou sua atenção.

— Volte — pediu Luce, colocando a mão sobre a da Srta. Sophia para pará-la.

A Srta. Sophia se inclinou lentamente enquanto Luce voltava as páginas finas e quase translúcidas. Ali. Ela pousou a mão no peito. Na margem havia uma série de desenhos rabiscados em tinta muito escura. Feitos rapidamente, mas com um traço fino e elegante, por alguém com certo talento. Luce tocou os desenhos, analisando-os. A curva do ombro de uma mulher vista de costas, seu cabelo preso num coque baixo. Os joelhos nus e macios cruzados um sobre o outro, levando a uma cintura sombreada. Um pulso longo e fino dava numa palma aberta, dentro da qual descansava uma grande peônia.

Os dedos de Luce começaram a tremer e um nó se formou em sua garganta. Ela não sabia por que isso, de todas as coisas que ela vira e ouvira hoje, era bonito o bastante — trágico o bastante — para finalmente fazê-la chorar. O ombro, os joelhos, o pulso... era tudo sobre ela. E sabia que tudo aquilo tinha sido desenhado pela mão de Daniel.

— Lucinda. — A Srta. Sophia parecia nervosa, lentamente afastando sua cadeira da mesa. — Está... está se sentindo bem?

— Ah, Daniel — sussurrou Luce, desesperada para estar perto dele de novo. Secou uma lágrima.

— Ele está amaldiçoado, Luce — disse a Srta. Sophia numa voz surpreendentemente fria. — Vocês dois estão.

Amaldiçoados. Daniel tinha falado sobre uma maldição. Tinha sido a palavra dele para tudo. Mas ele estava se referindo a si mesmo, não a ela.

— Amaldiçoados? — Luce repetiu. Só que ela não queria ouvir mais. Tudo que queria era achá-lo.

A Srta. Sophia estalou seus dedos na frente do rosto de Luce. Luce encontrou o olhar dela de forma lenta e lânguida, sorrindo como se estivesse dopada.

— Ainda não está acordada — murmurou a Srta. Sophia. Ela fechou o livro com estrondo, chamando a atenção de Luce, e pôs as mãos no tampo da mesa. — Ele contou alguma coisa a você? Depois do beijo, talvez?

— Ele me contou... — Luce começou. — Parece absurdo.

— Coisas assim geralmente parecem.

— Ele disse que nós dois... somos algum tipo de amantes predestinados. — Luce fechou os olhos, relembrando sua longa lista de vidas passadas. A princípio a ideia parecia tão estranha, mas agora que estava se acostumando, achou que podia até ser a coisa mais romântica que já acontecera na história do mundo. — Ele falou sobre todas as vezes em que nos apaixonamos, no Rio de Janeiro, em Jerusalém, no Taiti...

— Isso parece mesmo um absurdo — disse a Srta. Sophia. — Então, obviamente, você não acredita nele?

— Não acreditei no começo — disse Luce, lembrando-se da acalorada discussão entre os dois debaixo do pessegueiro. — Ele começou falando sobre Bíblia, o que me faz instintivamente não prestar muita atenção. — Ela mordeu a língua. — Sem ofensas. Quero dizer, acho sua aula muito interessante.

— Você não ofendeu. As pessoas geralmente se afastam de sua educação religiosa quando têm a sua idade. Você não é a primeira, Lucinda.

— Ah. — Luce estalou os dedos. — Mas eu não tive uma educação religiosa. Meus pais não acreditavam nisso, então...

— Todos acreditam em alguma coisa. Certamente você foi batizada?

— Não, a não ser que a piscina construída embaixo dos bancos da igreja dali conte — disse Luce timidamente, apontando o polegar até o ginásio da Sword & Cross.

Tudo bem, ela comemorava o Natal, já tinha ido à igreja um punhado de vezes e, mesmo quando sua vida deixava todos em volta infelizes, inclusive ela, ainda tinha fé de que havia alguém ou alguma coisa lá em cima em que valesse a pena acreditar. Aquilo sempre tinha sido suficiente.

Do outro lado da sala, Luce ouviu um barulho alto. Quando virou o rosto, viu que Roland tinha caído de sua cadeira. Da última vez em que olhara para ele, o garoto estava se inclinando para trás sobre duas das pernas da cadeira, e agora finalmente parecia que a gravidade havia levado a melhor.

Enquanto ele ficava de pé, Ariane foi ajudá-lo. Ela olhou para Luce e deu um aceno apressado.

— Ele está bem! — gritou alegremente. — Levanta! — sussurrou alto para Roland.

A Srta. Sophia estava sentada, muito imóvel, as mãos no colo embaixo da mesa. Ela limpou a garganta algumas vezes, voltou para a primeira página do livro e passou os dedos pela fotografia. Então disse:

— Sabe quem Daniel é?

Lentamente, sentando-se muito ereta em sua cadeira, Luce perguntou:

— Você sabe?

A bibliotecária se enrijeceu.

— Estudo essas coisas. Sou uma acadêmica. Não me distraio por assuntos triviais do coração.

Essas foram as palavras que a Srta. Sophia usou — mas a veia pulsante em seu pescoço, assim como o quase imperceptível brilho de suor pontilhando sua testa, disse à Luce que a resposta era *sim*.

Acima delas, o gigantesco relógio antigo bateu onze horas. O ponteiro dos minutos tremia com o esforço de parar no lugar e o objeto badalou por tanto tempo que interrompeu a conversa. Luce nunca notara como aquele relógio era alto. Agora, cada badalada lhe doía. Ela estava longe de Daniel há tempo demais.

— Daniel achou... — Luce começou a dizer. — Ontem à noite, quando nos beijamos pela primeira vez, ele achou que eu morreria. — A Srta. Sophia não pareceu surpresa como Luce gostaria que tivesse parecido. Luce estalou as juntas dos dedos. — Mas isso tudo é um absurdo, não é? Não vou morrer.

A Srta. Sophia tirou seus óculos e esfregou os pequeninos olhos.

— Por enquanto.

— Ah, Deus — sussurrou Luce, sentindo a mesma onda de medo que a fez largar Daniel no cemitério. Mas por quê? Havia alguma coisa que ele ainda não contara a ela — alguma coisa que sabia ter o poder de acalmá-la ou então de assustá-la ainda mais. Algo que ela já sabia, mas não podia acreditar. Não até ver seu rosto de novo.

O livro ainda estava aberto na fotografia. De cabeça para baixo, o sorriso de Daniel parecia preocupado, como se ele soubesse — como sempre disse que soubera — o que estava por vir. Ela não podia imaginar pelo que ele estava passando naquele momento. Contara a estranha história que eles partilhavam — mas ela o havia abandonado completamente. Precisava encontrá-lo.

Luce fechou o livro e o enfiou de volta embaixo do cotovelo. Então se levantou e empurrou a cadeira para o lugar.

— Aonde está indo? — a Srta. Sophia perguntou, nervosa.

— Encontrar Daniel.

— Vou com você.

— Não. — Luce balançou a cabeça, imaginando como seria se aparecesse para jogar seus braços em volta de Daniel com a bibliotecária a tiracolo. — Não precisa vir. Mesmo.

A Srta. Sophia estava determinada quando se abaixou para dar mais um nó em seus práticos sapatos. Ela se levantou e pôs uma das mãos no ombro de Luce.

— Confie em mim — disse. — Preciso, sim. A Sword & Cross tem uma reputação a zelar. Não acha que simplesmente deixamos os alunos correrem livremente durante a noite, acha?

Luce resistiu à tentação de contar à Srta. Sophia sobre sua recente escapada para além dos portões da escola. Suspirou. Por que não levar junto a escola inteira para que todos pudessem aproveitar o drama? Molly podia tirar fotos, Cam podia arranjar mais uma briga. Por que não começar por aqui mesmo, convidando Ariane e Roland — que, percebeu com um susto, já tinham desaparecido.

A Srta. Sophia, com o livro na mão, já tinha partido em direção à entrada principal. Luce precisou correr para alcançá-la, passando rapidamente pelos catálogos, pelo tapete persa chamuscado na mesa da recepção, e pelas vitrines cheias de relíquias da Guerra Civil nas coleções especiais da ala leste, onde tinha visto Daniel desenhando o cemitério em sua primeira noite ali.

Quando saíram, as duas enfrentaram a noite úmida. Uma nuvem passava na frente da lua e o campus estava escuro como breu. Então, como se uma bússola tivesse sido colocada em suas mãos, Luce se sentiu guiada até as sombras. Ela sabia exatamente onde estavam. Não na biblioteca, mas não muito longe, também.

Não podia vê-las ainda, mas podia senti-las, o que era muito pior. Um formigamento horrível e destruidor cobriu sua pele, passando para os ossos e sangue como ácido. Acumulando, coagulando, fazendo o cemitério — e tudo além dele — exalar um fedor de enxofre. Elas estavam cada vez maiores. Parecia que todo o ar no campus estava podre, empesteado pelo odor da decadência.

— Onde está Daniel? — a Srta. Sophia perguntou. Luce percebeu que, apesar de a bibliotecária saber bastante sobre o passado, parecia não perceber as sombras. Isso fez Luce se sentir apavorada e solitária, responsável pelo que estava prestes a acontecer.

— Não sei — respondeu, sentindo como se não estivesse conseguindo respirar direito no ar denso e úmido da noite. Ela não queria dizer as palavras que sabia que as aproximariam — até demais — de tudo que a estava apavorando. Ma ela precisava ir até Daniel. — Eu o deixei no cemitério.

Elas se apressaram através do campus, esquivando-se de poças de lama deixadas pelo temporal do outro dia. Apenas algumas luzes estavam acesas nos dormitórios à sua direita. Por uma das janelas protegidas, Luce viu uma garota que mal conhecia debruçada sobre um livro. Estavam nas mesmas aulas matinais. Era uma garota durona com um piercing no nariz e o espirro mais baixo do mundo — mas Luce nunca ouvira sua voz. Não fazia ideia se ela era infeliz ou se gostava de sua vida. Luce se perguntou naquele momento: se pudesse trocar de lugar com aquela garota — que nunca teria que se preocupar com vidas passadas, ou sombras apocalípticas, ou as mortes de dois garotos inocentes em suas costas —, ela trocaria?

O rosto de Daniel — a maneira que estivera banhado na luz violeta quando a carregara para a cama de manhã — apareceu diante de seus olhos. O cabelo loiro brilhante. Os olhos gentis e inteligentes. Com um toque de seus lábios, Daniel a transportara para longe de qualquer escuridão. Por ele, ela sofreria tudo isso, e mais.

Se ela apenas soubesse o quanto mais disso havia.

Ela e a Srta. Sophia continuavam correndo, passando pelas arquibancadas rachadas, circulando o pátio, depois o campo de futebol. A Srta. Sophia realmente estava em forma. Luce teria achado que estavam devagar demais, se a mulher não estivesse alguns passos à sua frente.

Luce estava se arrastando. O medo de enfrentar as sombras era como um furacão sobre ela, desacelerando-a. E, ainda assim, ela se obrigou a continuar. Um enjoo opressivo dizia que ela mal sabia o que aquelas coisas sombrias podiam fazer.

Nos portões do cemitério, pararam. Luce estava tremendo, abraçando-se numa tentativa inútil de esconder o medo. Uma garota estava parada de costas para elas, olhando o cemitério lá embaixo.

— Penn! — Luce gritou, exultante por ver a amiga.

Mas, quando Penn se virou para elas, seu rosto estava pálido. Estava usando um blusão preto apesar do calor, e seus óculos estavam embaçados com a umidade. Estava tremendo tanto quanto Luce.

Luce arfou:

— O que aconteceu?

— Eu ia procurar você — disse Penn —, e então vários outros alunos correram naquela direção. Eles desceram para lá. — Ela apontou para os portões. — Mas eu n-n-não consegui.

— O que houve? — Luce perguntou. — O que tem lá embaixo?

Mas, mesmo ao proferir essas palavras, ela sabia o que havia lá embaixo, algo que Penn nunca conseguiria ver. Uma sombra preta empoçada que estava atraindo Luce, apenas Luce.

Penn estava piscando rapidamente. Parecia apavorada.

— Sei lá — disse finalmente. — Primeiro achei que fossem fogos de artifício. Mas nada nunca subia até o céu. — Penn estremeceu. — Alguma coisa ruim vai acontecer. Não sei o quê.

Luce inspirou e tossiu com a quantidade de enxofre no ar.

— Como, Penn? Como você sabe?

O braço de Penn tremia quando ela apontou para a grande depressão no meio do cemitério.

— Está vendo aquilo? — disse. — Alguma coisa está queimando lá embaixo.

DEZOITO

A GUERRA ENTERRADA

Luce só olhou uma vez para a luz estremecedora na base do cemitério e começou a correr em direção a ela. Lançou-se em meio às lápides quebradas, deixando Penn e a Srta. Sophia para trás. Não ligava para os afiados e retorcidos galhos dos carvalhos que arranhavam seus braços e rosto enquanto corria, ou que moitas de ervas e raízes podres a fizessem tropeçar.

Ela precisava chegar lá embaixo.

O risco de lua minguante oferecia pouca luz, mas havia outra fonte de luminosidade — no fundo do cemitério. Seu destino. Parecia uma monstruosa tempestade de raios rodeada de nuvens, só que estava acontecendo em terra firme.

As sombras estavam advertindo-a, percebeu, há dias. Agora aquele show sombrio tinha se tornado uma coisa que até Penn conseguia ver. E os outros alunos que correram para lá provavelmente também viram. Luce não sabia o que poderia significar. Apenas que, se Daniel estava lá embaixo com aquelas chamas sinistras... era tudo culpa dela.

Seus pulmões ardiam, e ela foi impulsionada para a frente pela imagem dele debaixo dos pessegueiros. Ela não pararia até encontrá-lo — porque viera para procurá-lo em primeiro lugar, para enfiar o livro debaixo de seu nariz e gritar que acreditava nele, que parte dela acreditara nele o tempo todo, mas que estava assustada demais para aceitar a incomensurável história dos dois. Diria que não deixaria o medo fazê-la ir embora, não dessa vez, nunca mais. Porque ela sabia de uma coisa, entendia uma coisa que havia demorado demais a compreender. Uma coisa selvagem e estranha que fazia suas experiências passadas juntos parecerem ao mesmo tempo mais e menos críveis. Ela sabia quem — não, *o que* era Daniel. Parte dela tinha entendido sozinha — que ela podia ter vivido e o amado antes. Só que ela não entendera o que significava, o que tudo queria dizer — a atração que sentia por ele, os sonhos — até agora.

Mas nada daquilo importava se ela não conseguisse descer a tempo de encontrar alguma maneira de afastar as sombras. Nada daquilo importava se elas chegassem até Daniel antes dela. Luce voou pelo terreno íngreme dos túmulos, mas a depressão no meio do cemitério ainda estava longe.

Atrás dela, passos pesados. Então uma voz estridente:

— Pennyweather! — Era a Srta. Sophia. Estava alcançando Luce, virando para trás para chamar Penn por cima do ombro. Luce podia ver a amiga cuidadosamente abrindo caminho em volta de uma lápide caída. — Está mais devagar do que uma tartaruga!

— Não! — berrou Luce. — Penn, Srta. Sophia, não venham para cá! — Não queria ser responsável por colocar ainda mais gente no caminho das sombras.

A Srta. Sophia parou perto de uma lápide branca derrubada e encarou fixamente o céu como se nem tivesse escutado Luce. Levantou os braços magros para o alto, como se para se proteger. Luce olhou furtivamente para o céu da noite e prendeu a respiração. Alguma coisa estava se movendo até elas, soprando junto com o vento arrepiante.

A princípio, achou que eram as sombras, mas aquilo era diferente e ainda mais assustador, como um véu entrecortado e irregular cheio de bolsões escuros, deixando apenas partes do grande céu à vista. Era uma sombra feita de um milhão de pequenos pedaços pretos. Uma tempestade de escuridão tumultuada e agitada, se estendendo para todas as direções.

— Gafanhotos? — Penn gritou.

Luce estremeceu. O grande enxame ainda estava a certa distância, mas um ruído intenso ficava mais alto a cada segundo. Como as batidas das asas de mil pássaros. Como uma hostil correnteza de escuridão varrendo a Terra. Estava vindo. E ia acabar com ela, talvez com todos, naquela noite.

— Isso não é bom! — a Srta. Sophia exclamou para o céu. — Deveria haver alguma ordem nas coisas!

Penn parou, sem fôlego, ao lado de Luce e as duas trocaram um olhar aturdido. Havia suor sobre o lábio de Penn, e seus óculos roxos ficavam escorregando com o calor úmido.

— Ela não está falando nada com nada — sussurrou Penn, apontando para a Srta. Sophia.

— Não. — Luce balançou a cabeça. — Ela sabe das coisas. E se a Srta. Sophia está com medo, você não deveria estar aqui, Penn.

— Eu? — Penn perguntou, surpresa, provavelmente porque desde o primeiro dia naquela escola era ela quem guiava Luce.

— Não acho que *nenhuma* de nós duas devia estar aqui.

O peito de Luce se apertou com uma dor similar à que sentira quando se despediu de Callie. Ela afastou o olhar de Penn. Havia um precipício entre elas agora, uma profunda divisão separando-as, por causa do passado de Luce. Odiava admitir isso, e odiava chamar a atenção de Penn para isso também, mas sabia que seria melhor e mais seguro se as duas se separassem.

— Tenho que ficar — respondeu, respirando fundo. — Preciso encontrar Daniel. Você devia voltar aos dormitórios, Penn. Por favor.

— Mas você e eu — Penn disse rouca. — Éramos as únicas...

Antes de ouvir o resto da frase, Luce disparou até o meio do cemitério, em direção ao mausoléu onde vira Daniel meditando na noite do Dia dos Pais. Correu pelos últimos túmulos, então escorregou por um declive de folhas úmidas e apodrecidas até o solo finalmente se igualar. Ela parou na frente do carvalho gigante bem no meio da depressão do cemitério.

Com calor, frustrada e aterrorizada, tudo ao mesmo tempo, ela se apoiou contra o tronco da árvore.

Então, através dos galhos, ela o viu.

Daniel.

Luce soltou todo o ar de seus pulmões e sentiu os joelhos fraquejando. Um olhar para seu perfil sombrio e distante, tão lindo e majestoso, lhe dizia que tudo que Daniel tinha insinuado — até o maior dos fatos, que ela entendera sozinha —, tudo era verdade.

Ele estava no topo do mausoléu, de braços cruzados, olhando para onde a ondulante nuvem de gafanhotos acabara de passar acima de sua cabeça. A fraca luz do luar fazia a sombra de Daniel parecer cada vez mais escura, ultrapassando o teto amplo e plano da cripta. Luce correu até ele, desviando-se entre o musgo pendurado e as velhas estátuas tortas.

— Luce! — Ele a viu enquanto ela se aproximava da base do mausoléu. — O que está fazendo aqui? — Sua voz não mostrava nenhuma alegria em vê-la; estava mais para choque e horror.

É minha culpa, ela queria gritar enquanto se aproximava. *E eu acredito, acredito na nossa história. Me perdoe por tê-lo abandonado, nunca vou fazer isso de novo.* Havia mais uma coisa que queria dizer a ele, mas Daniel estava muito no alto, o horrível ruído das sombras era demais e o ar estava muito denso para tentar fazê-lo ouvir de onde ela estava, lá embaixo.

O monumento era todo de mármore, mas havia uma grande lasca em uma das esculturas — um pavão — e Luce usou-a como degrau. A pedra geralmente fria estava quente ao toque. Suas mãos suadas escorregaram algumas vezes enquanto ela se esforçava para chegar ao topo. Para chegar a Daniel, que precisava perdoar-lhe.

Luce escalara apenas alguns centímetros da parede quando alguém cutucou seu ombro. Ela se virou e arfou quando viu que era Daniel e perdeu o equilíbrio. Ele a segurou, os braços em volta de sua cintura, antes de ela poder cair no chão. Mas Daniel estava um andar inteiro acima apenas um segundo antes.

Ela enterrou o rosto no ombro de Daniel. E por mais que a verdade continuasse sendo assustadora, estar em seus braços a fez se sentir como o mar chegando à costa, como um viajante após uma viagem longa, dura e distante — finalmente voltando para casa.

— Escolheu uma boa hora para voltar — disse ele. Sorriu, mas seu rosto estava tenso de preocupação. Os olhos estavam fixos atrás dela, no céu.

— Está vendo, também? — ela perguntou.

Daniel apenas olhou para Luce, sem conseguir responder. Seus lábios tremeram.

— É óbvio que consegue — sussurrou ela, porque todas as peças estavam se juntando. As sombras, a história dele, o passado dos dois. Um choro sufocante se acumulou dentro dela. — Como consegue me amar? — soluçou. — Como pode sequer me suportar?

Daniel pegou o rosto de Luce entre as mãos.

— Do que está falando? Como pode dizer uma coisa dessas?

O coração dela estava queimando de tão acelerado.

— Porque... — Ela engoliu em seco. — Você é um anjo.

Os braços dele ficaram moles.

— O que você disse?

— Você é um anjo, Daniel, eu sei — respondeu, sentindo como se comportas estivessem se abrindo dentro dela, mais e mais, até tudo simplesmente sair num frenesi. — Não tente negar. Tenho sonhos com você, sonhos que são reais demais para esquecer, sonhos que me fizeram amá-lo antes de você ter dito sequer uma coisa gentil para mim. — A expressão de Daniel não mudou. — Sonhos onde você tinha asas e me segurava alto num céu que eu não reconhecia, e ainda assim sei que estive nele, exatamente daquele jeito, em seus braços, mil vezes antes. — Ela encostou sua testa na dele. — Isso explica tanta coisa... Como você é gracioso quando se move, e o livro que seu antepassado escreveu. Por que ninguém veio visitar você no Dia dos Pais. O jeito como seu corpo parece flutuar quando está nadando. E por que, quando você me beija, sinto como se estivesse indo para o céu. — Ela parou para recuperar o fôlego. — E por que pode viver para sempre. A única coisa inexplicável é por que está comigo. Porque eu sou apenas... eu. — Ela levantou os olhos para o céu de novo, sentindo o peso escuro das sombras. — E sou culpada de tanta coisa.

A cor tinha sumido do rosto de Daniel. E Luce pôde chegar a apenas uma conclusão:

— Você também não entende o porquê — disse.

— Não entendo por que você ainda está aqui.

Ela assentiu infeliz e então começou a se virar.

— Não! — Ele a puxou de volta. — Não vá. É só que você nunca... nós nunca... chegamos tão longe. — Ele fechou os olhos. — Pode dizer de novo? — pediu ele, quase com timidez. — Pode me dizer... o que eu sou?

— Você é um anjo — repetiu ela lentamente, surpresa ao ver Daniel fechar os olhos e gemer de prazer, quase como se estivessem se beijando. — Estou apaixonada por um anjo. — Agora era ela quem queria fechar os olhos e gemer. Ela inclinou a cabeça. — Mas em meus sonhos, suas asas...

Um vento quente e uivante soprou-os de lado, praticamente arrancando Luce dos braços de Daniel, que protegeu o corpo dela com o seu. A nuvem de gafanhotos-sombras tinha parado sobre a copa de uma árvore além do cemitério e estava chiando através dos galhos. Agora ela se erguia numa grande massa.

— Ah, Deus — Luce sussurrou. — Tenho que fazer alguma coisa. Tenho que impedir...

— Luce. — Daniel afagou seu rosto. — Olhe para mim. Você não fez nada de errado. E não há nada que possa fazer quanto — apontou — àquilo. — Balançou a cabeça. — Por que iria achar que é culpada de alguma coisa?

— Porque — respondeu ela — a minha vida toda, tenho visto essas sombras...

— Eu devia ter feito alguma coisa quando percebi isso, semana passada no lago. É a primeira encarnação em que você as vê... e isso me assustou.

— Como pode saber que não é culpa minha? — ela perguntou, pensando em Todd e Trevor. As sombras sempre chegavam até ela antes de alguma coisa horrível acontecer.

Ele beijou seu cabelo.

— As sombras que você vê são chamadas de Anunciadores. Elas parecem más, mas não podem machucar você. Tudo que elas fazem é observar uma situação e contar para alguém. Fofoqueiros. A versão demoníaca de um grupinho das meninas mais populares da escola.

— Mas e aquilo ali? — Ela apontou para as árvores que cercavam a área do cemitério. Seus galhos estavam balançando, pesados pela escuridão espessa que se infiltrava neles.

Daniel olhou com tranquilidade.

— Aquelas são as sombras que os Anunciadores convocaram. Para a batalha.

Os braços e pernas de Luce ficaram gelados de medo.

— Que... hum... que tipo de batalha é essa?

— A grande — respondeu ele simplesmente, erguendo o queixo. — Mas estão apenas se exibindo agora. Ainda temos tempo.

Atrás deles, uma tosse baixa fez Luce saltar. Daniel abaixou a cabeça, cumprimentando a Srta. Sophia, que estava parada na sombra do mausoléu. Seu cabelo tinha se soltado dos grampos e parecia selvagem e rebelde, como seus olhos. Então outra pessoa saiu de trás da Srta. Sophia. Penn. Suas mãos estavam enfiadas nos bolsos de sua jaqueta. Seu rosto ainda estava vermelho, e sua testa molhada de suor. Ela deu de ombros para Luce como que para dizer *Não sei que porcaria é esta que está acontecendo, mas não podia abandonar você.* Contra a vontade, Luce sorriu.

A Srta. Sophia deu um passo à frente e ergueu o livro.

— Nossa Lucinda tem feito seu dever de casa.

Daniel coçou o queixo.

— Andou lendo essa velharia? Nunca devia ter escrito isso. — Ele parecia quase envergonhado, mas Luce encaixou mais uma peça do quebra-cabeça deles.

— *Você* escreveu isso — disse ela. — E rabiscou nas margens. E colou aquela foto nossa.

— Você achou a fotografia — disse Daniel, sorrindo, segurando-a mais perto como se a menção da foto trouxesse de volta uma onda de lembranças. — É claro.

— Demorou um pouco para entender, mas quando vi como estávamos felizes, alguma coisa se abriu dentro de mim. E eu soube.

Ela envolveu seu pescoço com uma das mãos e puxou o rosto dele para o seu, nem ligando que a Srta. Sophia e Penn estivessem bem ali. Quando seus lábios se tocaram, todo o cemitério escuro e horrível desapareceu — os túmulos velhos também, e as sombras enraizando-se ao redor das árvores; até mesmo a lua e as estrelas bem no alto.

Na primeira vez em que ela vira a foto dos dois em Helston, ficara assustada. A ideia de todas aquelas versões antigas dela terem existido... era coisa demais para processar. Mas agora, nos braços de Daniel, ela podia sentir de alguma maneira todas elas funcionando juntas, um vasto repertório de Luces que amaram o mesmo Daniel vezes sem fim. Tanto amor se derramava de seu coração e de sua alma, transbordando do seu corpo e enchendo o espaço entre eles.

E ela finalmente entendeu o que ele dissera quando estavam olhando para as sombras: que ela não tinha feito nada de errado. Não havia motivo para se sentir culpada. Poderia ser verdade? Ela era inocente das mortes de Trevor e Todd, como sempre acreditara? No mesmo momento em que se fez essa pergunta, soube que Daniel tinha falado a verdade, e se sentiu como se estivesse acordando de um longo pesadelo. Não se sentia mais como a menina de cabelos chamuscados e roupas pretas folgadas — a eterna perturbada, com medo do cemitério pútrido, e presa num reformatório porque merecia.

— Daniel — disse, gentilmente afastando os ombros dele para poder olhá-lo. — Por que não me contou que era um anjo antes? Por que toda aquela conversa sobre ser amaldiçoado?

Daniel a olhou, nervoso.

— Não estou zangada — assegurou. — Só pensando.

— Eu não podia contar — respondeu ele. — Tudo está ligado. Até agora, eu nem sabia que você poderia descobrir sozinha. Se eu contasse rápido demais ou na hora errada, você teria partido de novo e eu precisaria esperar. Já tive que esperar tanto tempo.

— Quanto tempo? — Luce perguntou.

— Não tanto que tenha me feito esquecer que você vale a pena. Cada sacrifício. Cada momento de dor. — Daniel fechou seus olhos por um segundo. Então olhou para Penn e Srta. Sophia.

Penn estava sentada encostada numa lápide coberta de musgo, com o rosto apoiado nos joelhos e roendo as unhas avidamente. A Srta. Sophia estava com as mãos no quadril, parecendo ter algo a dizer.

Daniel deu um passo para trás, e Luce sentiu uma rajada de ar fresco entre eles.

— Ainda tenho medo de que a qualquer momento você possa...

— Daniel — a Srta. Sophia disse, repreendendo-o.

Ele a ignorou.

— Ficarmos juntos não é tão simples quanto você gostaria que fosse.

— É claro que não — disse Luce. — Quero dizer, você é um anjo, mas agora que eu sei disso...

— Lucinda Price. — Dessa vez ela repreendia Luce. — Você não vai querer saber o que ele tem a lhe contar — avisou ela — E Daniel, você não tem esse direito. Vai matá-la...

Luce sacudiu a cabeça, confusa com o pedido da Srta. Sophia.

— Acho que posso sobreviver a algumas verdades.

— Não é *qualquer* verdade — disse a Srta. Sophia, dando um passo para a frente e se posicionando entre eles. — E você não vai sobreviver. Assim como não sobreviveu nos milhares de anos desde a Queda.

— Daniel, do que ela está falando? — Luce tentou pegar a mão de Daniel por trás da Srta. Sophia, mas a bibliotecária a afastou. — Eu aguento — disse Luce, sentindo o estômago se revirar. — Não quero mais segredos. Eu o amo.

Era a primeira vez que ela dizia as palavras em voz alta. Seu único arrependimento era que aquelas três palavras, as mais importantes que conhecia, fossem ditas para a Srta. Sophia em vez de para Daniel. Ela se virou para ele, que estava com os olhos brilhando.

— Eu amo — repetiu. — Eu amo você.

Clap.

Clap. Clap.

Clap. Clap. Clap. Clap.

Um lento e alto aplauso começou atrás deles, entre as árvores. Daniel se afastou e virou em direção à floresta, a postura se enrijecendo, enquanto Luce sentia o velho medo inundando-a, sentindo-se presa pelo terror do que estava nas sombras, assustada pelo que ele estava vendo antes de ela mesma ver.

— Ah, bravo. Bravo! Verdade, estou emocionado até a alma, e não é muita coisa que consegue me emocionar hoje em dia, infelizmente.

Cam saiu de trás da árvore. Seus olhos estavam delineados com uma sombra grossa e dourada brilhante, que reluzia em seu rosto sob a luz da lua, fazendo-o parecer um gato selvagem.

— Isso foi *tão* incrivelmente fofo — disse ele. — E ele simplesmente também ama você, não ama, garanhão? Não ama, Daniel?

— Cam — avisou Daniel. — Não faça isso.

— Fazer o quê? — Cam perguntou, levantando o braço esquerdo. Ele estalou os dedos e uma pequena chama, do tamanho de um fósforo aceso, se inflamou pelo ar acima de sua mão. — Quer dizer isso?

O som do estalar de seus dedos parecia se demorar, ecoando nos túmulos do cemitério, ficando mais alto e se multiplicando enquanto batia de um lado para o outro. A princípio, Luce achou que o som era mais como um aplauso, como se um auditório demoníaco cheio de escuridão estivesse aplaudindo e ridicularizando o amor de Luce e Daniel, como Cam tinha feito. Mas então se lembrou do que escutara antes, das asas que batiam como trovões. Ela prendeu a respiração enquanto o som tomava a forma daqueles milhares de pedaços de sombras voadoras. O enxame de sombras em formato de gafanhotos que tinha sumido dentro da floresta estava elevando-se acima deles mais uma vez.

O barulho era tão alto que Luce precisou cobrir seus ouvidos. No chão, Penn estava agachada com a cabeça entre os joelhos, mas Daniel e a Srta. Sophia olhavam o céu estoicamente enquanto a cacofonia aumentava e mudava. Começou a soar como sprinklers escandalosos sendo ativados... ou como o sibilar de mil serpentes.

— Ou isso? — Cam perguntou, dando de ombros enquanto as horríveis sombras sem forma se acomodavam em volta dele.

Os insetos começaram a crescer e a se desdobrar, ficando maiores do que qualquer inseto jamais poderia ser, caindo como pingos de cola e crescendo até virarem corpos pretos segmentados. Então, como se estivessem aprendendo a usar seus membros sombrios enquanto tomavam forma, eles lentamente se levantavam sobre suas numerosas pernas e seguiam em frente, como gafanhotos tão grande quanto um ser humano.

Cam os recebeu enquanto se acumulavam à sua volta. Logo tinham formado um exército gigantesco atrás de Cam como a personificação da noite.

— Sinto muito — disse ele, batendo com a mão em sua testa. — Você tinha dito para eu *não* fazer isso?

— Daniel — sussurrou Luce. — O que está acontecendo?

— Por que pediu um fim à trégua? — ele gritou para Cam.

— Ah. Bem. Sabe o que dizem sobre tempos desesperados. — Cam zombou. — E ver você encher o corpo dela com esses beijos angelicais perfeitos... me deixou *tão* desesperado.

— Cala a boca, Cam! — Luce berrou, odiando que ela um dia o tivesse deixado tocá-la.

— Na hora certa. — Os olhos de Cam se dirigiram para ela. — Ah sim, vamos brigar, querida. Por sua causa. De novo. — Ele afagou seu queixo e estreitou os olhos verdes. — Dessa vez, vai ser pior ainda, acredito. Com mais algumas vítimas. É isso aí.

Daniel puxou Luce para seus braços.

— Me diga por que, Cam. Você me deve ao menos isso.

— Você *sabe* por que — explodiu Cam, apontando para Luce. — *Ela* ainda está aqui. Mas não por muito tempo.

Ele pôs as mãos nos quadris e uma série de densas sombras pretas, agora com o formato de intermináveis e enormes serpentes, escorregaram por seu corpo, envolvendo os braços de Cam como braceletes. Ele afagou a cabeça da maior delas com carinho.

— E dessa vez, quando seu amor explodir naquela trágica nuvenzinha de cinzas, vai ser *para sempre*. Você vê, tudo é diferente dessa vez. — Cam sorriu, e Luce pensou ter sentido Daniel tremer por apenas um segundo. — Ah, mas uma coisa continua igual, e eu realmente tenho uma queda pela sua previsibilidade, Grigori. — Cam deu um passo para a frente. Sua legião de sombras fez o mesmo, fazendo Luce e Daniel, assim como Penn e a Srta. Sophia recuarem. — Você está com medo — disse ele, apontando de maneira dramática para Daniel. — E eu não.

— Isso é porque você não tem nada a perder — cuspiu Daniel. — Eu nunca trocaria de lugar com você.

— Hmmm — disse Cam, batendo em seu queixo. — Vamos ver só. — Ele olhou em volta com um largo sorriso. — Preciso soletrar para você? Sim. Ouvi dizer que você pode ter uma coisa *maior* a perder dessa vez. Uma coisa que vai tornar a morte dela muito mais prazerosa.

— Do que está falando? — perguntou Daniel.

À esquerda de Luce, a Srta. Sophia abriu a boca e soltou uma série de ruídos ferozes e barulhentos. Ela agitou as mãos freneticamente acima da cabeça num estranho tipo de dança, seus olhos quase transparentes, como se estivessem em algum tipo de transe. Seus lábios se retorciam, e Luce percebeu chocada que ela estava falando em outra língua.

Daniel pegou o braço da Srta. Sophia e a sacudiu.

— Não, você está totalmente certa: não faz sentido — sussurrou ele, e Luce entendeu que ele compreendia a estranha língua da Srta. Sophia.

— Sabe o que ela está dizendo? — Luce perguntou.

— Permita-nos a tradução — gritou uma voz familiar do teto do mausoléu. Ariane. A seu lado estava Gabbe. Ambas pareciam estar acesas por trás e envoltas num estranho brilho prateado. Elas pularam da cripta, pousando ao lado de Luce sem um ruído.

— Cam tem razão, Daniel — disse Gabbe rapidamente. — Algo está diferente dessa vez... algo em Luce. O ciclo pode estar quebrado, e não da maneira que queremos. Quero dizer... pode ser o fim.

— Alguém pode me explicar do que vocês estão falando? — disse Luce, interrompendo. — O que está diferente? Quebrado como? O que está em jogo com toda essa batalha, afinal?

Daniel, Ariane e Gabbe a encararam por um momento, como se tentando entendê-la, como se a conhecessem de algum lugar, mas como se ela tivesse mudado tão completamente num instante que eles não reconheciam mais seu rosto.

Finalmente Ariane falou:

— Em jogo? — Ela esfregou a cicatriz em seu pescoço. — Se eles vencerem, é o inferno na Terra. O fim do mundo, como dizem por aí.

As formas escuras guinchavam ao redor de Cam, lutando e mordendo umas às outras, em algum tipo de aquecimento doentio e diabólico.

— E se nós ganharmos? — Luce lutou para dizer as palavras.

Gabbe engoliu, e então disse gravemente:

— Ainda não sabemos.

Subitamente, Daniel tropeçou para trás, se afastando de Luce, e apontou para ela:

— E-Ela não foi... — gaguejou ele, cobrindo a boca. — O beijo — disse finalmente, se reaproximando para pegar o braço de Luce. — O livro. Por isso é que você pode...

— Chegue logo à segunda parte, Daniel — forçou Ariane. — Pense rápido. Paciência é uma virtude, e sabe o que Cam sente em relação a elas.

Daniel apertou a mão de Luce.

— Você precisa ir embora. Tem que sair daqui.

— O quê? Por quê?

Ela olhou para Ariane e Gabbe em busca de ajuda, então se encolheu quando uma série de centelhas prateadas começou a voar pelo teto do mausoléu. Como uma interminável corrente de vaga-lumes libertados de um enorme pote de conserva. Elas caíram sobre Ariane e Gabbe, fazendo seus olhos brilharem. Luce se lembrou de fogos de artifício — e de um feriado de Quatro de Julho, quando a iluminação estava perfeita e ela vira nas íris de sua mãe o reflexo dos fogos, um clarão explosivo de luz prateada, como se os olhos dela fossem um espelho.

Só que essas centelhas não viravam fumaça como aconteceu com os fogos de artifício. Quando tocavam na grama do cemitério, elas floresciam em seres graciosos e iridescentes. Não eram exatamente formas humanas, mas eram reconhecíveis. Deslumbrantes e brilhantes raios de luz. Criaturas tão esplêndidas que Luce soube imediatamente que eram um exército de poder angelical, igual em tamanho e número à grande força sombria atrás de Cam. Era assim que se parecia a verdadeira beleza e bondade — um espectral e luminescente encontro de seres tão puros, que doía olhar diretamente para eles, como o mais glorioso eclipse, ou talvez o próprio paraíso. Ela devia se sentir confortada, estando do lado que *tinha* que ganhar essa luta. Mas estava começando a se sentir enjoada.

Daniel apertou as costas de sua mão na bochecha dela.

— Ela está febril.

Gabbe afagou o braço de Luce e sorriu:

— Está tudo bem, querida — disse, tirando a mão de Daniel. Seu sotaque arrastado era de alguma maneira tranquilizador. — A gente assume a partir daqui. Mas você precisa ir. — Ela olhou por cima do ombro para a horda de escuridão atrás de Cam. — Agora.

Daniel puxou Luce até ele para um último abraço.

— Eu a levo — gritou alto a Srta. Sophia. O livro ainda estava enfiado debaixo de seu braço. — Conheço um lugar seguro.

— Vá — disse Daniel. — Encontro você assim que puder. Só me prometa que vai fugir daqui e que não vai olhar para trás.

Luce tinha tantas perguntas.

— Não quero deixar você.

Ariane entrou no meio dos dois e deu um empurrão final e forte em Luce para que fosse até os portões.

— Desculpe, Luce — disse. — Hora de deixar a briga com a gente. Somos meio que profissionais.

Luce sentiu a mão de Penn escorregando para dentro da sua, e logo estavam correndo. Correndo até os portões do cemitério com a mesma rapidez com que ela descera para encontrar Daniel. De volta, subindo o terreno escorregadio de folhas. De volta pelos galhos vivos entrecortados dos carvalhos e as pilhas desmoronadas de lápides quebradas. Elas saltaram pelas lápides e escalaram o declive, mirando no distante arco dos portões de ferro. Um vento quente soprava em seu cabelo, e o ar pantanoso ainda era denso dentro de seus pulmões. Ela não conseguia encontrar a lua para guiá-las, e a luz no meio do cemitério agora estava apagada. Ela não entendia nada do que estava acontecendo. Nada. E não gostava do fato de todo mundo entender, menos ela.

Um raio escuro atingiu o solo na frente dela, rachando a terra e abrindo um desfiladeiro denteado. Luce e Penn pararam bem a tempo. O buraco era tão largo quanto a altura de Luce, e tão profundo quanto... bem, ela não conseguia enxergar onde estava o fundo. As bordas chiavam e espumavam.

Penn arfou.

— Luce. Estou com medo.

— Sigam-me, garotas — gritou a Srta. Sophia.

Ela as levou para a direita, ziguezagueando pelos túmulos escuros enquanto raio após raio caía atrás delas.

— São apenas os sons da batalha — disse irritada, como algum tipo estranho de guia turístico. — Isso vai continuar por um tempo, creio.

Luce estremecia a cada estampido, mas continuou em frente até suas panturrilhas estarem pegando fogo, até, atrás dela, Penn soltar um grito. Luce se virou e viu a amiga cair, seus olhos se revirando.

— Penn! — gritou Luce, esticando-se para pegá-la bem antes dela chegar ao chão. Com cuidado, Luce a deitou no chão e a virou de costas. Ela quase desejou não ter feito isso. O ombro de Penn tinha sido atingido por alguma coisa preta e entrecortada. Tinha entrado em sua pele, deixando um pedaço aparente de pele carbonizada que cheirava a carne queimada.

— Está muito feio? — Penn sussurrou, rouca. Ela piscou rápido, claramente frustrada por não conseguir levantar a cabeça para olhar.

— Não — mentiu Luce, balançando a cabeça. — Só um corte. — Ela engoliu em seco, tentando afastar a náusea crescendo dentro dela enquanto amarrava a manga esfarrapada de Penn. — Está doendo?

— Eu não sei — arquejou Penn. — Não sinto nada.

— Garotas, *o que* está demorando tanto? — A Srta. Sophia tinha voltado.

Luce olhou para a Srta. Sophia, implorando-lhe para não mencionar como Penn estava parecendo mal.

Ela não o fez. Deu a Luce um rápido aceno com a cabeça, então esticou seus braços por baixo de Penn e a levantou como um pai carrega uma criança para a cama.

— Peguei você — disse. — Não vai demorar muito agora.

— Ei. — Luce seguiu a Srta. Sophia, que carregava Penn como se fosse um travesseiro de plumas. — Como você...

— Sem perguntas, até estarmos longe de tudo isso — disse a Srta. Sophia.

Longe. Não havia nada que Luce quisesse menos do que estar longe de Daniel. Então, depois de elas terem atravessado o limiar do cemitério e estarem no terreno plano do pátio da escola, ela não conseguiu se segurar e olhou para trás. E imediatamente entendeu por que Daniel tinha mandado que não olhasse.

Um pilar de fogo dourado e prateado se retorcendo explodia do núcleo escuro do cemitério. Era tão largo quanto o próprio cemitério, uma trança de luz erguendo-se dezenas de metros pelo ar e afastando as nuvens. As sombras pretas atacavam a luz, ocasionalmente puxando tentáculos dela e os carregando para longe, guinchando, em meio à noite. Enquanto os fios enrolados mudavam de cor, uma hora mais prateados, outra mais dourados, um único som começou a encher o ar, cheio e interminável, alto como uma poderosa cachoeira. Notas mais graves ecoavam como trovões pela noite. As mais agudas badalavam para preencher o espaço em volta delas. Era a maior e mais perfeitamente equilibrada harmonia celestial já ouvida sobre a terra. Era linda e aterrorizante, e tudo cheirava a enxofre.

Todos a quilômetros de distância devem ter achado que o mundo estava acabando. Luce não sabia o que pensar. Seu coração estava arrebatado.

Daniel tinha dito a ela para não olhar para trás porque sabia que ver aquilo a faria querer ir até ele.

— Ah, não, você não vai — disse a Srta. Sophia, segurando Luce pela gola da blusa e arrastando-a pelo campus. Quando chegaram ao ginásio, Luce percebeu que a Srta. Sophia estivera carregando Penn esse tempo todo, usando apenas um braço.

— O que é você? — Luce perguntou enquanto a Srta. Sophia empurrava-a pelas portas duplas.

A bibliotecária pegou uma chave comprida do bolso de seu cardigã vermelho e a encaixou numa parte da parede de tijolos na frente do vestíbulo, algo que nem parecia uma porta. Uma entrada para uma escadaria comprida foi aberta silenciosamente, e a Srta. Sophia gesticulou para que Luce subisse na frente.

Os olhos de Penn estavam fechados. Ela estava inconsciente ou com dor demais para mantê-los abertos. De qualquer maneira, estava extraordinariamente quieta.

— Para onde estamos indo? — Luce perguntou. — Precisamos sair daqui. Cadê seu carro? — Ela não queria assustar Penn, mas precisavam achar um médico. Rápido.

— Fique quieta, se quiser o melhor para você. — A Srta. Sophia olhou a ferida de Penn e suspirou. — Estamos indo para a única câmara desse lugar que não foi profanada com equipamentos atléticos. Onde podemos ficar sozinhas.

A essa altura, Penn tinha começado a gemer nos braços da Srta. Sophia. O sangue do ferimento deixava um rastro grosso e escuro no chão de mármore.

Luce olhou a escadaria íngreme. Não dava nem para ver onde terminava.

— Acho que, pelo bem de Penn, devíamos ficar aqui embaixo. Vamos precisar de ajuda logo, logo.

A Srta. Sophia suspirou e deitou Penn na pedra, rapidamente voltando para trancar a porta da frente por onde entraram. Luce caiu de joelhos na frente de Penn. Sua amiga parecia tão pequena e frágil agora. Sob a luz fraca que vinha do delicado lustre de ferro batido no alto, Luce podia pelo menos ver a gravidade de seu ferimento.

Penn foi a única amiga que Luce teve na Sword & Cross, com quem realmente se identificou, a única que não a intimidava. Depois de Luce ter visto do que Ariane, Gabbe e Cam eram capazes, poucas coisas faziam sentido. Mas uma fazia: Penn era a única aluna da Sword & Cross que era como ela.

Mas Penn era mais forte que Luce. Mais esperta e mais alegre, mais tranquila. Ela fora o motivo pelo qual Luce conseguira aguentar aquelas primeiras semanas no reformatório. Sem Penn, quem sabe onde Luce estaria agora?

— Ah, Penn — suspirou Luce. — Você vai ficar bem. Vamos deixar você novinha em folha.

Penn murmurou alguma coisa incompreensível, o que deixou Luce nervosa. Ela se virou para a Srta. Sophia, que estava fechando todas as janelas, uma a uma.

— Ela está perdendo a consciência — disse Luce. — *Precisamos* chamar um médico.

— Sim, sim — disse a Srta. Sophia, mas alguma coisa em seu tom de voz parecia preocupado. Ela parecia obcecada em fechar todo o lugar, como se as sombras do cemitério estivessem se dirigindo para lá naquele momento.

— Luce? — sussurrou Penn. — Estou com medo.

— Não fique. — Luce apertou sua mão. — Você é tão corajosa. Esse tempo todo, você foi um pilar de força.

— Ah, por favor — disse a Srta. Sophia por trás dela, numa voz grossa que Luce nunca a ouvira usar. — Ela é um pilar de sal.

— O quê? — Luce perguntou, confusa. — Como assim?

Os olhos redondos da Srta. Sophia tinham se estreitado em finas fendas pretas. Seu rosto se apertou e ficou enrugado e ela balançou a cabeça com amargura. Então, muito lentamente, da manga de seu cardigã, puxou um longo punhal de prata.

— A garota está apenas nos atrasando.

Os olhos de Luce se arregalaram quando viu a Srta. Sophia erguendo o punhal acima da cabeça. Tonta, Penn não entendeu o que estava acontecendo, mas Luce certamente entendia.

— Não! — gritou, se levantando para segurar o braço da Srta. Sophia, para desviar o punhal. Mas a bibliotecária sabia o que estava fazendo e habilmente bloqueou o ataque de Luce, empurrando-a para o lado com a mão livre enquanto passava a lâmina de um lado a outro da garganta de Penn.

Penn grunhiu e tossiu, a respiração ficando irregular. Seus olhos se reviraram do jeito que ela fazia quando estava pensando, mas Penn não estava pensando; estava morrendo. Finalmente seus olhos encontraram os de Luce. Então lentamente perderam o foco, e a respiração de Penn parou.

— Uma bagunça, mas era necessário — disse a Srta. Sophia, limpando a lâmina no suéter preto de Penn.

Luce cambaleou para trás, cobrindo a boca, incapaz de gritar e de desviar os olhos de sua amiga morta, incapaz de olhar para a mulher que achava estar do seu lado. Subitamente entendeu por que a Srta. Sophia tinha fechado todas as portas e janelas do lugar. Não era para manter ninguém do lado de fora. Era para mantê-la do lado de dentro.

DEZENOVE

FORA DA VISTA

No alto das escadas ficava uma parede plana de tijolos. Becos sem saída de qualquer tipo sempre deixavam Luce claustrofóbica, e aquele era ainda pior por causa da faca pressionando sua garganta. Ela ousou dar uma olhada para trás, na escada íngreme pela qual tinham subido. Dali, parecia uma queda muito longa e dolorosa.

A Srta. Sophia estava falando em outra língua de novo, murmurando enquanto habilidosamente abria outra porta secreta. Empurrou Luce para uma pequena capela e trancou a porta atrás das duas. Estava congelando lá dentro, cheirava a pó de calcário. Luce lutou para respirar, para engolir a saliva amarga em sua boca.

Penn não podia estar morta. Tudo aquilo não podia ter acontecido. A Srta. Sophia *não podia ser tão má assim*.

Daniel dissera para confiar na Srta. Sophia. Tinha dito para ir com ela até que pudesse voltar para buscá-la...

A Srta. Sophia não estava prestando atenção em Luce e simplesmente andava pela sala, acendendo vela após vela, ajoelhando-se para cada uma, e continuando a cantar numa língua que Luce não conhecia. As chamas oscilantes revelavam que a capela estava limpa e bem arrumada, o que significava que não devia haver muito tempo que alguém tinha subido até lá. Mas certamente a Srta. Sophia era a única no campus que tinha a chave da passagem secreta. Quem mais saberia que aquele lugar existia?

O teto de telhas vermelhas era inclinado e desigual. Tapeçarias enormes e desbotadas forravam as paredes, mostrando imagens de criaturas metade homem, metade peixe batalhando num mar revolto. Havia um pequeno altar branco na frente, e algumas fileiras de bancos de madeira simples alinhados ao longo do chão de pedra cinza. Luce olhou freneticamente em volta procurando uma saída, mas não havia outras portas e nenhuma janela.

As pernas de Luce tremiam, de fúria e de medo. Ela estava desesperada por causa de Penn, traída e abandonada ao pé da escada.

— Por que está fazendo isso? — perguntou, encostando-se nas portas arqueadas da capela. — Eu confiei em você.

— Isso é problema seu, querida — respondeu a Srta. Sophia, torcendo o braço de Luce com raiva. Então o punhal voltou a pressionar seu pescoço e ela estava sendo levada pelo corredor da capela. — A confiança é uma negligência, na melhor das hipóteses. Na pior, é uma boa maneira de acabar morta.

A Srta. Sophia empurrou Luce até o altar.

— Agora seja boazinha e se deite, por favor?

Como a faca ainda estava perto demais de sua garganta, Luce fez o que a outra mandou. Sentiu algo frio em seu pescoço e levantou as mãos para tocá-lo. Quando tirou os dedos, as pontas estavam vermelhas com pingos de sangue onde a faca tinha espetado a pele. A Srta. Sophia bateu em sua mão.

— Se acha isso ruim, devia ver o que está perdendo lá fora — disse ela, fazendo Luce estremecer. Daniel estava lá fora.

O altar era uma plataforma branca quadrada, um único pedaço de pedra não muito maior que Luce. Ela estava gelada e desesperadamente exposta ali em cima, imaginando os bancos cheios de beatos sombrios esperando que sua tortura começasse.

Olhando diretamente para cima, Luce viu que havia uma janela naquela capela cavernosa, um grande vitral de rosa-dos-ventos, como uma claraboia no teto. Tinha um complicado padrão floral geométrico, com rosas vermelhas e roxas contra um fundo azul-marinho. Teria parecido muito mais bonito se Luce pudesse vê-lo pelo lado de fora.

— Vamos ver, onde foi que eu... ah, sim! — A Srta. Sophia se abaixou atrás do altar e voltou com uma corda comprida. — Não se mexa, agora — disse, apontando a faca na direção de Luce. Então começou a prender Luce a quatro buracos feitos na superfície do altar. Primeiro cada um dos tornozelos, depois cada pulso. Luce tentou não se contorcer enquanto era amarrada, como para algum tipo de sacrifício. — Perfeito — disse a Srta. Sophia, dando em seus elaborados nós um puxão firme.

— Você planejou isso tudo — Luce percebeu, estupefata.

A Srta. Sophia sorriu docemente, como tinha feito na primeira vez em que Luce entrara na biblioteca.

— Eu diria que não é nada pessoal, Lucinda. Mas, na verdade, é sim — riu. — Espero por esse momento sozinha com você há muito tempo.

— Por quê? — Luce perguntou. — O que quer de mim?

— De você, só quero que seja eliminada — disse a Srta. Sophia. — É *Daniel* que quero que seja libertado.

Ela deixou Luce no altar e foi até um atril aos pés de Luce. Apoiou o livro de Grigori no atril e começou a folhear as páginas rapidamente. Luce se lembrou do momento em que o abrira e vira seu rosto ao lado do de Daniel pela primeira vez. Quando finalmente se deu conta de que ele era um anjo. Não sabia de quase nada na época, e ainda assim tinha certeza de que a fotografia significava que ela e Daniel podiam ficar juntos.

Agora isso parecia impossível.

— Vai ficar apenas deitada aí, suspirando por ele, não é? — A Srta. Sophia perguntou. Ela fechou o livro com força e bateu o punho na capa. — É exatamente esse o problema.

— Por que está fazendo isso? — Luce lutou com as cordas que a prendiam sobre o altar. — Por que se importa com o que Daniel e eu sentimos um pelo outro, ou quem namoramos em primeiro lugar? — Aquela psicopata não tinha nada a ver com eles.

— Eu gostaria muito de ter uma palavrinha com quem quer que seja que achou que colocar o destino de nossas almas eternas nas mãos de um casal de adolescentes apaixonados seria uma boa ideia. — Ela ergueu um pulso e o balançou no ar. — Querem que o equilíbrio seja abalado? *Eu* vou mostrar a eles como se acaba com o equilíbrio. — A ponta de sua adaga brilhava à luz das velas.

Luce forçou-se a tirar os olhos da lâmina.

— Você enlouqueceu.

— Se querer dar um fim à mais longa e terrível batalha já travada no mundo significa que enlouqueci — o tom da Srta. Sophia implicava que Luce era estúpida por não saber de tudo isso ainda —, então que seja.

A ideia de que a Srta. Sophia pudesse ter qualquer influência em terminar a batalha não fazia sentido na cabeça de Luce. Daniel estava lutando lá fora. O que estava acontecendo ali dentro não se comparava àquilo. Independentemente de a Srta. Sophia ter mudado de lado.

— Eles disseram que seria o inferno na Terra — sussurrou Luce. — O fim dos dias.

A Srta. Sophia começou a gargalhar.

— Parecia isso mesmo a você agora. É uma surpresa assim tão grande que eu seja do time dos bonzinhos, Lucinda?

— Se você está no lado do bem — Luce falou com raiva —, não parece uma guerra pela qual valha a pena lutar.

A Srta. Sophia sorriu, como se estivesse esperando que Luce dissesse aquelas exatas palavras.

— Sua morte pode ser exatamente o empurrão que Daniel precisa. Um empurrãozinho na direção certa.

Luce se contorceu no altar.

— Você... você não me machucaria.

A Srta. Sophia voltou até ela, e aproximou-se. O cheiro de talco encheu as narinas de Luce, fazendo-a ter ânsias de vômito.

— Eu com certeza machucaria — disse a Srta. Sophia, balançando as mechas soltas de seu cabelo desgrenhado. — Neste mundo, você equivale a uma enxaqueca.

— Mas eu vou voltar. Daniel me contou. — Luce engoliu. *Dali a dezessete anos.*

— Ah, não vai, não. Não dessa vez — disse a Srta. Sophia. — Naquele primeiro dia em que entrou na minha biblioteca, vi alguma coisa em seus olhos, mas não consegui identificar o que era. — Ela sorriu para Luce. — Já conheci você muitas vezes antes, Lucinda, e na maioria delas você era simplesmente um saco.

Luce endureceu, sentindo-se exposta, como se estivesse nua naquele altar. Uma coisa era Daniel tê-la conhecido em outras vidas — mas isso acontecera com outras pessoas também?

— Dessa vez — a Srta. Sophia continuou —, você tinha alguma coisa a mais. Um brilho genuíno. Mas eu não entendia o que era até hoje à noite, naquele formidável escorregão sobre seus pais agnósticos.

— O que tem meus pais? — Luce sibilou.

— Bem, minha querida, o motivo de você continuar voltando é porque em todas as suas outras vidas havia sido iniciada em crenças religiosas. Dessa vez, quando seus pais optaram por não a batizar, eles na verdade deixaram sua almazinha indefesa. — Ela deu de ombros dramaticamente. — Sem um ritual introduzindo-a na religião, nada de reencarnação para Luce. Uma pequena, mas essencial brecha em seu ciclo.

Poderia ser disso que Ariane e Gabbe estavam falando no cemitério? A cabeça de Luce começou a latejar. Um véu de pontos vermelhos cobriu sua visão e ela ouvia um zumbido. Piscou lentamente, sentindo até mesmo aquele pequeno movimento de suas pálpebras doerem como uma explosão dentro da sua cabeça. Ela estava quase feliz por já estar deitada. Se não estivesse, provavelmente teria desmaiado.

Se isso era realmente o fim... Bom, *não podia* ser.

A Srta. Sophia se debruçou para perto do rosto de Luce, cuspindo junto com suas palavras:

— Quando você morrer hoje à noite, você *morre*. É isso. *Fim*. Nessa encarnação, você não é nada além do que parece ser: uma menininha burra, egoísta, ignorante e mimada que acha que a existência ou desaparecimento do mundo depende de ela conseguir sair ou não com algum garoto bonitinho da escola. Mesmo se a sua morte não significasse a conclusão de uma coisa tão aguardada, gloriosa e grandiosa, eu ainda teria prazer com esse momento, quando finalmente vou matá-la.

Luce observou enquanto a Srta. Sophia erguia o punhal e tocava a lâmina com o dedo.

A mente de Luce estava girando. O dia todo, houvera tanto para processar, tantas pessoas contando a ela tantas coisas diferentes. Agora a adaga estava apontada para seu coração e seus olhos ficaram embaçados mais uma vez. Ela sentia a pressão da ponta da lâmina contra seu peito, sentia a Srta. Sophia procurando em seu tórax pelo espaço entre as costelas, e achou que poderia haver alguma verdade no discurso enlouquecedor da bibliotecária. Depositar tanta esperança no poder do amor verdadeiro — que ela achava estar apenas começando a conhecer — *seria* ingenuidade? Afinal, o amor verdadeiro não poderia vencer aquela batalha lá fora. Talvez nem fosse capaz de salvá-la de morrer bem aqui, sobre esse altar.

Mas tinha que ser. Seu coração ainda batia por Daniel — e até que aquilo mudasse, alguma coisa bem no fundo de Luce acreditaria naquele amor, em seu poder de transformá-la numa versão melhor de si mesma, de transformar ela e Daniel numa coisa gloriosa e boa...

Luce gritou quando o punhal espetou sua pele, e então gritou de susto quando o vitral no teto pareceu estilhaçar e o ar em volta dela ficou cheio de luz e som.

Um murmúrio oco e maravilhoso. Uma claridade ofuscante.

Então ela tinha morrido.

A lâmina tinha entrado mais profundamente do que ela sentira. Luce tinha seguido em frente. De que outra maneira poderia explicar as formas brilhantes e opalescentes pairando sobre ela, descendo do céu, a cascata de centelhas, o brilho angelical? Era difícil enxergar alguma coisa com clareza sob a quente luz prateada. Escorregando por sua pele parecia estar o veludo mais macio, como a cobertura de merengue de um bolo de aniversário. As cordas prendendo seus braços e pernas foram alargadas, e então soltas, e seu corpo — ou talvez fosse sua alma — estava livre para flutuar até o céu.

Mas então ouviu a Srta. Sophia gritando:

— Ainda não! Está acontecendo rápido demais! — A velha tinha tirado o punhal do peito de Luce.

Luce piscou rapidamente. Seus pulsos. Desamarrados. Seus tornozelos. Livres. Pequenos fragmentos de vidro azul, vermelho, verde e dourado por cima do seu corpo, do altar, do chão em volta dele. Eles arderam quando ela os empurrou, deixando finos rastros de sangue em seus braços. Luce apertou os olhos para olhar o imenso buraco no teto.

Não estava morta, afinal, e sim salva. Por anjos.

Daniel viera para buscá-la.

Onde estava ele? Ela mal podia ver. Queria caminhar em meio à luz até seus dedos o encontrarem, envolverem seu pescoço, e nunca, nunca, nunca mais soltar.

Havia apenas as formas vivas opalescentes se movimentando em direção e em volta do corpo de Luce, como um quarto cheio de penas brilhantes. Elas voavam até ela, tocando em seu corpo nos lugares em que o vidro quebrado a havia cortado. Pinceladas de luz transparente que pareciam de alguma maneira lavar o sangue de seus braços e do pequeno talho em seu peito, até ela estar completamente renovada.

A Srta. Sophia tinha corrido até a parede mais afastada e estava apalpando freneticamente os tijolos, tentando achar a porta secreta. Luce queria impedi-la — para fazê-la pagar pelo que havia feito, e pelo que quase havia feito —, mas então parte da luz prateada ganhou um leve tom violeta e começou a tomar forma.

Uma vibração e um brilho sacudiram a capela. Era uma luz tão gloriosa que poderia ter ofuscado o sol, e fez as paredes tremerem e as velas balançarem e oscilarem em seus suportes de bronze. As sinistras tapeçarias bateram contra a parede de pedra. A Srta. Sophia se encolheu, mas o brilho arrepiante parecia uma profunda massagem, chegando até os ossos de Luce. E, quando a luz se condensou, espalhando calor pelo salão, ela se ajustou até a forma que Luce reconhecia e amava.

Daniel ficou parado na frente dela, vestido apenas com calças de linho branco. Ele sorriu para ela, então fechou os olhos e abriu os braços para os lados. Depois, delicada e muito lentamente, como se para não a chocar, ele expirou profundamente e suas asas começaram a se desenrolar.

Elas surgiram gradualmente, começando na base de seus ombros, dois gomos brancos se estendendo de suas costas, ficando mais altas, mais largas, mais espessas, enquanto se propagavam para trás, para cima e para fora. Luce observou as pontas recurvadas, querendo senti-las com suas próprias mãos, suas bochechas, seus lábios. A parte de dentro das asas começou a brilhar com uma iridescência de veludo. Igualzinho ao seu sonho. Só que agora, quando ele finalmente estava se tornando realidade, Luce podia olhar para suas asas pela primeira vez sem se sentir tonta, sem forçar os olhos. Podia admirar toda a glória de Daniel.

Ele ainda brilhava, como se estivesse aceso por dentro. Ela podia ver claramente seus olhos cinza e violeta e sua boca macia. As mãos fortes e os ombros largos. Luce podia se esticar e se envolver na luz de seu amor.

Daniel estendeu as mãos até ela. Luce fechou os olhos com seu toque, esperando uma coisa sobrenatural demais para seu corpo humano suportar. Mas não. Era simplesmente, de maneira tranquilizadora, Daniel.

Luce alcançou suas costas para tocar nas asas. Ela as tocou nervosamente, como se pudessem queimá-la, mas elas roçavam pelos seus dedos, mais suaves que o mais macio veludo, que o tapete mais felpudo. Do jeito que ela gostava de imaginar que seria uma nuvem fofa iluminada pelo sol se a segurasse em suas mãos.

— Você é tão... *bonito* — sussurrou contra seu peito. — Quero dizer, sempre foi bonito, mas isso...

— Isso assusta você? — ele sussurrou. — Dói quando olha?

Ela sacudiu a cabeça.

— Achei que poderia — respondeu, lembrando-se de seus sonhos. — Mas dói não olhar.

Ele suspirou, aliviado.

— Quero que se sinta segura comigo. — A luz cintilante em volta deles parecia confete, e Daniel a puxou para ele. — É muita coisa para você assimilar.

Ela inclinou sua cabeça para trás e abriu os lábios, ansiosa em fazer exatamente isso.

A batida forte de uma porta os interrompeu. A Srta. Sophia tinha achado as escadas. Daniel deu um leve aceno de cabeça e uma chamejante figura de luz disparou pela porta secreta atrás dela.

— O que foi isso? — Luce perguntou, boquiaberta com o rastro da luz rapidamente sumindo pela porta aberta.

— Um ajudante. — Daniel guiou seu queixo de volta.

E então, mesmo que Daniel estivesse com ela e ela se sentisse amada e protegida e a salvo, também sentia uma pontada de incerteza, lembrando-se de todas as coisas horríveis que tinham acabado de acontecer, e de Cam e seus agentes sombrios. Ainda havia tantas perguntas sem resposta zunindo por sua cabeça, e tantos eventos medonhos, que ela sentia que nunca conseguiria entender. Como a morte de Penn, a pobre doce e inocente Penn, seu fim violento e sem sentido. Tudo aquilo oprimiu Luce, e seus lábios começaram a tremer.

— Penn está morta, Daniel — disse ela. — A Srta. Sophia a matou. E por um momento, achei que tinha me matado, também.

— Eu nunca deixaria isso acontecer.

— Como sabia que me encontraria aqui? Como sempre sabe como me salvar? — Ela balançou a cabeça. — Ah, meu Deus — sussurrou lentamente enquanto compreendia a verdade. — Você é meu anjo da guarda.

Daniel riu.

— Não exatamente. Apesar de eu achar que isso é um elogio.

Luce corou.

— Então que tipo de anjo é você?

— Estou meio que mudando de emprego no momento — disse Daniel.

Atrás dele, o resto de luz prata na capela se agrupou e se dividiu ao meio. Luce se virou para olhar, o coração martelando, enquanto o brilho finalmente tomava a forma, como tinha feito em volta da figura de Daniel, de duas figuras distintas: Ariane e Gabbe.

As asas de Gabbe já estavam abertas. Eram amplas e felpudas e tinham três vezes o tamanho de seu corpo. Bordas emplumadas e redondas, como as asas de anjos em cartões de natal e filmes, e com apenas um toque de rosa pálido nas pontas. Luce notou que elas batiam muito levemente — e que os pés de Gabbe estavam a alguns centímetros do chão.

As asas de Ariane eram mais lisas e lustrosas, e com pontas mais pronunciadas, quase como as de uma borboleta gigante. Parcialmente translúcidas, elas brilhavam e refletiam inconstantes prismas opalescentes de luz no chão de pedra sob elas. Como a própria Ariane, eram estranhas e sedutoras, e totalmente intimidadoras.

— Eu já devia saber — disse Luce, um sorriso se espalhando por seu rosto.

Gabbe sorriu de volta, e Ariane fez a Luce uma pequena reverência.

— O que está acontecendo lá fora? — perguntou Daniel, registrando a expressão preocupada no rosto de Gabbe.

— Precisamos tirar Luce daqui.

A batalha. Ainda não tinha acabado? Se Daniel, Gabbe e Ariane estavam ali, deviam ter vencido, certo? Os olhos de Luce fixaram-se nos de Daniel. Sua expressão não revelava nada.

— E alguém precisa ir atrás da Srta. Sophia — disse Ariane. — Ela não podia estar trabalhando sozinha.

Luce engoliu.

— Ela está no lado de Cam? Ela é algum tipo de... demônio? Um anjo caído? — Esse era um dos poucos termos que ela se lembrava da aula da Srta. Sophia.

Os dentes de Daniel estavam cerrados. Até suas asas pareciam duras de fúria.

— Não é um demônio — murmurou ele —, mas nem de perto é um anjo, também. Achamos que ela estava do nosso lado. Nunca devíamos ter deixado ela se aproximar tanto.

— Ela era uma dos vinte e quatro anciões — acrescentou Gabbe. Ela desceu seus pés até o chão e escondeu as pálidas asas rosadas atrás de suas costas para poder se sentar no altar. — Uma posição bastante respeitável. Ela manteve esse lado bem escondido.

— Assim que subimos aqui, parece que ela simplesmente enlouqueceu — disse Luce. Ela esfregou o pescoço onde o punhal tinha espetado a pele.

— Eles *são* loucos — disse Gabbe. — Mas muito ambiciosos. Ela faz parte de uma seita secreta. Devia ter percebido antes, mas os sinais estão bem nítidos agora. Eles se denominam os Zhsmaelim. Usam roupas parecidas, e todos têm uma certa... elegância. Sempre achei que fossem mais conversa do que qualquer outra coisa. Ninguém os levava muito a sério no céu — informou ela a Luce —, mas agora vão. O que ela fez hoje é motivo para exílio. Ela pode passar mais tempo com Cam e Molly do que gostaria.

— Então Molly é um anjo caído, também — disse Luce lentamente. De todas as coisas que descobrira hoje, essa era a que fazia mais sentido.

— Luce, *todos* nós somos anjos caídos — disse Daniel. — É só que alguns de nós estão de um lado... e outros, de outro.

— Alguém mais aqui está — ela engoliu em seco — do outro lado?

— Roland — disse Gabbe.

— Roland? — Luce ficou espantada. — Mas vocês eram amigos dele. E ele era sempre tão carismático e legal.

Daniel apenas deu de ombros. Era Ariane quem parecia chateada. Suas asas batiam de uma maneira triste e agitada e levantavam uma lufada de vento poeirento.

— A gente consegue ele de volta um dia desses — disse ela baixinho.

— E Penn? — Luce perguntou, sentindo as lágrimas presas na garganta.

Mas Daniel balançou a cabeça, apertando sua mão.

— Penn era mortal. Uma vítima inocente numa longa e desnecessária guerra. Sinto muito, Luce.

— Então toda aquela briga lá fora...? — Luce perguntou. Sua voz engasgou. Ela ainda não conseguia falar sobre Penn.

— Só uma das muitas batalhas que travamos contra demônios — disse Gabbe.

— Bem, e quem ganhou?

— Ninguém — disse Daniel amargamente. Pegou um grande caco do vidro pintado do teto e o atirou para o outro lado da capela. Ele se espatifou em centenas de pequenos fragmentos, mas isso não pareceu ter aliviado em nada sua raiva. — Ninguém nunca vence. É quase impossível um anjo acabar com o outro. É só brigar e brigar até todo mundo ficar cansado demais e se retirar.

Luce foi sacudida quando uma estranha imagem passou pela sua mente. Era Daniel sendo atingido diretamente no ombro por um dos longos raios escuros que atingiram Penn. Ela abriu os olhos e olhou para seu ombro direito. Havia sangue em seu peito.

— Está ferido — sussurrou ela.

— Não — disse Daniel.

— Ele não pode se ferir, ele...

— O que é isso em seu braço, Daniel? — Ariane perguntou, apontando para o peito dele. — Sangue?

— É de Penn — disse Daniel bruscamente. — Achei-a no pé da escada.

O coração de Luce se apertou.

— Precisamos enterrar Penn — disse ela. — Ao lado de seu pai.

— Luce, querida — disse Gabbe, levantando-se. — Queria que tivéssemos tempo para isso, mas nesse momento temos que ir embora.

— Não vou abandoná-la. Ela não tem mais ninguém.

— Luce — disse Daniel, esfregando a testa.

— Ela morreu em meus braços, Daniel. Porque eu não sabia que não devia seguir a Srta. Sophia até essa câmara de tortura.

— Luce olhou para os três. — Porque nenhum de vocês me contou nada.

— Certo — disse Daniel. — Vamos ser o mais justos que pudermos com Penn. Mas depois precisamos levar você para o mais longe possível daqui.

Uma rajada de vento entrou pelo buraco no teto, fazendo as velas oscilarem e arrastando os restos de caco de vidro do buraco. No momento seguinte, caíram como uma chuva de lascas afiadas.

Bem a tempo, Gabbe deslizou do altar e foi para o lado de Luce. Ela parecia intacta.

— Daniel está certo — disse ela. — A trégua que combinamos após a batalha vale apenas para anjos. E agora que tantos sabem sobre a — ela parou, limpando a garganta —, hum, *mudança* em seu status de mortalidade, tem muitos caras maus por aí que vão ficar interessados em você.

As asas de Ariane a levantaram do chão.

— E muitos bonzinhos que vão vir ajudar a afastá-los — disse ela, deslizando até o outro lado de Luce para acalmá-la.

— Ainda não consigo entender — disse Luce. — Por que isso importa tanto? Por que *eu* importo tanto? É só porque Daniel me ama?

Daniel suspirou.

— Isso também, por mais inocente que pareça.

— Você sabe que todo mundo adora odiar um par de pombinhos felizes — ofereceu Ariane.

— Querida, essa história é muito longa — Gabbe disse, a voz da razão.

— Só podemos contar a você um capítulo de cada vez.

— E, como aconteceu com minhas asas — Daniel acrescentou —, vai ter que perceber muitas partes sozinha.

— Mas por quê? — perguntou Luce. A conversa era tão frustrante. Ela se sentia como uma criança ouvindo que entenderia tudo quando ficasse mais velha. — Por que não podem simplesmente me ajudar a entender?

— *Podemos* ajudar — disse Ariane —, mas não podemos despejar tudo em cima de você de uma vez só. Você nunca deve acordar um sonâmbulo de uma vez. É perigoso demais.

Luce envolveu-se com os braços.

— Eu morreria — disse, oferecendo as palavras que os outros estavam evitando.

Daniel colocou os braços em volta dela.

— Já aconteceu antes. E você já teve quase-encontros com a morte suficientes por uma noite.

— E agora? Agora só tenho que largar a escola? — Ela se virou para Daniel. — Para onde vai me levar?

Suas sobrancelhas se franziram, e ele afastou os olhos.

— Não posso levar você a lugar nenhum. Chamaria muita atenção. Vamos ter que confiar em outra pessoa. Existe um mortal em quem podemos confiar. — Ele olhou para Ariane.

— Vou chamá-lo — disse ela, erguendo-se.

— Não vou deixar você — Luce disse para Daniel. Seus lábios vacilaram. — Acabei de ter você de volta.

Daniel beijou sua testa, despertando um calor que se espalhou pelo corpo de Luce.

— Felizmente, ainda temos algum tempo.

VINTE

AURORA

Estava amanhecendo. A aurora do último dia que Luce veria na Sword & Cross por, bom, ela não sabia por quanto tempo. O pio de uma única pomba branca ecoou pelo céu cor de açafrão enquanto ela entrava pelas portas cobertas de vegetação da academia. Lentamente, partiu em direção ao cemitério, de mãos dadas com Daniel. Estavam em silêncio enquanto atravessavam a grama imóvel do pátio.

Momentos antes de saírem da capela, um de cada vez, os outros tinham retraído suas asas. Era um processo trabalhoso e sério, que os deixava letárgicos assim que voltavam à sua forma humana. Olhando aquela transformação, Luce não podia acreditar como as imensas e brilhantes asas poderiam ficar tão pequenas e frágeis, finalmente sumindo sob a pele dos anjos.

Quando acabou, ela passou a mão pelas costas de Daniel. Pela primeira vez, ele parecera tímido, sensível a seu toque. Mas a pele dele era macia e perfeita como a de um bebê. E em seu rosto, no rosto de todos eles, Luce ainda podia ver a luz prateada manifestando-se, brilhando em todas as direções.

No final, tinham carregado o corpo de Penn de volta para o alto das escadas de pedra até a capela, limpado os cacos de vidro de cima do altar, deitando-a lá. Não havia como enterrá-la naquela manhã — não com o cemitério cheio de mortais, como Daniel garantiu que estaria.

Doía em Luce aceitar que só poderia sussurrar algumas últimas palavras para sua amiga dentro da capela, nada mais. Tudo que ela conseguia pensar em dizer era: "Está com seu pai agora. Sei que ele está feliz em tê-la de volta."

Daniel enterraria Penn apropriadamente assim que a escola se acalmasse — e Luce mostraria a ele onde era o túmulo do pai de Penn, para que ela fosse descansar ao seu lado. Era o mínimo que podia fazer.

Seu coração estava pesado enquanto atravessavam o campus. O jeans e a camiseta pareciam esgarçados e sujos. As unhas das mãos precisavam de uma boa esfregada, e ela estava feliz por não haver nenhum espelho por perto para ver como estava seu cabelo. Queria tanto poder voltar e mudar a metade nefasta da noite — poder salvar Penn, acima de tudo —, mantendo as partes boas. O clímax emocionante ao montar o quebra-cabeça da verdadeira identidade de Daniel. O momento em que ele apareceu na frente dela em toda sua glória. Ver Ariane e Gabbe desabrochando suas asas. Havia visto tantas coisas lindas.

E tantas coisas haviam resultado numa completa e desoladora destruição.

Ela sentia na atmosfera, como uma epidemia. Podia perceber nos rostos dos muitos alunos andando pelo pátio. Era cedo demais para qualquer um deles estar acordado por vontade própria, o que significava que todos deviam ter ouvido ou visto pelo menos um pouco da batalha que acontecera na noite passada. O que saberiam? Será que alguém já estava procurando por Penn? Pela Srta. Sophia? O que deviam achar que acontecera? Todos estavam agrupados e cochichando. Luce teve vontade de se aproximar deles e escutar.

— Não se preocupe. — Daniel apertou sua mão. — Apenas imite os olhares assustados. Ninguém vai desconfiar de nós.

Apesar de Luce sentir que era tudo óbvio e que seu rosto denunciava isso, ele estava certo. Nenhum dos outros alunos olhava para eles por mais tempo do que para quaisquer outros.

Nos portões do cemitério, luzes azuis e brancas da polícia piscavam, refletindo nas folhas dos carvalhos altos. A entrada tinha sido lacrada com fita amarela.

Luce viu a silhueta escura de Randy desenhada contra a luz do sol na frente deles. Estava andando de um lado para outro na entrada do cemitério e gritando num aparelho sem fio preso na gola de sua camisa polo deformada.

— Acho que você *devia* acordá-lo — gritou. — Aconteceu um incidente na escola. Estou falando... Eu não *sei*.

— Devo alertar você— Daniel disse a ela enquanto a afastava de Randy e das luzes dos carros de polícia pelo arvoredo de carvalhos que limitava o cemitério de três lados. — Vai parecer estranho para você lá embaixo. O estilo de guerra de Cam é mais bagunçado que o nosso. Não é nojento, é apenas... diferente.

Luce não achava que muita coisa podia assustá-la àquela altura. Algumas estátuas caídas certamente não iriam chocá-la. Eles caminharam pela floresta, as quebradiças folhas outonais sendo trituradas sob seus pés. Luce pensou em como, na noite anterior, essas árvores estavam tomadas pela trovejante nuvem de gafanhotos-sombra. Não havia nem vestígio deles agora.

Logo, Daniel gesticulou para um pedaço da grade de ferro do cemitério toda retorcida.

— Podemos entrar ali sem sermos vistos. Vamos ter que ser rápidos.

Saindo do abrigo das árvores, Luce lentamente entendeu o que Daniel quis dizer sobre o cemitério estar diferente. Eles ficaram na beirada, não muito longe do túmulo do pai de Penn no canto leste, mas era impossível enxergar mais do que alguns metros à frente. O ar acima do solo era tão enevoado que não podia nem ser chamado de ar. Era denso, cinza e arenoso, e Luce teve que abanar as mãos só para enxergar o que estava a sua frente.

Ela esfregou os dedos.

— Isso é...

— Poeira — disse Daniel, pegando a mão dela enquanto andavam. Ele conseguia ver através daquilo, e não precisou engasgar e tossir aquilo para fora de seus pulmões como Luce. — Na guerra, anjos não morrem. Mas suas batalhas deixam para trás essa grossa camada de poeira.

— O que acontece com isso?

— Não muita coisa, além do fato de que desorienta os mortais. Vai abaixar daqui a um tempo, e gente de todo canto virá para cá estudar o que é. Tem um cientista fanático em Pasadena que acha que isso vem de extraterrestres.

Luce pensou, com um arrepio, nas misteriosas nuvens escuras de insetos. Esse cientista podia até não estar muito enganado afinal.

— O pai de Penn foi enterrado aqui — disse, apontando enquanto se aproximavam do canto do cemitério. Por mais sombria que a poeira fosse, ela estava aliviada que os túmulos, estátuas e árvores dentro do cemitério estivessem todos aparentemente intactos. Ela se ajoelhou e limpou a camada de poeira do túmulo que achava que pertencia ao pai de Penn. Seus dedos trêmulos varreram e limparam as palavras que quase a fizeram chorar.

STANFORD LOCKWOOD
MELHOR PAI DO MUNDO

O espaço ao lado do túmulo do Sr. Lockwood estava vazio. Desolada, Luce se levantou e bateu o pé no chão, odiando que sua amiga fosse se juntar a ele ali. Odiando que ela nem pudesse estar presente para oferecer uma cerimônia adequada a Penn.

As pessoas sempre falavam do céu quando alguém morria, de como tinham certeza de que os falecidos estavam lá. Luce nunca achara que conhecia as regras, e agora se sentia ainda menos qualificada para falar sobre o que podia ou não podia ser verdade.

Luce virou-se para Daniel, com lágrimas nos olhos. Seu rosto desmoronou ao ver a tristeza dela.

— Vou cuidar dela, Luce — disse. — Sei que não é como você gostaria, mas vamos fazer o melhor que pudermos.

As lágrimas vieram com mais força. Luce estava fungando e soluçando e querendo tanto Penn de volta que achou que iria desmaiar.

— Não posso deixá-la, Daniel. Como poderia?

Daniel gentilmente secou suas lágrimas com as costas de sua mão.

— O que aconteceu com Penn foi terrível. Um grande erro. Mas, quando for embora hoje, não vai estar deixando-a. — Ele colocou uma das mãos sobre o coração de Luce. — Ela está com você.

— Mesmo assim, não posso...

— Pode, Luce. — Sua voz era firme. — Acredite em mim. Você não faz ideia de quantas coisas fortes e impossíveis você é capaz de fazer. — Ele desviou os olhos dela em direção às árvores. — Se ainda existe alguma bondade nesse mundo, vai saber em breve.

Um único som da sirene de um carro de polícia fez os dois pularem. Uma porta de carro bateu, e não muito longe de onde estavam escutaram o barulho de botas no cascalho.

— Mas que droga... Ronnie, chame o escritório central. Mande o xerife vir até aqui.

— Vamos lá — disse Daniel, alcançando sua mão. Ela segurou a dele, dando uma batida leve na lápide do Sr. Lockwood, e então começou a andar com Daniel de volta entre os túmulos até a parte leste do cemitério. Eles chegaram à parte retorcida da cerca de ferro, então rapidamente se abaixaram de volta até o meio dos carvalhos.

Uma lufada de ar frio bateu em Luce enquanto andavam. Nos galhos à frente deles, ela viu três pequenas, porém visíveis, sombras penduradas de cabeça para baixo, como morcegos.

— Rápido — comandou Daniel. Enquanto passavam, as sombras recuaram, sibilando, de alguma maneira sabendo que era melhor não mexer com Luce quando Daniel estava ao seu lado.

— E agora? — perguntou Luce na beira da alameda de carvalhos.

— Feche os olhos — disse ele.

Ela obedeceu. Os braços de Daniel envolveram sua cintura por trás e ela sentiu seu peito forte contra os ombros dela. Ele a estava levantando do chão. Uns trinta centímetros, talvez, depois mais alto, até as suaves folhas das árvores roçarem seus ombros, fazendo cócegas em seu pescoço enquanto Daniel as atravessava. Ainda mais alto, ela podia sentir os dois saírem completamente da floresta em direção ao brilhante sol da manhã. Ela ficou tentada a abrir os olhos — mas sentia intuitivamente que seria demais. Não sabia se estava pronta. E, além disso, a sensação do ar fresco em seu rosto e o vento soprando em seus cabelos era suficiente. Mais do que suficiente; era celestial. Como a sensação que tivera quando foi resgatada da biblioteca, como surfar sobre uma onda no oceano. Ela sabia com certeza que Daniel estivera por trás daquilo também.

— Pode abrir os olhos agora — disse ele baixo. Luce sentiu o chão sob seus pés de novo e viu que eles estavam no único lugar em que ela queria estar. Embaixo da árvore de magnólia, perto da beira do lago.

Daniel a segurou com força.

— Queria trazê-la aqui porque esse é um lugar, entre tantos outros, onde eu quis tanto beijar você nas últimas semanas. Quase enlouqueci aquele dia, quando você mergulhou.

Luce ficou na ponta dos pés, inclinando a cabeça para trás para beijar Daniel. Ela também quisera demais beijá-lo aquele dia — e agora *precisava* beijá-lo. Seu beijo era a única coisa que parecia certa, a única coisa que a confortava, e a lembrava de que existia um motivo para seguir em frente, mesmo quando Penn não pôde. A gentil pressão de seus lábios a tranquilizava, como uma bebida morna no inverno rigoroso, quando cada pedaço dela sentia tanto frio.

Cedo demais, ele se afastou, olhando para ela com os olhos tristes.

— Existe outro motivo para eu ter trazido você aqui. Essa rocha leva ao caminho que teremos que tomar para levá-la a um lugar seguro.

Luce baixou os olhos.

— Ah.

— Isso não é adeus para sempre, Luce. Espero que não seja nem um adeus por muito tempo. Só teremos que ver como as coisas... vão progredir. — Ele acariciou seu cabelo. — Por favor, não se preocupe. Sempre virei para você. Não vou deixar você ir até entender isso.

— Então eu me recuso a entender — disse ela.

Daniel riu para si mesmo.

— Está vendo aquela clareira ali? — Ele apontou através do lago a cerca de oitocentos metros de distância onde um pequeno pedaço da floresta se abria num pequeno monte de terra plano e cheio de grama. Luce nunca o havia notado antes, mas agora via um pequeno avião branco com luzes vermelhas em suas asas brilhando a distância.

— Aquilo é para mim? — perguntou. Depois de tudo que acontecera, ver um avião mal a surpreendia. — Para onde eu vou?

Ela não acreditava que estava indo embora de um lugar que odiava, mas onde tivera tantas experiências intensas em apenas algumas rápidas semanas. O que aconteceria com a Sword & Cross?

— O que vai acontecer com esse lugar? E o que vou dizer a meus pais?

— Por enquanto, tente não se preocupar. Assim que estiver a salvo, vamos cuidar de tudo que for necessário. O Sr. Cole pode ligar para seus pais.

— Sr. Cole?

— Ele está do nosso lado, Luce. Pode confiar nele.

Mas ela tinha confiado na Srta. Sophia. Ela mal conhecia o Sr. Cole. Ele parecia tão chato. E aquele bigode... Devia deixar Daniel e entrar num avião com seu professor de história? Sua cabeça latejava.

— Tem um atalho que segue a água — continuou Daniel. — Podemos ir por ele. — Ele envolveu com os braços a parte baixa das costas dela. — Ou — propôs ele —, podemos ir nadando.

De mãos dadas, eles ficaram na beirada da rocha vermelha. Tinham deixado os sapatos debaixo da árvore de magnólia, mas dessa vez não iam voltar. Luce não achava que seria muito confortável mergulhar no lago de jeans e camiseta, mas com Daniel sorrindo a seu lado, tudo que fazia parecia a única coisa certa a fazer.

Eles levantaram os braços acima da cabeça e Daniel contou até três. Seus pés se levantaram do chão exatamente ao mesmo tempo, seus corpos arqueados no ar exatamente da mesma forma, mas, em vez de irem para baixo, como Luce instintivamente esperava, Daniel a puxou mais para o alto, usando apenas as pontas de seus dedos.

Estavam voando. Luce estava de mãos dadas com um anjo e estava voando. As árvores pareciam reverenciá-los. Seu corpo parecia mais leve que o ar. A lua do começo da manhã ainda estava visível bem acima da fileira de árvores. Ela se aproximava, como se Daniel e Luce fossem a maré. A água se ondulava abaixo deles, prateada e acolhedora.

— Está pronta? — Daniel perguntou.

— Estou pronta.

Luce e Daniel desceram em direção ao profundo e gelado lago. Eles tocaram a superfície primeiro com os dedos, o mais longo mergulho de cisne que alguém já conseguira dar. Luce arfou com o frio ao mergulharem, então começou a rir.

A mão de Daniel segurou a sua novamente, e ele fez sinal para que ela se juntasse a ele na rocha. Ele subiu primeiro, então se abaixou e a puxou. O musgo criava um tapete fino e macio para os dois deitarem. Gotículas de água estavam sobre o peito dele. Eles ficaram de lado, um de frente para o outro, apoiados sobre os cotovelos.

Daniel colocou a mão no quadril de Luce.

— O Sr. Cole vai estar lá esperando quando chegarmos ao avião — disse ele. — Essa é nossa última chance de ficarmos sozinhos. Achei que podíamos nos despedir de verdade aqui. Quero dar uma coisa a você — continuou ele, colocando a mão em seu bolso e puxando o medalhão de prata que o vira usando na escola. Ele colocou a corrente na mão de Luce e ela percebeu que era um camafeu, com uma rosa gravada na frente. — Costumava ser seu — disse ele. — Há muito tempo.

Luce abriu o medalhão e viu uma pequena fotografia dentro dele, atrás de uma placa de vidro. Era uma foto deles dois, olhando não para a câmera, mas profundamente nos olhos um do outro, e rindo. O cabelo de Luce estava curto, como agora, e Daniel usava uma gravata-borboleta.

— Quando foi tirada? — perguntou ela, segurando o medalhão. — Onde estávamos?

— Vou contar da próxima vez que nos virmos — disse ele. Levantou a corrente acima da cabeça dela e a colocou em volta de seu pescoço. Quando o pingente tocou suas clavículas, ela pôde sentir um calor intenso pulsando dele, aquecendo sua pele fria e molhada.

— Eu amei — sussurrou ela, tocando a corrente.

— Sei que Cam deu aquele colar de ouro a você também — disse Daniel.

Luce não tinha mais pensado naquilo desde que Cam a forçara a colocá-lo no bar. Não acreditava que aquilo tinha sido ontem. A ideia de usá-lo a deixava enjoada. Ela nem sabia mais onde estava o colar — e nem queria saber.

— Ele colocou-o em mim — disse ela, sentindo-se culpada. — Eu não...

— Eu sei — disse Daniel. — O que aconteceu entre você e Cam não foi culpa sua. De alguma maneira ele preservou muito de seu charme angelical quando caiu. É muito persuasivo.

— Espero que eu nunca mais tenha que vê-lo. — Ela estremeceu.

— Receio que isso possa acontecer. E existem outros como Cam por aí. Vai ter que simplesmente confiar em seus instintos — disse Daniel. — Não sei quanto tempo vai demorar para ficar a par de tudo que aconteceu em nosso passado. Mas, enquanto isso, se sentir um instinto, mesmo a respeito de alguma coisa que ache que não conhece, confie nele. Provavelmente estará certa.

— Então devo confiar em mim mesma quando não puder confiar naqueles em volta de mim? — perguntou, sentindo como se isso fosse parte do que Daniel queria dizer.

— Tentarei estar lá para ajudar, e vou mandar notícias sempre que puder, quando estiver longe — disse Daniel. — Luce, você tem as memórias de suas vidas passadas... mesmo que ainda não as tenha libertado. Se alguma coisa parecer errada para você, fique longe dela.

— Para onde você vai?

Daniel olhou para o céu.

— Achar Cam — disse. — Temos mais algumas contas para acertar.

O tom taciturno de sua voz deixou Luce nervosa. Ela se lembrou da grossa camada de poeira que Cam deixara no cemitério.

— Mas vai voltar para mim — pediu —, depois disso? Você promete?

— Eu... Eu não posso viver sem você, Luce. Eu amo você. Não importa só a mim, mas... — Daniel hesitou, então balançou a cabeça. — Não se preocupe com nada disso agora. Apenas saiba que vou voltar para você.

Lenta e relutantemente, os dois se levantaram. O sol tinha acabado de atingir o pico acima das árvores e refletia pequenos fragmentos no formato de estrelas sobre a água inquieta. Havia apenas uma curta distância para nadar dali até a margem lamacenta que os levaria até o avião. Luce queria que fossem quilômetros de distância. Ela poderia ter nadado com Daniel até a noite chegar. E até todo nascer e pôr do sol depois disso.

Os dois pularam de volta na água e começaram a nadar. Luce se certificou de colocar o medalhão dentro de sua regata. Se confiar em seus instintos era importante, seus instintos diziam para que ela nunca se separasse do colar.

Ela observou, novamente admirada, quando Daniel começou seu nado lento e elegante. Dessa vez, sob a luz, ela sabia que as asas iridescentes que ela via contornadas pelas gotas de água não eram fruto de sua imaginação. Eram reais.

Ela foi atrás, rasgando a água braçada após braçada. Rapidamente, seus dedos tocaram na margem. Ela odiava que já pudesse ouvir o zumbido do motor do avião mais à frente na clareira. Tinham chegado ao momento em que teriam que se separar, e Daniel praticamente teve que arrastá-la para fora da água. Ela passara de molhada e feliz a ensopada e congelando. Eles andaram até o avião, a mão dele em suas costas.

Para a surpresa de Luce, o Sr. Cole estava segurando uma grande toalha branca quando pulou da cabine de piloto.

— Um anjinho me disse que poderia precisar disso — disse, desdobrando-a para Luce, que aceitou agradecida.

— Quem você está chamando de anjinho? — Ariane pulou de trás de uma árvore, seguida por Gabbe, que trazia o livro dos Guardiões.

— Viemos desejar *bon voyage* — disse Gabbe, entregando o livro a Luce. — Fique com isso — disse descontraída, mas seu sorriso parecia mais uma carranca.

— Dê a ela a parte boa — disse Ariane, cutucando Gabbe.

Gabbe tirou uma garrafa térmica de sua mochila, entregando-a a Luce. Ela tirou a tampa. Era chocolate quente e tinha um cheiro incrível. Luce segurou o livro e a garrafa em seus braços envoltos pela toalha, sentindo-se subitamente rica com suas posses. Mas ela sabia que, assim que entrasse naquele avião, se sentiria vazia e sozinha. Ela se apertou contra o ombro de Daniel, aproveitando a proximidade enquanto ainda podia.

Os olhos de Gabbe estavam límpidos e decididos.

— Vemos você em breve, tá bem?

Mas os olhos de Ariane ficavam se desviando, como se ela não quisesse olhar para Luce.

— Não faça nada idiota, tipo virar uma pilha de cinzas. — Ela embaralhou os pés. — Precisamos de você.

— *Vocês* precisam de *mim*? — Luce perguntou. Ela precisou de Ariane para lhe mostrar o esquema da Sword & Cross. Ela precisou de Gabbe aquele dia na enfermaria. Mas por que elas precisariam dela?

As duas garotas responderam apenas com sorrisos tristes antes de voltarem para a floresta. Luce se virou para Daniel, tentando esquecer que o Sr. Cole ainda estava parado a alguns metros de distância.

— Vou dar a vocês dois um momento a sós — disse o Sr. Cole, entendendo o recado. — Luce, do momento em que eu arrancar o motor, são três minutos para a decolagem. Encontro você na cabine.

Daniel a levantou e encostou sua testa na dela. Quando seus lábios se tocaram, Luce tentou registrar cada segundo. Ela precisaria dessa lembrança da mesma maneira que precisava de ar.

Porque... e se quando Daniel a deixasse a coisa toda começasse a parecer apenas mais um sonho? Um sonho, em parte um pesadelo, mas um sonho de qualquer maneira. Como podia ser possível ela sentir o que achava que sentia por alguém que nem era humano?

— É isso — disse Daniel. — Tome cuidado. Deixe o Sr. Cole guiá-la até eu voltar. — Um assobio estridente veio do avião, o Sr. Cole dizendo-lhes para encerrar. — Tente se lembrar do que eu disse.

— Qual parte? — Luce perguntou, ligeiramente em pânico.

— De tudo, mas principalmente que eu a amo.

Luce fungou. Sua voz ia falhar se tentasse dizer alguma coisa. Era hora de ir.

Ela correu até a porta aberta da cabine do avião, sentindo os jatos quentes das hélices quase a derrubando. Havia uma escada de três degraus, e o Sr. Cole estendeu a mão para ajudá-la a subir. Ele apertou um botão e a escada se encolheu de volta para dentro do avião. A porta se fechou.

Ela olhou para o complicado painel. Luce nunca tinha visto um avião tão pequeno. Nunca tinha estado numa cabine de piloto. Havia luzes piscando e botões em toda parte. Ela olhou para o Sr. Cole.

— Sabe pilotar essa coisa? — perguntou, secando os olhos na toalha.

— Força Aérea Americana, 59ª Divisão, às suas ordens — disse ele, batendo continência.

Luce desajeitadamente fez uma continência de volta.

— Minha esposa sempre diz às pessoas para não me deixar começar a falar sobre meus dias no Vietnã — disse, puxando para trás uma grande alavanca prateada. O avião tremeu ao começar a se movimentar. — Mas temos um longo voo pela frente, e tenho uma plateia cativada.

— Quer dizer uma plateia cativa — ela deixou escapar.

— Boa. — O Sr. Cole deu uma leve cotovelada nela. — Estou brincando — disse ele, rindo cordialmente. — Eu não a sujeitaria a isso. — O jeito com que ele se virou para ela quando riu a lembrou do jeito que seu pai sempre ria quando estavam vendo juntos um filme engraçado, e fez com que Luce se sentisse um pouco melhor.

As rodas estavam rolando rapidamente agora e a "pista" à frente deles parecia curta demais. Precisariam decolar bem rápido ou então iam entrar direto no lago.

— Sei o que está pensando — gritou ele por cima do rugido do motor. — Não se preocupe, faço isso o tempo todo!

E, bem antes da margem lamacenta abaixo deles acabar, ele puxou com força a alavanca entre eles e o nariz do avião apontou para o céu. O horizonte saiu de vista por um momento e o estômago de Luce guinou junto com ele. Mas, um momento depois, o balanço do avião se estabilizou, e a vista na frente deles se tornou apenas árvores e um céu limpo e aceso por estrelas. Abaixo deles estava o lago cintilante. A cada segundo, ficava mais distante. Tinham decolado para o oeste, mas o avião estava fazendo um círculo, e logo a janela de Luce mostrava a floresta pela qual ela e Daniel tinham acabado de voar. Ela a contemplou, pressionando o rosto pela janela para procurá-lo e, antes do avião voar em linha reta, ela pensou ter visto uma pequena luz violeta. Ela segurou o medalhão em seu pescoço e o levou até os lábios.

Agora o campus estava abaixo deles, e o cemitério enevoado mais além. O lugar onde Penn seria enterrada em breve. Quanto mais alto eles voavam, mais Luce conseguia ver da escola onde seu maior segredo fora revelado — ainda que de um jeito muito diferente do que ela jamais poderia ter imaginado.

— Eles realmente fizeram um estrago naquele lugar — disse o Sr. Cole, balançando a cabeça.

Luce não fazia ideia do quanto ele sabia sobre os eventos que aconteceram na noite passada. Ele parecia tão normal, e, no entanto, estava levando tudo isso numa boa.

— Aonde estamos indo?

— Para uma pequena ilha perto da costa — disse ele, apontando distante em direção ao mar, onde o horizonte sumia até ficar preto. — Não é muito longe.

— Sr. Cole — disse ela —, conheceu meus pais.

— Gente boa.

— Eu vou poder... Gostaria de falar com eles.

— Certamente. Vamos dar um jeito nisso.

— Eles nunca acreditariam em nada disso.

— Você acredita? — ele perguntou, dando um sorriso de lado para ela enquanto o avião subia mais alto, se equilibrando no ar.

Essa era a questão. Ela *precisava* acreditar em tudo — da primeira centelha escura das sombras, até o momento em que os lábios de Daniel tocaram nos seus, até Penn deitada morta no altar de mármore da capela. Tudo aquilo precisava ser real.

De que outra maneira ela aguentaria até mesmo ver Daniel de novo? Ela segurou o medalhão em volta do pescoço mais uma vez, uma vida inteira de memórias ali. Suas memórias, Daniel tinha lembrado, eram suas para decifrar.

O que continham ela não sabia, não mais do que sabia sobre para onde o Sr. Cole a estava levando. Mas tinha se sentido como parte de *alguma coisa* aquela manhã na capela, parada ao lado de Ariane, Gabbe e Daniel. Não perdida e com medo e complacente... mas como se pudesse ter importância, não apenas para Daniel, mas para todos eles.

Ela olhou pelo para-brisa. Já teriam ultrapassado as salinas agora, e pela estrada que levava até aquele horrível bar onde encontrou Cam, e o longo trecho de areia da praia onde beijara Daniel pela primeira vez. Estavam agora sobre o mar aberto, que — em algum lugar — abrigava o novo destino de Luce.

Ninguém tinha chegado e contado a ela que haveria mais batalhas para serem travadas, mas Luce sentia a verdade dentro dela, de que estavam no princípio de algo longo, significativo e difícil.

Juntos.

E quer fossem as batalhas pavorosas ou redentoras, ou as duas coisas, Luce não queria mais ser apenas um peão. Uma sensação estranha estava despertando dentro dela — embebida por todas as suas vidas passadas, por todo o amor que ela sentira por Daniel, que tinha sido extinguido vezes demais antes.

Isso fez Luce querer estar ao lado dele e lutar. Lutar para sobreviver por tempo o bastante para *viver* ao lado dele. Lutar pela única coisa que ela sabia que era boa o suficiente, nobre o suficiente, poderosa o suficiente para valer a pena arriscar tudo.

O amor.

EPÍLOGO

DUAS GRANDES LUZES

A noite toda ele a observou dormindo, encaixada na estreita cama de lona. Uma única lanterna verde-oliva pendurada de uma das baixas vigas de madeira na cabana iluminava sua silhueta. O brilho suave acentuava o cabelo lustroso espalhado sobre o travesseiro, as bochechas ainda macias e rosadas do banho.

Toda vez que o mar batia contra a praia deserta, ela virava para o outro lado. A regata agarrava seu corpo de modo que, quando o cobertor fino se amontoava em volta dela, ele podia distinguir aquela pequena covinha marcando seu macio ombro esquerdo. Ele o tinha beijado tantas vezes antes.

Volta e meia ela suspirava durante o sono, depois respirava uniformemente, e então gemia, de algum lugar de um sonho profundo. Mas se era de prazer ou de dor, ele não sabia. Duas vezes ela chamou seu nome.

Daniel queria flutuar até ela. Deixar seu posto acima das velhas caixas de munição cheias de areia no alto de um mezanino da cabana de frente para o mar. Mas ela não podia saber que ele estava lá. Não podia saber nem que ele estava por perto. Ou o que os próximos dias lhe trariam.

Atrás dele, na janela marcada de sal, ele viu de relance uma sombra passando. Então ouviu uma fraca batida no painel de vidro. Tirando os olhos da garota, ele se moveu até a janela e abriu a tranca. Uma chuva torrencial caía lá fora, reunindo-se ao mar. Uma nuvem escura escondia a lua e não jogava nenhuma luz sobre o rosto do visitante.

— Posso entrar?

Cam estava atrasado.

Apesar de Cam possuir o poder de conseguir simplesmente surgir ao lado de Daniel, Daniel abriu mais a janela para deixá-lo entrar. Tanta coisa era pompa e circunstância hoje em dia. Era importante para ambos que ficasse evidente que Daniel tinha deixado Cam entrar.

O rosto de Cam ainda estava sombreado, mas ele não mostrava sinais de ter viajado milhares de quilômetros na chuva. Seu cabelo escuro e sua pele estavam secos. As asas douradas, compactas e sólidas agora, eram a única parte que brilhava, como se fossem feitas de ouro vinte e quatro quilates. Apesar de ele as ter escondido cuidadosamente atrás de si, quando se sentou ao lado de Daniel numa caixa de madeira cheia de farpas, as asas de Cam gravitaram em direção às iridescentes e prateadas de Daniel. Era o estado natural das coisas, uma inexplicável confiança. Daniel não podia se afastar sem abrir mão da visão desobstruída que tinha de Luce.

— Ela é tão linda quando dorme — disse Cam suavemente.

— É por isso que queria que ela dormisse por toda a eternidade?

— *Eu?* Nunca. E *eu* teria matado Sophia pelo que ela tentou fazer, e não a deixado fugir como você fez. — Cam se inclinou para a frente, descansando os cotovelos no corrimão do mezanino. Lá embaixo, Luce apertou as cobertas em volta do pescoço. — A única coisa que quero é ela. Você sabe por quê.

— Então tenho pena de você. Vai acabar decepcionado.

Cam sustentou o olhar de Daniel e esfregou o queixo, rindo cruelmente para si mesmo.

— Ah, Daniel, sua miopia me surpreende. Ela ainda não é sua. — Ele deu mais uma longa olhada em Luce. — Ela pode achar que é. Mas nós dois sabemos o quão pouco ela entende.

As asas de Daniel ficaram tensas contra suas omoplatas, mas as pontas estavam apontadas para a frente. Mais perto das de Cam. Ele não conseguia impedir.

— A trégua dura dezoito dias — disse Cam. — Apesar de eu ter uma impressão de que possamos precisar um do outro antes disso.

Então ele se levantou, empurrando a caixa de volta com seus pés. O arranhão contra o teto acima da cabeça de Luce fez os olhos dela pestanejarem, mas os dois anjos se abaixaram e recuaram para a sombra antes que seu olhar pudesse se fixar em qualquer lugar.

Eles se encararam, ambos ainda cansados da batalha, ambos sabendo que aquilo fora um mero gostinho do que estava por vir.

Lentamente, Cam estendeu a pálida mão direita.

Daniel estendeu a sua de volta.

Enquanto Luce sonhava ali embaixo com as mais gloriosas asas se desenrolando — de tipos que ela nunca havia visto antes —, dois anjos sobre as vigas apertavam as mãos.

Este livro foi composto na tipologia Classical Garamond BT,
em corpo 11/16,1, impresso em papel off-white,
no Sistema Cameron da Divisão Gráfica
da Distribuidora Record.